KB182809

냉철한 머리보다
따뜻한
가슴으로

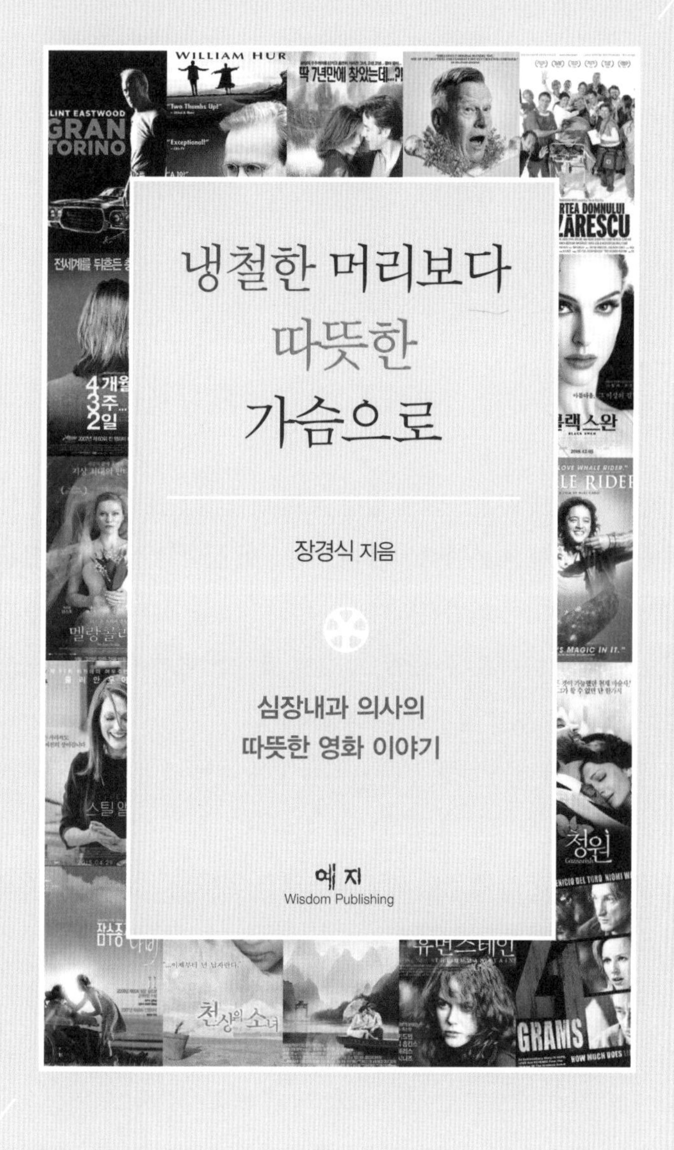
냉철한 머리보다
따뜻한
가슴으로
장경식 지음
심장내과 의사의
따뜻한 영화 이야기
예지
Wisdom Publishing

책머리에

2007년 간세포암 수술을 받은 후에 내 인생은 큰 전환점을 맞이하였다. 특히 2015년에 재발의 가능성이 높다는 결과가 나왔을 때는 정말 눈앞이 캄캄하였다. 그래도 이 일을 계기로 책을 출간하고 순례를 다녀올 수 있었고, 다시 검사한 결과에서는 정상으로 나왔다. 이 모든 과정이 큰 은총이었다.

의과대학을 졸업하고 수련을 마친 후 교수의 길이라는 소위 '거칠고 좁은 길'을 묵묵히 걸어갔다. 강에서 노를 저어 상류로 올라가듯이 그동안 땀 흘리며 열심히 노를 저었다. 강이라 해도 때로 거친 물살을 헤쳐나가야 하고, 노젓기라는 것이 인내심을 요구하는 것이어서 쉬운 일이 아니었다. 어떻게 하면 남들보다 먼저 갈 수 있을까, 어떻게 하면 효과적으로 노를 저을 수 있을까, 혹시라도 노를 젓지 않으면 물살에 의해 뒤로 떠내려갈까 봐 노심초사했다. 그러다가 죽음 문턱에서 살아 돌아오고 순례를 다녀오는 전환점을 맞이하였다.

직접 환자 체험을 한 후에야, 의사의 입장이 아닌 환자 입장에서 의료를 생각하고 어떻게 하면 후진들을 가르칠 수 있을까 고민하였다. 그 과정에서 알게 된 것이 영화를 통한 의학교육(Cinemeducation, Cinema in medical education)이었다. 학생들과 같이 영화를 보고 토론하고 하는 과정을 통해서 소위 인문학이라는 것을 접해볼 수 있었다. 그러나 이것이 국가고시에 많이 출제되지 않은 영역이어서 많은 학생이 관심을 가진 것은 아니었지만, 그들 가슴에도 뭔가 따뜻한 씨앗을 뿌려놓았을 것으로 생각된다.

연세대 김상근 교수는 '죽음, 벽인가 문인가(『나는 어떻게 죽을 것인가』 2016)'에서 인문학의 목표는 노젓는 방법을 가르치는 것이 아니라 우리에게 잠시 노를 내려놓으라고 요구하고, 고개를 들어 밤하늘의 별을 바라보는 것이라고 한다. 고은 시인의 말대로 노를 놓쳐버리고 나서 비로소 넓은 물을 돌아다볼 수 있었고, 하늘을 쳐다볼 수 있었다.

순례는 하느님을 만나는 여정이다. 산티아고 순롓길을 걸으면서 깨닫는 순간이 많았다. 때로 길을 잃고 방황하면서, "주님, 저와 함께 해 주십시오."라는 기도를 하였을 때 "나는 너를 떠난 적이 없다. 네 어머니 배 속에서부터 나는 너와 함께 하고 있단다."고 말씀하는 것을 느꼈다. [주님께서 나를 모태에서부터 부르시고 어머니 배 속에서부터 내 이름을 지어 주셨다. 이사 49,1]

순롓길이라는 내 인생의 여정에서 나는 주인공인가 아니면 어떤 주인공 옆에 '지나가는 조연'인가라는 생각도 들었다. 어떤 유명한 시인의 페이스북에 이런 이야기를 슬쩍 질문하였더니, 친절하게도 '모든 사람은 주인공이고 그 주위에 있는 사람은 조연'이라는 것을 알려주었다. 같은 장소에서 주인공이면서도 지나가는 나그네일 수 있다는 것이다. 그러므로 같은 시공간에서 내가 만난 사람들이 천사일 수도 있고 그들에게 나도 천사가 될 수 있다는 것이다.

암을 진단받고 수술 받는 과정에서 죽음에 대한 생각을 진지하게 했다. '영화 속의 생명 이야기'라는 강의 중에 한두 강좌에서 죽음에 관한 영화를 보고 토론하는 시간도 가졌는데, 학생들이 오히려 더 흥미를 보였다. 어떤 학생은 군 입대 전에 이 강의를 듣고 막연한 죽음이라는 두려움이 없어졌다고 하는 메시지를 전해 주기도 하였다.

학생 강의를 '콩나물에 물주기'라는 비유를 하곤 하는데, 물을 주면 물은 빠져나가고 없지만 시간이 지나면 콩나물은 자란다는 것이다. 모친 이효엽 여사는 콩나물을 잘 키우려면 세 가지를 잘 하면 된다고 늘 말씀하셨다. 물을 줄 때는 흠뻑 주고, 시간이 조금 지나서 물을 완전히 빼며, 검은 천으로 덮어 빛을 보지 못하게 하는 것이다. 콩나물 입장에서는 물을 주니 좋기도 하지만 물을 완전히 빼고 빛을 못 보게 하는 것은 고통을 초래하였을 것인데, 우리 학생들도 이처럼 아팠을 것이다. 또한 물은 공짜일 수 있고, 그 대가를 지불하였으니 물을 주는 것이 당연하다고 주장할 수 있다. 그렇지만 콩나물에 물을 열심히 준 사람이 있었다고 기억되면 좋겠다.

영화 〈닥터〉에서는 말기 뇌종양 환자가 개과천선한 의사에게 '팔을 내리라'고 편지한다. 그 내용은 어떤 농부가 새들이 오지 못하게 하려고 울타리를 쳤는데, 그는 외톨이가 되어버렸다고 한다. 외로워진 그는 그제야 하루 종일 손을 저어 새들을 불렀으나 오지 않았다. 새들은 새로운 허수아비가 무서워 얼씬하지 않았다는 것이다. 그래서 그 환자는 의사에게 팔을 내리고 기다리고 있으면 새들이 다가올 것이라고 말한다. 나의 몸부림도 환자나 후학들에게 무서운 허수아비처럼 보이지 않았으면 좋겠다.

이 책은 2021년에 출판한 『심장내과 의사의 따뜻한 이야기 – 사랑은 기적입니다』의 후속작이며, 『심장내과 의사의 따뜻한 이야기 – 냉철한 머리보다 뜨거운 가슴으로』의 개정판(2015년 비매품으로 출간)이다. 그 당시에는 인생의 마무리로 뭔가를 남겨야 한다는 절박한 심정에서 서둘러 출간하고 산티아고 순례를 떠나다 보니 뭔가 부족했다. 이제 36년 근무하던 교수직 정년을 맞이하여, 여유를 가지고 기존의 원고에서 몇 편을 빼고 새로운 몇 편을 추가하여 두 번째 책으로 만들었다.

뭔가를 남긴다는 것이 부질없을 수도 있고 나의 영혼불멸에 대한 생각과 불안인지도 모르겠지만, 바라건대 의학을 공부하는 의료인들의 앞날을 인도하는 조그만한 등불이 되었으면 좋겠다.

장경식

차례

I

냉철한 머리보다 따뜻한 가슴으로

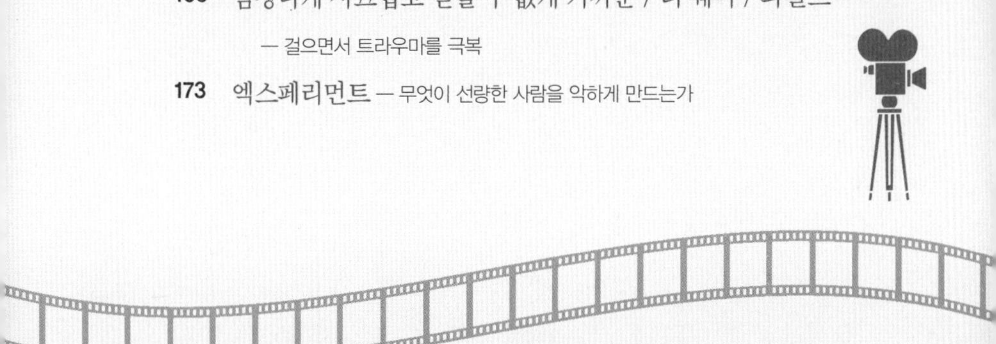

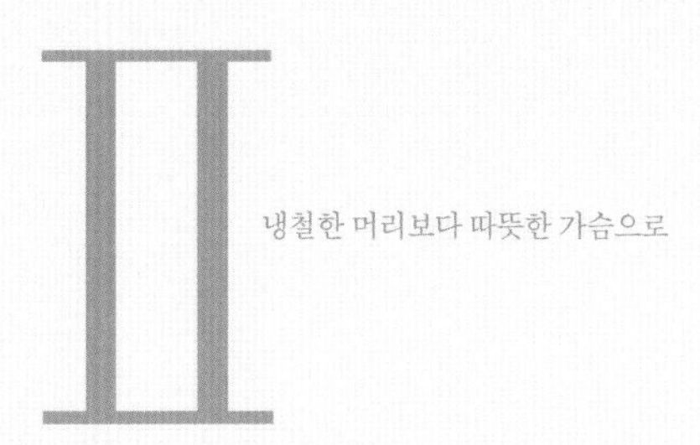

II 냉철한 머리보다 따뜻한 가슴으로

1부

그랜 토리노

노인의 노인에 의한 노인을 위한 영화

Gran Torino[1)]

클린트 이스트우드의 배우로서는 마지막 작품으로 주인공과 감독, 제작을 맡았다. 1930년생, 78세에 주연을 하고 감독을 하였으니, 노인의 노인에 의한 영화라고 할 수 있고 노인의 감정을 잘 표현하고 있으니 노인을 위한 영화라고 할 수 있다. '그랜 토리노'는 주인공이 근무하던 포드 자동차에서 제작하였고, 본인의 나이만큼이나 낡은 1972년형 차종 이름이다.

이 영화는 부제목에서와 같이 노인의학 관련 영화이다. 노인의 심리를 잘 표현한 영화로는 〈황금 연못〉[2)]이 있다. 헨리 폰더가 70세 때 80세 연기를 완벽하게 하여 아카데미상을 수상하였는데, 이 영화도 클린트 이스트우드가 78세에 80세 연기를 잘 하여 2009년 칸 영화제에서 명예황금종려상 수상하였다.

늙은이는 그저 하나의 하찮은 물건,
막대기에 걸쳐놓은 다 해진 옷,

시놉시스[3]

월트(클린트 이스트우드)는 포드자동차 회사에서 은퇴한 뒤 아내를 잃고 무료한 삶을 살고 있다. 보수적인 그는 세상만사에 늘 화가 나 있다. 아내의 장례식에 배꼽 티셔츠를 입고 온 손녀를 포함한 버르장머리 없는 젊은 세대가 불만이고, 시도 때도 없이 자신에게 참회를 요구하는 성당의 풋내기 신부도 불만이며, 옆집에 사는 동양인 가족에게도 불만이 많다. 한국전쟁에도 참전했던 그는 자신의 유일한 자랑거리는 1972년산 그랜 토리노이다. 이 자동차를 바라보면서 자신의 존재감, 자신은 한낱 고집불통 늙은이가 아니라 번영된 미국의 오늘을 일군 주역임을 다시금 확인한다.

그러던 어느 날, 옆집에 사는 소년 타오가 그랜 토리노를 훔치려 하다가 월트에게 적발되는 사건이 벌어진다. 타오는 "그랜 토리노를 훔쳐오라"는 갱단의 협박에 견디다 못해 이런 일을 저질렀는데, 이 일로 월트는 옆집에 사는 아시아계 소수민족에 대한 혐오감만 더 깊어지게 된다. 하지만 타오가 자신의 잘못에 대한 반성의 뜻으로 매일 월트의 일을 도와주게 되면서 상황이 달라진다. 타오와 그 가족의 따스한 가족애를 목격하면서 굳게 닫힌 마음의 문을 점차 열게 되고, 타오를 친자식보다 더 사랑하게 된 그는 타오를 범죄의 세계로 끌어들이려는 갱단에 맞서 그들을 응징한다.

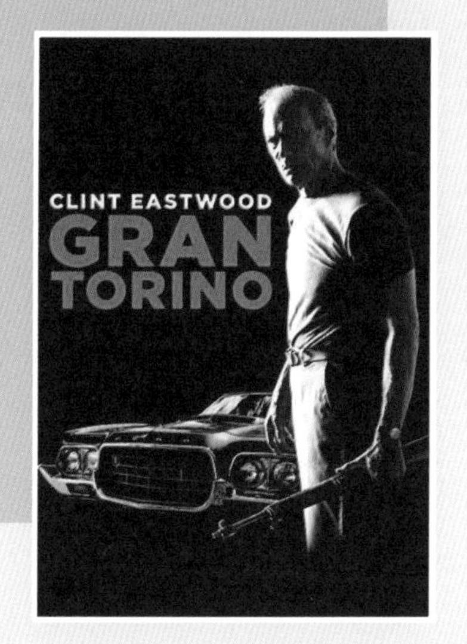

만일 영혼이 손뼉 치며 노래 부르지 않는다면,
유한한 옷의 조각조각을 위해 더욱더 소리 높여
노래 부르지 않는다면

— '비잔티움에로의 항해' 의 일부[4][5]

사실 노인들 입장에서 세상을 바라보면 한심하기 그지없다. 젊은이들은 버르장머리도 없고 옷도 거의 발가벗고 다니는가 하면 인사는커녕 어른에 대한 배려도 없다. 내 속에서 나온 자식들마저도 그저 재산만 탐하고 있다. 생각 같아서는 람보처럼 아니 황야의 무법자처럼 두들겨 패 주거나 따발총(기관단총)으로 갈겨버리고 싶지만 그렇게 할 수는 없고, 그저 속만 부글부글 끓는다. 어떻게 이루어 온 나라인데, 피땀 흘려 이루어 온 이 세상을 젊은것들이 망치려고 하고 있다. 범죄는 또 어떤가? 온 세상이 폭력으로 가득 차있고 살인도 서슴지 않는다. 기껏 잡아 넣어도 '유전무죄 무전유죄'라고 증거가 없다느니 불충분하다느니 하면서 그냥 풀려 나온다. 세상이 참으로 말세다 말세.

주인공 월트 역시 마찬가지인데, 한국전에서 어쩔 수 없이 죽인 어린 소년병에 대한 죄책감 때문에 더욱 마음이 편하지 않다. 그때 조금만 참았더라면, 아니 조금만 더 신중했더라면 피라미 같은 어린애는 죽이지 않아도 되었는데 하는 회한이 떠나지 않는다. 교회 가자고 잔소리를 하던 마누라는 죽고 없는데, 젊은 신부가 나타나 회개하라고 치근댄다. 어린 신부가 뭘 안다고… (당신이 내 아픔을 아시나요? 죽음이 달콤 쌉싸름하다고? 삶과 죽음에 대해서 정말 그렇게 잘 아시나요?) 자녀들하고 소통도 문제다.[6] 아니 자녀들의 관심은 내 집과 내 자동차뿐이다. 옆집에 이사 온 아시아계(중국 근처 베트남의 소수민족 - 흐몽족)도 맘에 들지 않는다. 빤히 쳐다보질 않나 귀찮게 하질 않나 뭐라고 이야기하려 해도 서로 소통이 안 된다. 그래도 '과거에 저지른 어떤 잘못 때문에 삶에 만족을 못하고 있다'라는 흐몽족 무당의 말에 뭔가 뜨끔한 느낌을 받는다.

저 겁 없고 쓰레기 같은 범죄단체를 어떻게 처리할까? 총으로 위협을 하였지만 오히려 긁어 부스럼만 만들고 말았다. 어떻게 저 동양인 아이를 구해 낼 수 있을까? 〈더티 해리 시리즈〉[7], 〈용서받지 못한 자〉[8], 〈해리 브라운〉[9]에서처럼 혼자서 처치해 버릴까도 생각하지만 이제는 객혈을 하며 죽어가는 80대 노인이다. (영화 〈해리 브라운〉은 해리라는 노인이 청소년 범죄가 많은 곳에서 거주하며 벌어지는, 해병대 출신 할아버지의 복수를 다룬 영화이다.) 조금만 힘이 있으면 성질대로 없애버릴 수 있을 것인데 말이다. 〈밀리언 달러 베이비〉[10]에서도 사람을 죽였다고(안락사) 해서 욕을 많이 먹었는데 이제는 내 차례인가?

실제로 할리우드 영화에서 범죄와의 전쟁은 전유물처럼 여겨지고 있다. 카우보이들이 말 타고 총싸움을 하면서 나쁜 사람들을 처벌하고 정의가 승리하고 하는 해피 엔딩이 주류를 이룬다. 클린트 이스트우드는 소위 마카로니 웨스턴[11]이라 불리는 〈황야의 무법자〉, 〈석양의 무법자〉 등에서 총잡이 역할을 하는 서부의 사나이로 등장하였고, 〈더티 해리 시리즈〉에서는 법이 어떻게 하지 못하는 범죄인들을 무자비하게 처형하는 형사 역할을 수행하였으며, 〈용서받지 못한 자〉에서 이전과 같은 무조건 죽이는 영화를 탈피하여 아카데미상을 수상하였다.[12] 그럼에도 불구하고 할리우드 영화는 노벨 문학상 수상자인 버트런드 러셀이 1950년대에 예언한 대로 사랑과 결혼, 출생과 죽음에 대한 정서들이 할리우드식 조리법에 따라 규격화되어 간다.[13][14] 그렇지만 할리우드 영화에서도 이전과 같은 획일적인 결론을 탈피하여 가는데, 〈노인을 위한 나라는 없다〉[15]에서처럼 노인들은 이제 한 발 뒤로 물러서 있어야 한다. 세상이 점점 더 흉포(凶暴)해지고 살기가 힘들어져 간다는 방증이다.

> 노골적으로 말하자면 영화는 미국 중서부에서 좋아하는 것들을 할리우드식으로 구체적으로 표현해낸다. 사랑과 결혼, 출생과 죽음에 대한 우리의 정서들이 이 조리법에 따라 규격화되어 간다. 할리우드는 부를 누리는 즐거움과 부를 획득하기 위해 택해야 하는 방법들을 동시에 보여줌으로써 전 세계 젊은이들에게 현대성의 결정판으로 부상하고 있다. 나는 영화가 얼마 안 가 만국 공통어를 만들어 낼 것이고 그것은 바로 할리우드 언어일 것이라고 생각한다.
>
> — 버트란드 러셀

그런데 〈그랜 토리노〉는 우리나라에서 성공한 다큐멘터리 〈워낭소리〉[16]와 많은 유사점을 가지고 있다고 한다.[17] 놀랍게도 워낭소리에 나오는 최 노인의 나이와 클린트 이스트우드의 나이가 같고, 〈워낭소리〉에서 나오는 늙은 소와 본 영화의 그랜 토리노 자동차의 이미지가 같다는 것이다.

나이가 들어가는 것도 서럽기는 하지만 하루가 바쁘게 변화하는 세상을 살아가기에는 엄청난 노력이 필요하기도 하지만 버겁기도 하다. "후배들의 눈은 말한다. '지금까지 충분히 해먹었으니 이제 그만 후배들에게 물려주고 비키세요.' '이제 선배들의 시대는 갔습니다. 미래는 우리의 것입니다.'"라는 어느 PD의 넋두리[18]가 생각나게 하는 영화이다.

---

1) 그랜 토리노 Gran Torino, 2008. 감독, 주연; 클린트 이스트우드
2) [이지스터디/영화, 생각의 보물창고] 그랜 토리노. 동아닷컴, 2010-03-08
3) 황금 연못 (On Golden Pond-1981) 감독; 마크 라이델
4) 네이버 지식백과 비잔티움에로의 항해 William Butler Yeats(1865~1939), '비잔티움에로의 항해'
5) 김태규 http://www.hohodang.com/문헌소창 - 비잔티움에로의 항해 (Sailing to Byzantium)그럼 난 뭐야? 늙어빠진 나는 도대체 뭐냐고? / 솔직히 말해 아무것도 아니야, 그저 막대기 위에 / 낡고 해진 외투를 걸쳐놓았을 뿐이지, / 혹 영혼에서 우러나와 박수를 치고 노래할 수 있다면 모를까? / 언젠가 쓰레기 통으로 들어갈 이 낡은 외투의 조각조각들을 위해 / 더 높고 힘찬 영혼의 노래를 불러댈 수 있다면 혹 모를까 / 그냥 늙은이는 정말 아무것도 아닌 것이지, / 그런데 영혼의 노래를 부르기 위해선 / 자신만의 장려한 기념비를 알지 않으면 안 된다는 사실, / 하지만 그런 영혼의 노래를 가르쳐줄 노래교습소는 어디에도 없었기에 / 난 먼 바다를 건너 성스러운 도시 비잔티움을 찾아온 것이라네.
6) 박기석 (2009). "영화 〈그랜 토리노〉에 나타난 소통의 문제." The Theme in the Movie of "Gran Torino" 13(-): 237-255
7) 더티 해리 2 - 이것이 법이다 Magnum Force, 1973, 감독; 테드 포스트
8) 용서받지 못한 자 Unforgiven, 1992, 감독; 클린트 이스트우드
9) 해리 브라운 Harry Brown, 2009. 감독; 다니엘 바버

10) 밀리언 달러 베이비 Million Dollar Baby, 2004, , 감독; 클린트 이스트우드, 뜻하지 않게 우연히 발견한 소중한 존재임 - 우리나라로 치면 '천원 상점' 혹은 '천냥 하우스' 처럼 온갖 물건을 싼 가격에 판매하는 상점에서 우연히 건져 올린 백만 달러 가치의 물건 - 그것을 '밀리언 달러 베이비'라고 부른다.

11) 네이버 지식백과 – 마카로니 웨스턴. 기존의 정형화된 미국 서부 영화의 틀을 깬 1960~70년대 이탈리아산 서부영화를 말한다. 이탈리아 혹은 이탈리아-스페인 합작으로 주로 멕시코를 무대로 잔혹한 장면을 강렬하게 묘사하며, 스파게티 웨스턴(spaghetti western)이라고도 한다.

12) 강정원 (2009). "좋은 영화 소개 코너 : 우리의 영원한 카우보이, 클린트 이스트우드-그랜 토리노." 공업화학전망 12(3): 60-60

13) Russell, B. 송은경(역) (2005). 게으름에 대한 찬양(In Praise of Idleness). 서울, 사회평론

14) 정훈 (2010). "국가 정체성의 협상과 암시의 정치 -클린트 이스트우드의 그랜 토리노(2008)." Negotiation of the National Identity and Politics of Suggestion : -Gran Torino (2008) by Clint Eastwood 9(1): 120-135

15) 노인을 위한 나라는 없다 (2007), 감독; 에단 코엔, 조엘 코엔

16) 워낭소리 (2008). 다큐멘터리, 이충렬

17) 윤영걸 (2010). 내 인생의 오후. 서울, 미래에셋퇴직연금연구소.

18) 주간조선 Life - PD 이야기 – 장수하는 PD, 2012-08-13

닥터

엘리트보다는 사람이 되어라

The Doctor, 1991[1)]

병을 이해하는 가장 좋은 방법은 한 번씩 아파보는 것도 한 방법일 것이다. 아무리 책으로 공부하여 이해하였다 하더라도 질병(Disease)은 생물학적인 원인 이외에도 정신적, 사회적 고통이 추가되어 다양한 형태(질환, Illness)로 나타나기 때문에, 본인이나 가족이 아플 경우 직접 경험하는 것이 고민할 기회도 많아질 것이고 기억에도 오래 남을 것이다.

의료인들은 대부분 교재와 교수의 강의를 통하여 소위 제3자 입장에서 병을 이해한다. 그러다 보니 얼마나 아픈 것인지(통증 스케일이라는 개념; 하나도 아프지 않을 때가 0점, 가장 극심한 통증이 10점) 얼마나 불편한 것인지도 알 수 없는 경우가 많다. 어느 병원 외과 병동 수간호사가 화상 드레싱을 할 때마다 환자에게 "남자가 그것도 못 참아요? 좀 참아요, 참아!"라곤 하였는데, 본인이 화상으로 입원하여 치료한 후에는 "선생님, 환자가 너무 아플 것 같으니 진통제를 먼저 주고 나서 치료하면 안 될까요?"라고 권유하였다

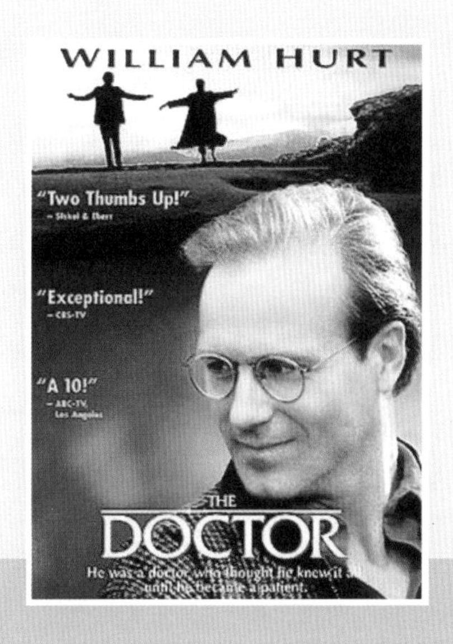

시놉시스[2]

잭은 환자들을 다소 냉혹하게 대하는 성공한 흉부외과 의사이다. 외과 의사는 감정이입 따위는 필요치 않다고 잘라 말하곤 했는데, 그러다 자신이 후두암에 걸린다. 잭이 참을 수 없는 건 죽음이 임박했다는 불행보다 다른 의사와 간호사들의 불친절함이다. 환자들을 대하는 병원 측의 무신경함에 분통을 터트리던 잭은 뇌종양에 걸린 준을 만나면서 비로소 삶의 의미를 배우기 시작한다. 암세포에 생명을 침식당하고 있다는 사실이 믿기지 않을 만큼 청아하게 빛나는 준과의 우정은 잭에게 또 다른 기쁨을 주었다. 그리고 준이 죽었을 때 그는 삶을 사랑하는 사람이 되어 있었다.

고 한다.

이 영화는 영화를 통한 의학교육(Cinemeducation, Cinema in medical education)[3)]의 기본 영화로 사용되고 있다. 인문학 특히 문학을 의학교육에 사용하는 것은 인성교육에 아주 중요한데 서양에서는 인문학 교육을 4년 하고 나서 소위 의학전문대학(4+4)에 진학하다 보니 인문학을 접할 기회가 많지만, 우리나라의 경우 이제 그 기회(2+4)도 적어졌다. 하긴 4+4인 의학전문대학 체계에서도 우리나라에서는 인문학을 배워야 할 앞 4년이 그저 영어 점수와 의전원에 들어가는 시험공부(MEET)에 치중하다 보니 그럴 기회도 없기는 하였지만, 이제는 의예과 2년 동안이 인문학을 공부할 수 있는 시간이다.

영화는 종합예술로 시청각을 모두 사용하기 때문에 오래 남을 수 있고 아리스토텔레스의 카타르시스뿐만 아니라 브레히트의 생소화 효과[4)]를 통해 몰입과 비판적 시각을 기를 수 있고, 큰 귀로 환자의 말을 경청하게 하는 소위 좋은 의사(Good doctor)되게 하는 교육 방법이다.[5)]

> "환자들에게 감정 느끼면 위험해.
> 너무 감정이입 되면 안 돼!
> 의술은 판단이야. 판단은, 초연해야 하지. (중략)
> 의사의 일은 가르는 거야! 한 번에 가르고, 꿰매고, 나오는 거야."
> — 영화 중 주인공 대사

이와 같은 말을 학생들에게 하던 주인공 잭이 후두암에 걸린다. 의사가 아니라 이제는 환자로 입장이 바뀌어, 진료를 위해 접수도 하고 기다리기도 하고, 같은 방 옆 환자와 오인되어 필요하지 않은 관장을 하느라 고생도 하며, 담당 의사의 출장으로 치료를 받지 못하는 경우도 발생한다. 사전에 아무 설명도 하지 않고 방사선 요법을 하기 위한 표시인 문신을 당하기도 하는 등 그 고통이 이루 말할 수 없는 불편한 일들을 겪는다. 그러던 중 뇌종양으로 치료를 받고 있는 '준'을 만나 삶이 조금씩 바뀌게 된다.

후두암이 방사선 요법이 효과가 없어 수술을 하게 되었는데, 독선적인 이비인후과 여의사보다는, 평소 랍비라고 놀리던 동료 의사에게 수술을 받는다. 성공적으로 수술을 마쳤으나 성대마비로 말을 하지 못하는 등 힘든 여정을 잘 견디어 내고 다시 근무를 시작하였는데, 준이 죽었다는 소식을 듣는다.

잭은 유능한 흉부외과 의사로 어려운 수술도 단칼에 자르고 꿰매고 하여 살려내는 것이 중요하고 환자에게 정을 느껴서는 안 된다고 주장하곤 하였다. 이러던 주인공이 변하기 시작한다. 이전에는 본인이 좋아하는 시끄러운 컨트리 음악을 수술실에 틀었지만, 이제는 환자가 좋아하는 음악으로 바꾸고, 마취가 되어 들을 수 없을 것이라고 생각하였던 환자에게 귀엣말을 하며, 환자를 안아주기도 한다.

어느 날 준이 죽기 전에 쓴 편지가 잭에게 도착한다. "친구가 많은 농부가 있었죠. 그리고 새들로부터 곡식을 보호하려고 덫과 울타리를 쳤죠. 그건 성공했지만 완전히 외톨이가 되었답니다. 그래서 어느 날 자기 밭에 서서 동물들을 불렀죠. 그는 거기 서서 하루 종일 그들을 손 저어 불렀습니다. 그러나 아무도 안 왔어요. 한 마리도 얼씬 안했어요. 동물들은 새로운 허수아비에 겁먹은 거죠. 잭, 팔을 내려요… 그러면, 우리 모두 당신에게 다가설 겁니다."

어떤 계기로 인생을 새로 시작하기로 크게 마음먹고 실천 계획을 세우게 되는데, 그런 계획이 때로 준의 이야기처럼 허수아비처럼 팔을 들고 있는 경우가 있다. 준의 말대로 손을 내려야 한다. 오스카 와일드의 『욕심쟁이 거인』에서처럼 담장을 허물어 버려야 한다.

『할아버지의 기도』[6]에서 의사인 저자는 "의과대학에서는 가장 중요한 부분인 마음을 버리는 것이 환자를 위해 더 좋은 의사가 되는 길이라고 교육받았다."며 "결국 나는 더 좋은 봉사를 위해서라는 명목으로 인간성을 버렸다."라고 이야기한다. 아마도 동정(Sympathy)과 감정이입(Empathy)의 개념 차이에서 오는 감정에 너무 치우치지 마라는 이야기였을 것으로 생각되기는 하지만 언뜻 이해가 잘 안 된다. 냉철한 머리를 위해서 너무 뜨거운 가슴을 약간 감추어라. 그리고 환자의 슬픔과 고통에 너무 몰입되어 이성을 잃게 되면 정확한 판단을 할 수 없을 것이라는 것이다. 이어지는 다음 문장에서는 그 의미를 조금이나마 이해할 수 있다.

"그러나 그러한 교육이 제대로 봉사하지 못하게 할 뿐만 아니라 스스로를 탈진시키고 냉소적으로 만든다는 사실을 알았다. 그리하여 점점 무감각해지고 외로움에 빠져 우울증에 걸릴 수 있음을 깨달았다. 마음을 버리면 인간은 약해질 수밖에 없다. 마음 안에는 삶의 어떤 체험을 변화시키는 힘이 내재되어 있다. 무슨 일을 하든지 인생의 참다운 의미를 찾고 인생을 완성시켜 나가려면 지식이자 전문성을 추구하는 것 못지않게 마음을 개발하는 법을 배워야 한다. 지식만으로는 인간답게 살거나 남을 위해 봉사할 수 없다. 그렇게 하기 위해서는 우리가 쓴 가면을 벗어 던져야 한다."

영화는 문학만큼은 아닐 수 있지만 잘 이용하면 큰 성과를 얻을 수 있다. 특히 영화를 보고 분단 별로 토론하고 대표가 발표하는 과정(영화의학교육)을 통하여 다른 이들의 감정도 공유하는 기회를 준다. 어떻게 하는 것이 Good Doctor가 되는지[7)]와 『엘리트보다는 사람이 되는』[8)] 방법을 넌지시 알려준다.

영화 의학교육에서 이용되는 주요 장면(Vignette)[9)]은 다음과 같다.

- 환자 면담 기법(Interviewing Skills)
  — Vignette A (16:51 - 18:48)
- 나쁜 소식 전하기(Giving Bad News)
  — Vignette B (35:45 - 37:45)
- 말기 환자의 사회 심리학적 영향(The Psychosocial Impact of Terminal Illness)
  — Vignette C (23:52 - 28:16)
- 병원 일과 가정의 균형(Balancing Work and Home: the Medical Marriage)
  — Vignette D (14:02 - 16:50)

1) 닥터 The Doctor, 1991 미국, 감독: 랜다 헤인즈
2) 네이버 영화, 닥터 The Doctor 1991http://movie.naver.com/movie/bi/mi/basic.nhn?code=16421
3) Alexander, M. (2002). "The doctor: a seminal video for cinemeducation." Fam Med 34(2): 92-94
4) 작품에 '거리두기(생소화 효과)'를 통하여 허구를 사실처럼 몰입할 것이 아니라 거기두기 혹은 낯설게 하기를 통하여 현실을 직시(자각)하게 하여 사회 모순을 발견하는 것이다. 김종기(2013). "브레히트와 현대연극: 브레히트 서사극의 이성주의와 니체의 디오니소스적 도취." 브레히트와 현대 연극 29(0): 157 -185
5) 장경식. 영화 속의 생명이야기, 개정판(2015), 조선대학교출판국
6) 레이첼 나오미 레멘, 류해옥(역) 할아버지의 기도 - My Grandfather's Blessings. 문예출판사
7) Whatever you are, be a good one - Abraham Lincoln
8) 전혜성(1996). 엘리트보다는 사람이 되어라. 우석출판사
9) Alexander, M. (2002). "The doctor: a seminal video for cinemeducation." Fam Med 34(2): 92-94

더 스토닝, 어떤 여인의 고백, 와즈다

아랍 여성들의 이야기

The Stoning Of Soraya M, 2008 · The Patience Stone, 2012 · Wadjda, 2012

"너희 가운데 죄 없는 자가 먼저 저 여자에게 돌을 던져라." (요한 8,7)

아랍권에서는 돌을 던져서 사람을 사형시키는 석살(石殺, stoning)이 있다고 한다. 여성의 경우 불륜을 저지르는 사람의 처벌이라고 하는데, 구약성경에 의하면 '그 여자를 제 아버지의 집 대문으로 끌어내어, 그 성읍의 남자들이 그 여자에게 돌을 던져 죽여야 한다.'(신명 22,21)라고 되어 있다. 구약성경 다니엘서에서도 성폭행하려다 실패한 후 오히려 간음하였다고 사형선고를 내려 처형하려 한 불쌍한 여인을 구해주는 다니엘 이야기가 나오는데, 돌을 던져 살해하려고 하였을 것으로 짐작된다. 사도행전에도 스테파노가 순교할 때도 돌을 던져 죽였다고 하며, 유다인들이 바오로에게도 돌을 던져 죽이려고 하였고, 죽은 줄 알고 도시 밖에다 버렸으나 살아났다고 한다.

영화 〈더 스토닝〉[1]에서 돌을 던져 사형시키는 모습을 볼 수 있는데, 남편으로부터 폭행과 학대를 당하면서도 네 아이를 잘 키우며 살던 소라야가 간통의 누명을 쓰고 마을 사람들로부터 투석형을 당해 죽는다. 소라야의 남편 알리는 열네 살짜리 소녀와 결혼하기 위해 두 아들은 데려가고 집과 두 딸과 텃밭을 줄 테니 이혼을 해달라는 상상도 못할 요구를 하다가 이를 거부하자 간통 누명을 씌워 사형시킨다. 말도 안 되는 이야기이기는 하지만 몇 사람의 선동으로 마을 전체 사람들이 죽이라고 악을 쓰는 장면(몹신 Mob scene)은 무섭기도 하다.

동양에서도 여성 인권이 문제가 되고 있지만 아랍권에서는 더욱 문제인 것 같다. 우리나라에서는 1948년 여성에게 투표권이 주어졌고 일본은 1945년이지만 쿠웨이트는 2015년이다. 이스라엘에서 여성이 군대를 가는 것도 인구가 적어서이기도 하지만 양

성평등을 위한 여성의 눈물겨운 투쟁의 한 방편이었다고 한다.

2005년 아프가니스탄 여성의 저주받은 상황에 대한 시를 발표한 유명 여류시인 '나디아 안주만'이 여성의 창작 활동을 반대하는 남편의 폭력으로 죽음을 맞이하게 된 충격적인 사건이 발생하였다.[2] 영화 〈어떤 여인의 고백〉[3]은 이 여류시인을 추모하기 위해 제작하였다고 한다. 이 영화의 원작은 『인내의 돌』[4]인데 주인공은 시아버지가 이야기해 준 신화 속 '인내의 돌'에 대한 믿음을 가지고 살아간다. 듣지 못하는 '돌(石)'이지만 이 돌에게 누구에게도 말하지 못할 비밀을 계속 털어놓으면, 나중에 돌이 쪼개지면서 비밀을 털어놓은 사람을 해방시켜 준다는 것이다. 전쟁 중 부상을 당하여 식물인간 상태로 돌아온 남편을 간호하면서 주인공은 『천일야화』의 세헤라자데처럼 의식이 없는 남편에게 속삭이

기도 하고 절규하기도 하면서 수많은 이야기를 한다. 식물인간이 된 남편이 인내의 돌 역할을 하면서 들어준다는 것이다. 인내의 돌은 깨어지면서 이야기한 사람을 해방시켜 준다는데 과연 식물인간 상태인 남편은 주인공에게 어떤 도움을 줄 수 있을 것인가.

2012년 〈와즈다〉[5) 6)]라는 영화가 개봉되었다. 여성에게 이슬람 율법이 가장 엄격하기로 유명한 나라는 사우디아라비아인데, 여성은 공공장소에서 가족이 아닌 남성들과 어울려서는 안 되는 이 나라에서 여성 감독이 제작하였다.[7)] 하이파 알 만수르 감독은 촬영 당시 살해 협박을 받기도 하였고, 밖으로 나오지 못한 채 차 안에서 무전기로 지시하면서 제작하였다고 한다.

"세상의 시선 때문에 자신에게 꼭 필요한 것을 포기하거나 주저하고 있지는 않나요?" 와즈다의 물음으로 이 영화는 시작된다.

와즈다는 사우디아라비아에 사는 10살 소녀인데 그녀의 꿈은 자전거를 사는 것이다. 그러나 사우디아라비아에서는 여성이 자전거를 타는 것이 금지돼 있다. 히잡을 쓰기 싫어하고 운동화를 신고 다녀서 늘 교장 선생님께 꾸중을 듣는 유쾌하지만 천방지축 소녀인 와즈다는 선생님의 이야기를 이해할 수 없다.[8)] 사우디

아라비아 최초의 영화이자 이 영화를 통해 이슬람 율법이 수정되며 여성들도 자전거를 탈 수 있게 된 기적의 영화이다.[9] 이후 2015년부터는 여성에게 참정권이 주어진다.[10]

최근 우리 사회에서 여성의 힘이 증가한 것은 사실이다. 그렇지만 여성 대통령이 뽑혔던 나라에서 남녀평등지수가 전체 142개국 중 세계 117위라고 한다.[11] 우리나라보다 낮은 나라는 중동 및 아프리카 국가이며, 아시아 국가 중에는 필리핀이 9위로 가장 높았고, 중국은 87위, 일본은 104위이다.[12] 남녀평등지수는 유엔이 공표하는 삶의 질을 나타내는 척도 중의 하나로 유엔개발계획이 발표하는 5개의 지수 중 하나로서 매년 인간개발보고서에서 발표되는데, 장수와 건강한 삶과 지식, 삶의 질에 대한 양성 간의 불평등을 조사하여 평가한다.

여성들의 힘이 이전보다 커졌다고 하지만 커진 권력만큼이나 책임감도 커지고, 손 하나 까딱하지 않으려는 남편의 태도와, 일과 가사를 병행해야 하는 현실이 우리 슈퍼우먼들을 힘들게 하고 있다. 사회에서는 여전히 차별받고 있기에 가정 내 정권 장악만으로 행복이라 말할 수는 없다.[13] 남성 모두의 배려와 관심이 절실히 필요하다는 것은 모두 다 알고 있으나 이를 적극적으로 실행하는 남성은 적은 것 같아서 유감이다.

1) 더 스토닝 The Stoning Of Soraya M., 2008, 감독; 사이러스 노라스테
2) 박호선의 시네마플러스 〈어떤 여인의 고백〉 : 아프가니스탄 세헤라자데의 충격 고백 https://blog.naver.com/cinemaplus/60200714210
3) 어떤 여인의 고백 The Patience Stone, 2012, 감독; 아틱 라히미
4) 아티크 라히미, 임희근(역), 인내의 돌. 현대문학, 2009
5) 와즈다 Wadjda, 2012, 감독; 하이파 알 만수르
6) 사우디아라비아 영화 와즈다 최초의 극장용 영화 http://blog.naver.com/tree7873/220057696308
7) 아라비안 영화가 달려온다. 동아닷컴 2014-06-19
8) 광주여성영화제 주목! 이 영화 〈1〉'와즈다 Wadjda' 광주드림 2014-10-31
9) "베일에 가려진 사우디 여성 삶 표현하고 싶었다." 인터넷 여성신문 2014-06-14
10) 여성 참정권 탄생의 역사. ㅍㅍㅅㅅ 2016-08-14 https://ppss.kr/archives/87041
11) 남녀평등이 정책의 최우선 과제다. 여성신문 2015-01-05
12) 남녀평등지수, 한국 117위로 최하위. 세계일보 2014-10-28
13) 발언권 세지만…고단한 한국의 '갓 마더' 헤럴드경제 2011-05-08

더 컨덕터

최초의 마에스트라

The Conductor, 2018[1)]

2021년 7월 “유럽 3대 음악제 ‘바이로이트축제’ 145년 만에 첫 여성 지휘자”라는 제목의 뉴스가 화제가 되었는데,[2)] 우크라이나 출신 옥사나 리니브가 유럽 3대 음악제 가운데 하나인 독일 바이로이트 축제에서 지휘를 맡았다고 한다. 리하르트 바그너의 오페라 작품을 공연하는 이 축제가 1876년 8월 처음 열린 뒤 145년 만에 처음으로 여성이 오케스트라를 지휘했다고 한다.

이처럼 오케스트라를 지휘하는 여성은 드문데, 이번에 소개하는 〈더 컨덕터〉는 1920년대 미국 대공황 시절에 뉴욕 필하모니 지휘자에 도전하는 안토니아 브리코의 파란만장한 인생 여정 이야기이다. ‘여성은 안 돼’라는 편견과 유리천장을 깨고 남성만큼 잘 할 수 있다는 것을 보여준다. 음악을 하고 싶어 남장을 하고 베이스와 피아노를 연주하는 남장 여인도 출연한다.

오페라 극장에서 좌석을 안내하던 주인공은 쫓겨나 재즈 바에서 피아노를 연주하는데, 여기에는 여장남자 스탠딩 코미디언과

시놉시스[3)]

어려서부터 음악에 남다른 재능을 보였던 안토니아는 집안 형편 때문에 배우던 피아노를 포기해야 하는 상황. 한 푼이라도 벌어 가족도 부양하고 음악도 계속하고 싶었던 그녀는 피아노가 있는 곳이라면 어디든 가리지 않고 아르바이트를 하기 시작한다. 지휘자의 꿈을 포기할 생각이 전혀 없던 그녀는 부잣집 도련님인 프랭크, 상처를 지닌 연주자 로빈 등을 만나면서 자신의 꿈을 향해 힘겨운 발걸음을 내디딘다. "여성은 지휘자가 될 수 없다"며 노골적으로 멸시하던 당시 클래식 음악계의 남성 중심적 분위기에 맞서는 안토니아의 씩씩한 매력이 영화에 품격을 더한다. 안토니아가 기어이 만들어낸 뉴욕 여성교향악단 연주 장면은 가슴 뭉클한 감동을 선사한다. 여전히 전 세계에서 단 한 명의 여성 상임 수석지휘자가 나온 적 없다는 현실을 알리는 엔딩 자막은 안토니아 브리코가 평생을 싸워왔던 삶의 무게를 다시 한번 일깨워준다.

커다란 베이스를 치는 로빈이 함께 일을 한다. 로빈은 이후에도 안토니아를 도와주는 소위 키다리 아저씨 역할을 하는데 그는 음악을 하고 싶어 남장을 한 여성이었다.

베를린 필하모니가 1882년 창단된 이래, 오로지 남성 단원으로만 오케스트라의 멤버로 구성되었으나 최초로 여성 단원이 합류한 것은 그로부터 100년이 지난 1983년이다. 여성 클라리네스트 자비네 마이어를 단원으로 받아들여, 최초로 여성이 클래식 음악계의 최고봉이라 할 수 있는 베를린 필하모니의 금녀의 전통을 깨뜨렸다. 음악의 고장이라고 하는 빈 필하모닉도 1997년에야 처음으로 여성 단원이 참여하게 되는 아픈 역사가 있다. 그만큼 음악계 특히 클래식 음악계는 여성에게 높은 벽이었다.[4)]

주인공 윌리(입양 후 이름)는 어느 날 본인이 생모로부터 버려져 입양된 것을 알게 된다. 성장 후 네덜란드로 찾아가 자신에 대한 비밀을 알아냈는데, 버려진 것이 아니라 어머니가 일시적으로 위탁을 맡겨두었는데 입양이 되어버린 것이다.

그녀는 피아노 조율 등 음악 관련 아르바이트를 하면서 지휘를 배우고 싶었으나. 많은 교사들이 미국인이어서 안 되고 여자여서 안 된다면서 그 꿈을 포기하라고만 한다. 그러다가 어떤 교수 지휘자의 방에 슈바이처 박사의 사진이 붙어 있는 것을 본다. 이에 용기를 얻은 그녀는 교수를 강력하게 설득하게 되고 마침내 지휘 공부를 하게 된다. "세계대전 때 슈바이처는 프랑스에 투옥되었어요. 누굴 치거나 죽여서가 아니라 단순히 독일인이란 이유 때문에요." 본인이 미국인이라서(실제는 네덜란드 인이지만) 여자라서 가르치지 않는다면 슈바이처를 구속한 프랑스 사람들과 똑같지 않느냐는 것이다.

영화에서는 슈바이처에 관한 이야기가 또 나오는데, 그 대사는 다음과 같다. "세계 최고의 바흐 권위자가 누군지 알아요?" "알베르트 슈바이처요." "바흐를 공부하면서 평생 가장 큰 전환기를 맞았죠. 불행하게도 그 뛰어난 재능을 버리고 의사가 되어 아프리카 정글에 감으로써 역시 천재는 광인에 가깝다는 내 이론을 증명했죠." "슈바이처가 미쳤다고?" "재능을 안 쓰는 것도 일종의 악용이니까요. 의사로서의 재능이 더 컸던 건지도 모르죠."

> "바흐에 관한 슈바이처 책을 보면 예술가의 특징 중 하나는
> 성공할 날을 기다리며 기진맥진할 정도로 노력하는 거라고 했어요."
> — 영화 중 대사

실제로 1949년 안토니아 브리코는 바흐 음악의 권위자라 생각했던 그녀 우상인 슈바이처를 만나기 위해 아프리카 랑바레네를 방문하였다. 그들은 바흐와 음악에 대한 토론을 벌였고, 슈바이처가 세상을 떠날 때까지 친하게 지냈다고 한다.[5]

슈바이처는 1905년 철학, 신학, 음악을 공부하던 중 '음악가이자 시인으로서의 바흐'를 집필했다. 그는 같은 해 의사가 되어 아프리카 밀림에서 봉사하는 삶을 살기로 결심하였고, 5년 후 꿈을 이루었다. 의사 국가고시에 합격해 본격적으로 아프리카로 떠날 준비를 하는 바쁜 와중에도 '독일과 프랑스의 오르간 제작

영화의 한 장면

법'과 '바흐' 등의 음악 관련 책을 썼으며 오르간 연주회뿐만 아니라 음반 작업도 하였다.

주인공 안토니아는 유럽에서 지휘를 배우고 경험을 쌓은 다음 미국으로 돌아와 지휘를 할 기회를 찾았으나 쉽지 않았다. 수많은 기존 음악계의 지휘자들이 여성 지휘자의 등장을 방해하고, 오케스트라 단원들 역시 마에스트라의 지휘가 불만이다. 그러나 각고의 노력 끝에 젊은 나이에 지휘자로 인정받고, 그녀는 여성 오케스트라를 창단한다. 그리고 첫 연주회를 기획하였으나 주변의 중상모략으로 어려움에 처한다. 그런데 이 소식을 들은 루스벨트 대통령 영부인의 도움으로 성황리에 공연을 마친다. 남성 단원을 사로잡을 카리스마가 없어 여성은 지휘를 할 수 없다는 사회적 편견과 음악계의 유리천장을 뚫고 미국뿐만 아니라 전 세계를 돌아다니며 지휘봉을 잡아 지휘하기 시작하였다.

안토니아 브리코를 이를 때 사용되는 호칭인 '마에스트라'라는 용어는 '거장'을 뜻한다. 오케스트라 지휘자나 작곡가에 대한 경칭으로 많이 쓰이는 용어다. 대중들에게는 '마에스트로'라는 표현이 익숙하지만 이는 남성형 단어이며 여성에게는 '마에스트라'

라는 경칭이 쓰인다.[6]

음악가 중에는 절대음감을 가진 사람도 많고 기억력이 좋아 악보를 통째로 외우는 사람도 많다고 한다. 시력이 나빠지는 바람에 악보를 볼 수 없어 첼로 파트뿐만 아니라 다른 모든 악보를 통째로 외웠던 암보[7] 천재 토스카니 이야기는 전설로 남아 있다. 악보를 통째 외워서 지휘하면 악보에 시선을 빼앗기지 않고 페이지 넘기는 수고도 줄여줄 뿐만 아니라 '곡에 통달'했다는 신뢰감을 심어준다고 한다. 반면 악보 보는 것을 고집하는 유형은 혹시나 까먹을 경우 대비하기도 하고, 심리적 안정을 기하려 하거나 보여 주기식 과시하려는 뜻도 있다고 한다. 대부분 교향곡은 암보 지휘를 많이 하지만 오페라 · 협주곡은 악보를 보고 지휘한다고 한다.[8]

한편 한동안 재밌는 클래식 공연 · 해설로 인기를 끌었던 개그맨 김현철은 악보조차 못 읽는 까막눈이고 다룰 수 있는 악기가 하나도 없지만, 멋진 지휘 실력을 보여주고 이를 방송하였다. 그 비결은 연주곡 전체를 통째로 외우는 것인데, 이렇게 외운 곡만 30곡이 넘었다고 한다.[9] 순간순간 개그 몸짓을 섞어 지휘하면 어르신 · 어린이들이 환호하였으며, 1000석 공연장이 꽉 차기도 하였는데, 본인은 "지휘 퍼포머"라고 하였다. 그런데 실제 지휘자들도 연습 때 연주곡을 거의 완벽하게 맞추어 놓기 때문에 지휘가 크게 필요하지 않으나 큰 몸동작으로 지휘하는 것은 관중을 위한 퍼포먼스라고 한다.

다른 분야와 달리 남성의 비중이 압도적으로 높아 '금녀의 벽'이라는 말까지 나오는 지휘계, 우리나라에서도 서울시립교향악단 2021년 첫 정기음악회를 성시연이 맡았다. 지난 4년 동안 경기 필하모닉 예술단장으로 재직하며, 여성 지휘자의 존재감을 각인시켰다는 평가를 받고 있지만, 정작 자신은 남성 지휘자에 익숙한 음악계의 편견이 완전히 사라지지 않았다고 말한다. 성시연뿐 아니라, 2019년 샌프란시스코 오페라 음악감독에 발탁돼 파란을 일으킨 김은선이 오랜 편견과 싸우고 있다. 그리고 2020년 10월에는 에스토니아 출신의 아누 탈리(여성 지휘자)가 코리안심포니를 지휘하면서, 이례적으로 강렬한 베토벤 교향곡을 선보이며 화제가 되기도 하였다. 지휘자의 '카리스마'가 미덕으로 여겨졌던 과거와 달리, 소통하는 리더십이 각광 받게 된 시대의 변화가 여성 지휘자들의 활약으로 이어졌다는 평가이다.[10] 그 외에도 프라임 필하모니아 오케스트라의 여자경 상임지휘자가 있고, 첼리스트 장한나도 클래식 음악 축제인 '앱솔루트 클래식' 시리즈를 성공적으로 이끌며 지휘자로서의 입지를 확고히 하였는데, 2007년 성남 국제 관현악페스티벌을 통해 지휘자로 데뷔한 그는, 이 축제를 이끌어왔다.[11]

영화는 다음과 같은 자막이 올라오면서 끝난다.

> "2008년, 유명 평론지 그라모폰에서 세계 20대 교향악단을 뽑았는데 여성 수석지휘자가 있는 악단은 하나도 없었다"
> "그라모폰은 2017년 역대 50대 지휘자를 뽑았는데 여성은 0%였다."

언젠가 어떤 다큐에서 오케스트라 연주 음악 중에서 바이올린 음향만 컴퓨터로 추출하는 것을 보고 매우 신기하게 생각했는데, 지휘자들도 여러 악기들 합주 중에서 어떤 특정한 악기 소리만 듣는 능력이 있다고 한다. 일반인들이 듣고 느끼는 점과는 다른 천재적인 능력이 있는 것이다. 앞에서 알버트 슈바이처 이야기를 언급하였지만, 같은 이름을 가진 알버트 아인슈타인도 상당한 수준의 바이올린 연주자였다고 한다(둘 다 노벨상을 받았다는 공통점도 있다).[12] 그런데 우리 주변에도 음악에 뛰어난 재능이 있는 의사들이 있다. 아마도 의학을 하지 않았다면 음악가가 되었을 것이다. 때로 그 큰 재능을 썩힌 것 같아 안타까움이 들 때도 있다.

한편 1972년부터 '지휘자 없는 오케스트라를 실험'을 시작한 뉴욕의 오르페우스 체임버 오케스트라가 있다고 한다. 리더십이 지휘자 한 사람에게만 집중되기보다 공유된 리더십 모델(Shared Leadership Model)이 가능하다면, 더 많은 사람에게 돌아갈 수 있지 않을까 하는 생각에서 실험으로 시작된 것이 50년간 진화하고 성장해 왔다고 한다. 지휘자가 없다고 해서 리더가 없는 것이 아니고, 20대에서 70대에 이르는 세대간 다양성을 가진 34명 단원 모두가 이 오케스트라의 리더이고 전체에 대한 책임 의식을 갖는다고 한다. 최근에는 전 세계적으로 지휘자 없는 오케스트라를 시도하는 곳들이 꽤 생겼다고 한다.[13]

> 음악계에서 선구적인 여성들은 언제나 존재했지만,
> 다시 파도처럼 휩쓸려가곤 했다.
> 그리고서 '최초'라는 수식어가 다시 붙었다.[14]

2022년 6월 반클라이번 피아노 콩쿠르에서 18살 임윤찬이 우승하였는데, 결선에서 오케스트라를 지휘하면서 눈물을 훔쳤던 지휘자 마린 알솝이 이 영화의 주인공이다.

지휘자는 지휘 도중 흐르는 눈물을 닦으며 '자신의 음악 인생에서 최고의 명장면'이라고 하였다.[15]

---

1) 더 컨덕터 De dirigent The Conductor, 2018 네덜란드, 감독 : 마리아 피터스
2) 유럽 3대 음악제 '바이로이트축제' 145년 만에 첫 여성 지휘자. 연합뉴스 2021-07-26
3) 여성 지휘자 안토니아 브리코의 굴곡진 인생 여정을 담은 영화. 씨네21 2019-11-13
4) 까르미나블로그 - The Conductor https://blog.naver.com/kschung/222075041885
5) 정은주. 아인슈타인과 슈바이처는 '이것'의 권위자였다?…천재들이 사랑한 음악. 경향신문, 올댓아트 2019-11-29
6) 영화 '더 컨덕터' "마에스트라 안토니아 브리코 실화! 크리스탄 드 부루인, 벤자민 웨인라이트 주연" 한국강사신문. 2021-09-03
7) 암보(暗譜): 악보를 외워 기억함.
8) 악보 통째로 외우는 '암보', 세계적 지휘자들의 암기법은? 한겨레 2019-04-28
9) 오케스트라 지휘하는 개그맨, "악보 못 읽어 통째로 외웠지요" 조선일보 2016-08-27
10) '금녀의 벽' 깨는 여성 지휘자들. kbs 뉴스 2021-01-21
11) 12월 독일 투어… 유럽 · 미국서 지휘자로 본격 활동. 여성신문, 2010-09-10
12) 아인슈타인과 슈바이처는 '이것'의 권위자였다?… 천재들이 사랑한 음악. 경향신문 2019-11-29
13) 지휘자가 없는 오케스트라의 공유 리더십 실험 50년 - 뉴욕 오르페우스 체임버 오케스트라 미호 사이구사 인터뷰 SBS News, 2021-09-04
14) 지휘대에 불어온 여풍 – 세계의 파워 여성 지휘자 16인. 객석 2020-11-25
15) 양준서. 완벽과 격정으로 지휘자도 울린 임윤찬, 클래식계의 BTS 되나. 펜앤드마이크 2022-06-28

돈 룩 업

오를 수 없는 나무는 쳐다보지도 마라

Don't Look Up, 2021[1)]

중세시절 천문학이 크게 발전하기 전에 유럽의 한 과학자가 소행성이 지구와 충돌하여 인류 종말이 온다고 주장하였다. 많은 사람들이 흥청망청 먹고 마시고 즐기면서 그날을 기다렸는데 그 소행성은 지구를 비켜나갔고, 그 천문학자는 사형선고를 받았다. 지구에는 다섯 차례에 걸쳐 대멸종 사건이 일어났으며, 마지막인 6600만 년 전 소행성 충돌로 공룡 멸종을 가져왔다.

그런데 최근 가장 주목받은 소행성 충돌은 2013년 2월 15일 러시아 우랄산맥 인근 첼랴빈스크에 떨어진 것으로 1000여 주택이 피해를 입었고 1500여 명이 다쳤다. 당시 이 사건이 충격적이었던 이유는 공중폭발이었지만 그 피해가 컸으며, 더욱이 소행성이 지구에 가까이 다가왔다는 사실을 어느 국가도 파악하지 못했다는 것이다.[2)] 한편 2017년 1월 말에는 러시아의 천문학자 데민 자미르 자크하라비치 박사가 '2016 WF9'이라는 소행성이 지구와 충돌하는 '딥 임팩트'[3)]가 일어날 것이라고 주장해 주목을 받았지만 그런 일은 일어나지 않았다.

이번에 소개할 영화 〈돈 룩 업〉은 혜성이 지구와 충돌한다는 이야기이다. 〈멜랑콜리아〉(Melancholia, 2011)에서도 혜성과 지구가 충돌하는 이야기지만,(76쪽 참조) 이번에는 행성 충돌과 관련한 과학자와 정치지도자 간의 소통 부재와 지구 종말을 대처하는 인류의 다양한 모습을 비판하는 영화이다. 〈돈 룩 업〉(Don't look up)은 말 그대로 위를 쳐다보지 말라는 의미이지만, 어찌할 수 없는(일부는 탈출하지만) 상황에 이르렀을 때의 타조처럼 작은 머리만 모래 속에 감추는 듯 하늘을 쳐다보지 말라는 것이다. 과학 영화라기보다는 소통 부재를 주제로 한 '웃픈(블랙 코미디)' 영화이다.

지금까지 지구 공전궤도에서 발견된 소행성은 2만 5000여 개라고 한다. 미국항공우주국(NASA)에서는 소행성 궤도 분석 프로그램을 통해 이들 지구와 가까운 소행성의 향후 100년간 지구 충돌 확률을 자동으로 계산하고 있는데, 이 중 4.6%가 지구와 충돌할 가능성이 있다고 한다. 그러나 지름 140m 이상의 소행성 가운데 충돌확률이 100만분의 1보다 높은 것은 모두 4개이다.

> "수천만 명이 넘는 세계 아마추어 천문가들은 새로운 소행성이나 혜성 발견을 꿈꾸며 살지요. 정말 행운이라고 생각합니다."[4)]

모든 아마추어뿐만 아니라 전문 천문가의 꿈은 소행성이나 혜성을 발견하는 것이다. 소행성을 발견하면 국제천문연맹(International Astronomical Union, IAU)이 임시명칭을 붙여주는데, 이

시놉시스[5]

천문학과 대학원생 케이트 디비아스키(제니퍼 로렌스)와 담당 교수 랜들 민디 박사(레오나르도 디카프리오)는 태양계 내의 궤도를 돌고 있는 혜성이 지구와 직접 충돌하는 궤도에 들어섰다는 엄청난 사실을 발견한다. 하지만 지구를 파괴할 에베레스트 크기의 혜성이 다가온다는 불편한 소식에 아무도 신경 쓰지 않는다. 지구를 멸망으로 이끌지도 모르는 소식을 사람들에게 알리기 위해 언론 투어에 나선 두 사람은 혜성 충돌에 무관심한 대통령 올리언(메릴 스트립)과 그녀의 아들이자 비서실장 제이슨(조나 힐)의 집무실을 시작으로 브리(케이트 블란쳇)와 잭(타일러 페리)이 진행하는 인기 프로그램 '더 데일리 립' 출연까지 이어가지만 성과가 없다. 혜성 충돌까지 남은 시간은 단 6개월. 24시간 내내 뉴스와 정보는 쏟아지고 사람들은 소셜미디어에 푹 빠져 있는 시대이지만 정작 이 중요한 뉴스는 대중의 주의를 끌지 못한다. 도대체 어떻게 해야 세상 사람들이 하늘을 좀 올려다볼 수 있을까?

를 인정받으면 본인 이름을 사용해도 된다.[6] 우리나라 아마추어 천문가인 이태형(천문우주기획 대표)이 1998년 9월 발견해 국제천문연맹이 '1998 SG5'라는 임시명칭을 부여하였던 소행성을 '통일(23880 Tongil)'이라 명명하였다. 한국인이 처음으로 발견한 소행성으로 23880이라는 공식 고유번호를 부여받았다. 한편 브라질에서는 8세 소녀가 소행성을 18개나 발견하여 화제가 되었는데,[7] 인공지능(AI) 알고리즘이 발달하면서 많은 우주 행성이 발견되고 있다.[8]

> "소행성을 발견한다는 건 모래밭에서 아무도 보지 못한 금빛 모래를 발견하는 것과 같습니다. 찾는 거야 어떻게든 찾을 수 있겠지요. 그런데 다시 그 자리에서 '그 놈'을 찾는 건 쉽지 않아요."[9]

이후 발견된 10개의 소행성이 최무선, 장영실, 허준 등 한국 이름이 붙어 있고,[10] 흥미롭게도 일본에서 발견된 소행성에도 한국 이름(관륵, 세종, 광주[11] 등)이 붙어 있다.

영화 〈딥 임팩트〉, 〈아마겟돈〉 등 재난영화에서 소행성과 지구 충돌은 단골 소재이다. 하지만 〈돈 룩 업〉이 이야기를 풀어가는 방식은 다르다. 지구를 지키기 위해 미국을 중심으로 온 세계가 대동단결해 돌진하는 소행성을 파괴할 계획을 시행하려 하지만, 중간 선거 등 정치 · 사회 이슈에 밀려 인류의 생존을 위협하는 소행성의 존재는 한낱 정권 유지를 위한 도구에 불과하다.[12] 감독은 기후변화(지구 가열)에 의한 재앙(지구온난화에 의한 기후위기)을 주제로 삼으려 하였지만, 코로나-19 등으로 상황이 바뀌면서 그 내용을 바꾸었다고 한다. 감독은 유명한 배우들을 출연시켜 정치인과 언론, 과학자들을 풍자하고, 지구 멸망을 마주하면서 발생하는 소통 부재를 블랙 코미디로 만들었다. 영락없는 여자 트럼프가 등장하고 뉴욕타임스와 아침 토크쇼뿐만 아니라 우주여행에 매료된 억만장자 머스크 등도 풍자한다.[13] 혜성을 최초 관측한 천문학자 두 사람이 미시간 주립대 출신이라고 하자 대통령은 하버드, 프린스턴 등 명문대 출신에게 다시 알아보라고 지시하고, 99.78%의 충돌확률을 100%가 아니지 않느냐고 하는 등 관심을 갖지 않는다. 정치자금을 가장 많이 후원하는 재벌 회장은 나사의 지구방위합동본부(The Planetary Defense Coordination Office, PDCO)의 소행성 폭파 계획까지 좌지우지한다. 소행성에는 희귀광물이 많아 이를 가져오면 모든 사람이 부자가 된다며 폭파 계획을 무산시킨다. 하지만 모든 계획이 실패하고 혜성의 충돌이 사실로 확인되자 그들은 우주선을 타고 지구를 탈출한다.

〈돈 룩 업〉은 사회적 시스템 간 소통 부재와 그로 인한 문제를 보여주는 장면으로 가득하다. 정치인과 과학자 간의 소통은 이루어지지 않는다.[14] 일류대학 출신이 아니라고 무시하고, 토크쇼 등 대중매체는 지구종말보다는 스타들의 사생활에 더 관심이 많다. 과학자들은 정부와 대중에게 위험성을 알리려고 고군분투 하지만 정부는 정치적 판단으로 "위를 쳐다보지 마(Don't look up)"라고 외친다.

주연 배우이자 환경운동가인 레오나르도 디카프리오는 "과학적 진실에 대해 귀 기울이지 않는 현대 문화를 비유한 영화"라고 했다.[15] 기후과학자인 피터 칼무스도 여자 주인공이 "우리 말이 그렇게 어려워요? 지구 전체가 곧 파괴될 거라고 말씀드리는 겁니다"라고 하지만 아무도 귀를 기울이지 않는다면서, 이것이 오늘날 기후과학자들의 기분을 표현한 것이라고 한다. 기후 변화·위기가 현실이라고 계속 주장하지만, 현대인들은 스포츠 뉴스나 스타들의 사생활, 소셜미디어에 관심이 더 많다.[16] 영화 〈인터스텔라〉에서도 지구온난화 등 환경 악화로 인한 가뭄과 모래폭풍으로 옥수수 농사를 지을 수 없는 황량한 지구 모습을 보여주면서 시작한다.

KBS에서는 2021년 10월 「키스 더 유니버스」라는 시사·교양 프로그램을 통하여 소행성 충돌의 위험을 방송하였다.[17] "또한 올 3월 방송한 TBS 「신박한 벙커 - '소행성 충돌, 핵 전쟁, 지구 가열… 6차 대멸종은 인류?」'[18]에서 우발적 핵전쟁, 소행성 충돌, 기후 위기 등으로 인류는 6차 대멸종에 이를 것이라는 다소 심각한 내용을 연예인 패널들과 함께 흥미롭게 풀어나갔다. 6600만 년 전 운석충돌로 5차 지구 멸종이 일어났으며, 공룡을 비롯한 생명체의 75%가 소멸되었다. 멕시코 유카탄 반도에 유명한 관광지 세노테(그림 1, 50쪽)가 그 증거라고 하는데, 이 칙술루브 충돌구(Chicxulub crater)는 지름 180킬로미터이며 깊이는 약 20킬로미터로 거대한 싱크홀 모양을 하고 있다.

그런데 과학자들은 소행성 충돌뿐만 아니라 기후위기 때문에 지구가 멸망에 이를 것이라고 경고하지만 위정자들은 이를 받아

그림 1. 멕시코 유카탄 반도의 유명한 관광지 세노테. 거대한 싱크홀 같은 이곳을 세노테라고 하는데 마야 언어로 '물이 가득 찬 구멍'이라는 뜻이다.[19]

들이지 않고 있다. 트럼프 전 미국 대통령은 재임기간 수차례 기후 위기가 '새빨간 거짓말'이라며 2019년 파리 기후협약 탈퇴를 선언하였다. 그는 기후 위기가 헛소리라고 비난하였는데, 실제로는 미국 경제에 불리하다는 것이다. 이런 생각과 행동들은 탈진실의 뿌리가 된 과학부인주의와 무관하지 않다. 트럼프의 수석 전략가 스티브 배넌은 진실을 감추고 싶을 때 가장 좋은 방법은 그 진실과 비슷한 것을 꾸며내서 '논란'으로 만들거나, 무엇이 참인지 알 수 없도록 만드는 것[20]이라고 한다. 이들은 자신의 신념과 모순이 되는 증거가 제시되더라도 반발 심리에 의해 기존의 생각이 더욱 강화되곤 하는데 심리학에서는 이를 역화효과(Backfire effect)라고 한다.

"기후위기는 '기후양치기'들이 돈 벌려는 수작이죠."

방송에 나가거나 신문에 기고할 때 가장 많이 듣는 말은 '쉽게 이야기하세요'이다. 전문가들은 아무리 쉽게 이야기한다고 해도 그들의 삶 속에는 어려운 용어가 녹아 있어서 간단하게 설명하는 것이 쉽지 않다. TBS「신박한 벙커」에서도 연예인 패널들이 나와서 놀라는 표정, 심각한 표정을 하면서 이야기를 하지만 너무 어려운 이야기, 심각한 이야기만 하고 있으면 시청률이 나오지 않는다. 과학철학자 리 매킨타이어는『과학부정론자들과 대화하는 법(How to Talk to a Science Denier)』에서 이런 '상식'조차 통하지 않는 암울한 현 상황을 짚고 있는데, 과학부정론자들을 방치한다면 공동체에 큰 위험이 닥칠 수 있다면서 그들과 대화를 시도해야 한다고 주장한다.

앨 고어 미국 전 부통령은 현재 과학은 만약 우리가 지구온난화를 빨리 줄이지 않는다면 지구가 많은 열을 빠르게 방출할 것이고 우리는 영구적인 '탄소 여름'[21]의 위험에 처하게 될 거라고 경고한다. 기후과학자인 피터 칼무스 역시 기후변화가 현실이라고 계속 이야기하는데 주요 신문은 여전히 화석연료 광고를 게재하고, 기후 소식은 스포츠 뉴스에 가려져 버린다고 말한다. 그는 "앞으로 다가올 일을 알리려는 더 많은 이야기가(소통이) 필요하다."고 주장하였다.

영화에서는 지구가 멸망하기 직전에 대통령을 비롯한 돈 많은 몇 사람은 우주선을 타고 지구 환경과 유사한 우주 어딘가 행성으로 탈출한다. 인류의 기원이 우주인이었다면, 외계에서 지구에 도착한 우주인도 이들처럼 좋은 유전자를 가진 사람은 아니었을 수 있다. 우주는 아니지만 남아메리카 마야문명을 멸망시킨 사람들은 스페인의 군인(해적)들이었다. 한편 최근 우주여행을 하는 민간인들은 개인당 500억 이상의 돈을 지불하였다고 한다. 돈이 없는 사람들은 쳐다보지도 말아야 한다.

"오르지 못할 나무는 쳐다보지도 마라. 우리 모두가 주인 노릇을 할 수는 없다."
— 셰익스피어, 『오셀로』

지구온난화는 원인도 잘 알고 있고 그 피해도 잘 알려져 있다. 주요 원인은 선진국이나 개발도상국에서 화석연료를 사용할 때 나오는 이산화탄소 때문이라는 것이다. 그런데 그 피해는 그 발생에 별로 책임이 없는 저개발국(농업 피해)이나 태평양 주변국가(해수면 상승)에서 발생하고 있다. 또한 많이 발생한 국가를 가해자라고 해서 큰 책임을 물을 수 없는 실정이다. 그러나 이산화탄소 증가를 막을 수 없는 것은 아니다. 할 수 없다는 부정적인 생각보다는 나 혼자라도 실행에 옮겨야 한다. 차드 프리슈만(Chad Frischmann)은 TED 강의에서 지구온난화를 줄일 수 있는 상위 20가지 방법 중에서 음식 쓰레기를 줄이고 채식을 하는 등 음식과 관련된 것이 8가지가 있다고 한다(그림 2).[22]이 영화에서 지구 종말을 맞이하는 사람들의 일상이 스쳐가는데 혜성을 향해 총을 쏘기도 하지만, 기도하기도 하고 서로 용서하며 받아들이며 식사를 같이한다. 이런 종말이 일어나기 전에 뭔가를 행동해야 한다.

트럼프 대통령 시절 공화당 출신 플로리다 주지사는 플로리다의 일부가 얼마 가지 않아 물에 잠길 것이라는 진실을 알고 나서 많이 당황하였다고 한다. 사실인지는 모르겠지만 플로리다 해안가 땅값이 떨어지고 있다고 한다. 기후위기를 극복하기 위한 뭔가를 해야 하는데 쉽지 않다. 이산화탄소와 메탄가스를 줄이기 위한 노력, 즉 자동차 배기가스를 줄이고 가축(육식)을 줄이고 팜유 생산을 줄이는(열대우림 보존) 노력을 해야 하는데, 코로나 사태로 그렇지 않아도 힘들어진 경제가 문제가 된다. 또한 '에너지 안보위기'라는 명목으로 중국은 석탄발전을 증가시키고 미국도 친환경에서 후퇴하고 있다.[23] 그렇지만 뭔가를 해야 한다. 기후행

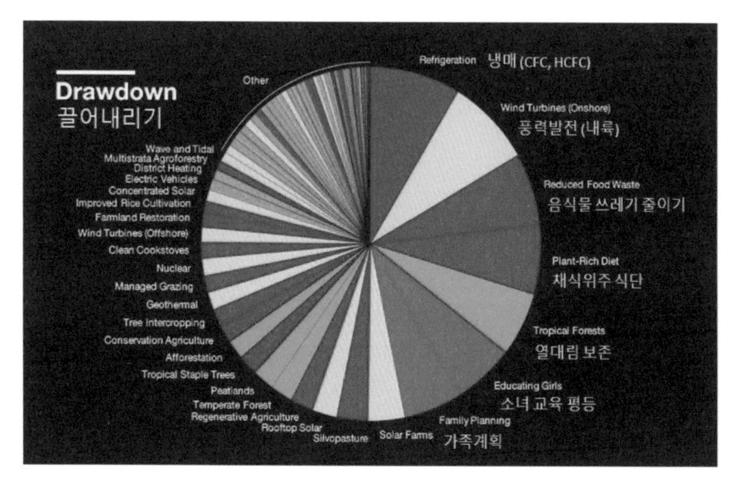

그림 2. 차드 프리슈만이 TED 강의에서 제시한 지구온난화를 끌어내리는(Drawdown) 방법. 냉매 감소, 풍력발전 증가, 음식물 쓰레기 줄이기, 채식위주 식단, 열대림 보존 등이 있다. 흥미롭게도 소녀 교육 평등[24]과 가족계획도 들어있는데, 이 둘을 합치면 상당한 효과를 볼 수 있다고 주장한다.

동 비건네트워크 대표 조길예는 "우선 정부는 육류 위주의 서구식 식생활이 건강하지도 않고, 지속가능한 생활방식도 아니라는 사실을 국민들에게 알려야 한다."고 하면서 "탄소배출을 줄이고 자원을 적게 소모하는 식품에 대해서는 인센티브를 제공하고, 반대로 탄소배출과 생태계 파괴의 주범인 육류와 같은 먹거리에는 세금을 부과해 지속 가능한 식품에 대한 접근성을 향상시켜야 한다."[25]고 주장한다.

우리 모두도 쓰레기를 줄이고 차를 덜 타며 육식을 줄이는 등 작은 행동이라도 실천해야 한다. 간단한 해법 같은 건 없다. 한 사람 한 사람의 실천이 백 명, 천 명, 만 명이 된다면 그 효과는 무시할 수 없을 것이고 지구의 종말을 조금이라도 뒤로 미룰 수 있다.

1) 돈 룩 업 Don't Look Up 2021, 감독; 아담 맥케이
2) 소행성 충돌, 대처 방법은? The sciencetimes 2016-11-18
3) "이번 주 소행성 충돌" 러시아 과학자 예언, 이번엔? 서울신문. 2017-02-12
4) 한국인 최초로 소행성 찾은 이태형. 중앙일보, 1998-11-09
5) 네이버 영화. 돈 룩 업 Don't Look Up 2021
6) 우주 암석을 발견하면 최대 5년이 걸리는 확인 과정을 거친 후 발견자는 이름을 붙이는 권리를 갖는다.
7) 최연소 천재 천문학자 나왔다…18개 소행성 발견한 8세 브라질 소녀. 매일경제 2021-10-02
8) 인공지능(AI), 새로운 우주 행성 50개 발견. The Dailypost. 2020-08-28
9) 소행성 '통일' 발견-명명 이태형 씨. 동아일보 2001-05-10
10) 나무위키 – 소행성 namu.wiki/w/소행성
11) '12252 Gwangju'는 1988년 11월 8일 일본인 고이시카와 마사히로가 센다이 천문대 아야시 관측소에서 발견한 소행성으로, 일본 센다이시와 광주광역시의 자매결연을 기념하여 이름이 붙여졌다.
12) 길이 140m 이상 '지구위협 소행성' 2000개…3년내 발견 땐 충돌 방지 가능. 문화일보 2022-01-19
13) 넷플릭스 화제 〈돈룩업〉의 실존 인물은. 서울신문. 2021-12-31
14) 〈돈룩업〉 진짜 문제는 커뮤니케이션의 부재야 https://brunch.co.kr/@potter1113/414
15) 기후변화를 다룬 영화 〈돈룩업〉이 화제인 이유. Impact On 2022-01-04
16) 위(기)를 보지 않기: 돈룩업과 탈진실. 경향신문 인스피아, 2022-01-13
17) KBS 키스 더 유니버스 제작팀 (2021). (KBS 대기획) 키스 더 유니버스. 서울, 베가북스.
18) 소행성 충돌, 핵 전쟁, 지구 가열… 6차 대멸종은 인류? 〈신박한 벙커〉 작성자 미디어재단 TBS
19) 세노테(Cenote)를 아시나요? 멕시코 관광청. http://m.post.naver.com/viewer/post/view.naver;volumeNo=9813850
20) 신고은 (2021). 인간의 마음을 이해하는 수업. 서울, 포레스트북스.
21) 앨 고어 전 미국 부통령이 2007년 노벨평화상 수상 연설에서 사용한 용어로 지구 온난화에 의한 기후 변화를 뜻한다.
22) Chad Frischmann. 100 solutions to reverse global warming. www.ted.com
23) '에너지 안보' 위기에 "친환경 잠시 쉬었다 갈게요"…그럼 기후위기는? 한겨레 2022-04-26
24) Laura Paddison, 전 세계 빈곤 해소의 실마리인 소녀 교육. http://bit.ly/2yWu7is 빈곤퇴치뿐만 아니라 지구온난화 예방에도 중요하다.
25) 조길예. 기후위기 극복 위한 실천, 우리의 식생활 전환으로부터. 나라경제, 2022년 02월호

딕 존슨이 죽었습니다 · 더 파더

치매 홀아비를 간병하는 딸

Dick Johnson Is Dead, 2020[1] · The Father, 2020[2]

2020년 치매에 관한 영화 2편이 개봉되었는데, 부인과 사별하고 혼자 외롭게 사는 노인 치매 환자라는 점과 딸이 간호하고 있다는 공통점이 있다.

먼저 〈딕 존슨이 죽었습니다〉이다.

알츠하이머로 아내를 잃은 정신과 의사 딕 존슨은 7년이 지난 후 치매 진단을 받는다. 돌아가신 어머니의 영상이 많지 않다는 사실에 후회하던 영화 촬영감독이 직업인 딸은 아버지의 모습을 영상에 담기 시작한다. 아버지가 살고 있던 시애틀을 배경으로 시작된 촬영은 딸이 사는 뉴욕에 와서도 계속되며, 딸은 아버지가 죽을 수 있는 여러 가지 상황들을 연출하여 다큐멘터리를 찍는다. 아버지가 다양한 모습으로 죽는 연습을 하는 것이다. 길을 가다가 떨어진 컴퓨터 모니터에 맞아서 즉사하기도 하고, 계단에서 굴러 몸이 부러져 죽기도 하며, 공사장 인부가 휘두른 자재에 맞아 피 흘리며 죽기도 한다.

"재가 날 몇 번이나 죽여요. 나는 계속 되살아나고요." – 영화 중 대사

감독은 아버지가 죽을 수 있는 다양한 상황을 연출할 뿐만 아니라 아버지가 천국에 머무는 모습을 상상하면서 기쁘고 행복한 모습을 그려낸다. 가상 장례식 때에는 관에 들어가는 체험도 하는데, 이런 촬영을 하면서 죽음을 연기하는 아버지와 카메라를 들고 있는 딸은 서로 바라보면서 끊임없이 이야기한다. 평소 딕 존슨은 감추고 싶은 발가락 장애가 있는데 딸은 예수님이 아버지 발을 씻어 주는 장면도 연출한다. 예수님이 발을 씻어 주자 발가락이 정상으로 변한다. 이렇듯 죽음뿐만 아니라 천국을 보여주면서 죽음에 대한 불안을 덜어주는 것이다.

가상 장례식은 본인이 다니던 교회에서 이루어지는데, 가짜 장례식임에도 불구하고 고인을 추모하던 친구가 격하게 운다. 그는 주인공 딕 존슨이 장례식에서 불러주기를 원하였던 '고잉 어웨이(going-away)'를 헌팅호른으로 연주하지만 감정이 격해지는 바람에 호른 소리가 잘 나오지 않는다. 이번에 뉴욕으로 가버리면 죽을 때까지 만날 수 없으리라는 생각도 하였을

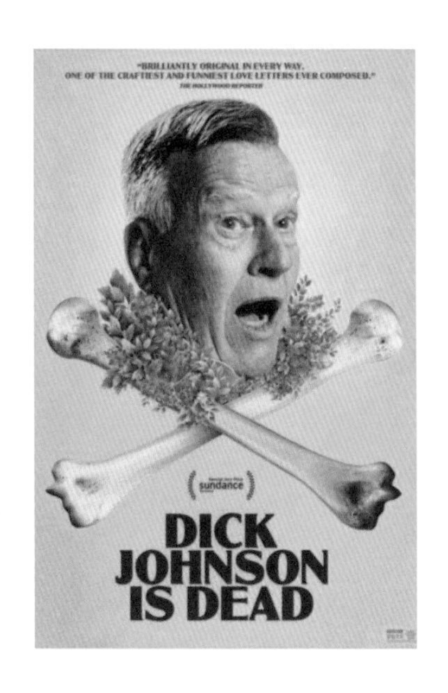

것이다. 같은 교회에 다니던 환자가 인터뷰를 하면서, "제 남편이 죽었을 때도 딕에게 제일 먼저 연락했어요. 근데 마음이 아팠던 것은 며칠 후에 딕이 저를 따뜻하게 안아주시고 나서 5분 후에 저에게 남편의 안부를 물어보셨어요."라고 이야기한다. 그때부터 딕 존슨의 기억에 문제가 있었던 것이다.

주인공은 소원이 하나 이루어진다면 무엇을 청하겠느냐는 물음에 세계평화와 같은 거창한 것이 아니라, "네 엄마가 안 죽길 빌겠다."고 대답한다. 주인공은 기억의 끈을 잡으려 하지만 가물가물해지는 것은 어쩔 수 없다. 초콜릿케이크를 너무 좋아하는데, 건강을 위하여 먹지 못하게 할 수도 있지만 딸은 제지하지 않는다. 죽고 나면 후회할까 두려운 것이다. 그는 새벽 3시에 진료실에 간다고 옷을 입고 밖으로 나오는 등 치매증상은 심해져만 간다.

주인공 딕 존슨은 30년 전에 관동맥 우회술을 시술받은 심혈관질환 환자이고 갑자기 죽는다. 영화에서는 앰뷸런스에 실려 가면서 제세동기 전기충격을 하는 모습을 간접적으로 보여주는데 심폐소생술 금지(DNR) 등 사전연명의료의향서(Advanced directives)를 작성하지 않은 것 같다.

얼마 전 의사 국사고시에서 같이 근무하는 노년 의사의 기억력에 심각한 문제가 있는 것을 안다면 귀하는 어떤 결정을 내려야 하는가라는 문제가 출제되었다. 물론 기질적 뇌질환을 의심하는 증상이 있다고 덧붙여 있었는데, 이 객관식 문제의 답은 '병원장에게 알리고 조치를 요구한다.'이다.

영화에서 같이 근무하던 간호사가 전해주는 말에 의하면 딕 존슨의 약 처방에 문제가 있었고 예약 스케줄이 겹치는 등의 문제가 있었다고 한다. 이 말을 들은 딸은 아버지 병원 문을 닫고 이 다큐멘터리를 촬영한다. 몇 년 전 우리나라 유명한 대학병원 정신과 교수님도 은퇴 이후에 알츠하이머(치매)로 진단되기도 했다. 근무 중에는 큰 문제가 발생하지 않았다고 하지만, 정년 전에도 소소한 문제들이 있었다고 한다.

> "사랑이 아름다운 것만 준다면 참 쉬웠을 것이다. 하지만 사랑하면 서로를 잃는 고통도 마주해야 한다. 상황이 나빠지면 우린 서로 꼭 껴안는다. 그리고 그럴 수 있다면 짧은 기쁨에 감사한다."
>
> — 영화에서 딸의 내레이션

다음 영화는 〈더 파더〉이다. 혼자 사는 주인공은 평화로운 시간을 보내고 있는데 딸이 찾아와 '이번에 올 간병인과는 불화를 일으키지 말라'고 당부한다. 스스로에게 전혀 이상을 느끼지 못하는 주인공 앤서니는 자꾸만 간병인을 부르는 딸이 못마땅하다. 그러나 그는 이제껏 간병인들을 다소 과격한 방식으로 돌려보냈다[3]고 한다. 영화는 주인공의 딸 역할을 하는 배우가 바뀌기도 하고, 이야기 앞뒤도 바뀐 것 같아서 시청자들은 한참 혼란스럽기만 한데, 이런 상황이 치매 환자의 머리 속이 아닐까 한다. 동명의 희곡을 써서 연극 무대에 올렸던 이 영화감독 플로리안 젤러는 "관객이 미로 속에서 손으로 벽을 더듬어 길을 찾는 기분을 느꼈으면 했다"[4]고 말하였다.

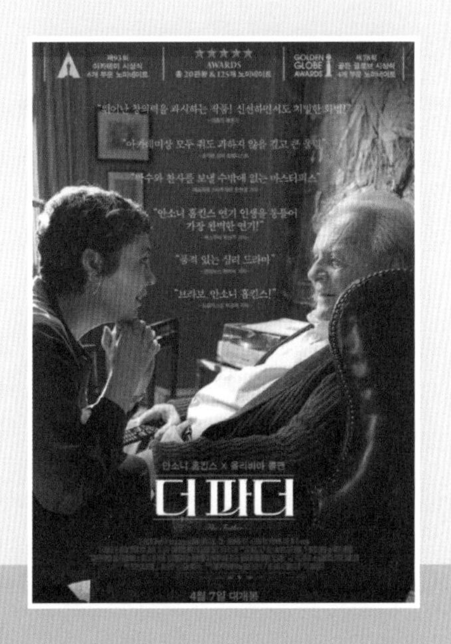

시놉시스[5]

나는 런던에 있는 아파트에서 평화롭게 삶을 보내고 있다. 무료한 일상 속 나를 찾아오는 건 딸 앤뿐이다. 그런데 앤이 갑작스럽게 런던을 떠난다고 말한다. 그 순간부터 앤이 내 딸이 아닌 것처럼 느껴졌다. 잠깐, 앤이 내 딸이 맞기는 한 걸까? 기억이 뒤섞여 갈수록 지금 이 현실과 사랑하는 딸, 그리고 나 자신까지 모든 것이 점점 너 의심스러워진다.

1937년생 배우 앤소니 홉킨스가 이 영화에서 같은 나이의 파더 '앤소니'를 연기하였는데, 윤여정이 여우주연상을 수상한 2021년 미국 아카데미 시상식(오스카 Oscars)에서 남우주연상을 수상하였다. 그는 1992년 〈양들의 침묵〉에 이어 생애 2번째 수상 영예를 안았다.

영화에서처럼 부인이 먼저 죽은 홀아비는 일찍 죽는다. 과부에 비해 오래 살지 못한다는 것인데 그만큼 남자들은 혼자 살기 힘들다. 서양에서도 남편을 여읜 여성의 사망률은 그렇지 않은 여성보다 1.6배 높았을 뿐이지만, 부인과 사별한 남성들의 사망률은 부인이 살아 있는 남성들보다 2.3배나 높다[6]고 한다. 이 때문에 남성에게는 '효자 열 명보다 악처 한 명이 낫다'는 옛말이 사실인 것 같다.

한편 2008년 스페인 만화상을 수상한 파코 로카의 동명 만화를 원작으로, 요양원에서 지내는 두 명의 노신사 – 에밀리오와 미겔의 우정을 그린 작품인 〈노인들〉[7]이라는 애니메이션이 개봉되었다. 에밀리오는 은행원이었는데 부인 없이 혼자 살고 있다. 아들 부부가 돌보고 있지만 그는 젊었을 때 은행 근무상황과 지금의 현실이 서로 교차되면서 잘 구분하지 못한다. 자식들은 어쩔 수 없이 아버지 집을 팔고 요양원에 입원시킨다.

요양원에서는 여러 증상을 가진 치매 환자들이 생활하고 있다. 중증 치매로 혼자서 생활할 수 없는 남편을 위하여 같이 입소하여 남편을 보살피는 부인도 있고, 다 나았다고 자식들에게 통화하기 위하여 전화기를 찾아다니지만 찾으러 가다가 그 위치를 잊어버리는 환자, 오리엔탈 특급열차를 타고 여행하고 있다고 믿고 있는 환자, 외계인이 자기를 잡으러 온다고 생각하는 환자 등이 묘사된다. 에밀리오도 처음에는 그들을 보고 웃었지만, 시계와 지갑을 잃어버리고, 아니 잘 숨겨 놓고 잃어버렸다고 생각한다. 그는 '공 전달하기'라는 단순한 단체 운동을 하다가 어디로 공을 옮겨야 할지 모르는 소위 '멍'한 상태에 빠지기도 한다. 에밀리오와 미겔은 알츠하이머 환자들뿐만 아니라 스스로 무언가를 할 수 없는 노인들이 마지막으로 향하는 요양원 '꼭대기 층'을 가지 않기 위하여, 아니 그곳에서 삶을 마감하지 않기 위해 나름의 전략을 세운 다음 이를 실행한다. 어떤 유튜버가 이 만화 영화 내용을 정리하여 인터넷이 올렸는데, 그 제목대로 '당신이 늙기 전에 꼭 봐야 할 애니메이션'이다.[8]

〈노인들〉 포스터

가짜 장례식은 소설이나 드라마 또는 영화 소재가 되고 있는데, 일본 드라마 〈바람의 가든〉에서도 생전 장례식이 나온다. 고향을 수십 년 만에 방문한 주인공을 위하여, 친구들이 신사에서 거행되는 주인공 장례식에 초대한다. 주인공은 죽은 상태이니 아무 말 못하게 하면서, 어릴 때의 추억을 더듬는 행사이다.

우리나라에서도 85세에 전립선암을 진단받은 '노년 유니온', 부회장 김병국 씨의 생전 장례식이 열렸다. "검은 옷 대신 밝고 예쁜 옷을 입고 함께 춤추고 노래 부릅시다"라고 적힌 자신의 부고장을 보냈으며, 그는 양희은의 '아침이슬'과 산이슬의 '이사 가던 날'을 불렀다고 한다.[9] 최근 시니어TV에서도 72시간 뒤에 죽음을 맞이한다는 가상의 상황을 설정하고, 자신의 장례식을 본인이 준비하면서 삶의 의미를 찾고 인생을 돌아보는 프로그램을 방송하였다.[10] 이 프로그램에서 스무 살에 백혈병을 이겨낸 캠핑맨 박재현과, 개그맨 권영찬 등이 출연하였다. 이들은 가상 장례식을 통해 인간이 누구나 겪는 죽음을 미리 체험하고, 이때 발생하는 좌충우돌 이야기를 전하였다.

어떤 사람은 치매에 걸린 환자는 다 잊고 사니 행복할 것이라고 한다. 그러나 이들 영화에서 보면 가물가물한 최근 기억과 또렷하기만 한 옛날 기억 사이에서 방황하는 등 행복하지 않은 것 같다. 인간은 요람에서 무덤까지 시작과 마침이 있는 인생을 산다. 신학자 칼 라너가 말하듯이 유한한 삶은 '행하는 모든 것에 내재하는 죽음'의 조각들로 구성되어 있다.[11] 치매에 걸리지 말고 건강한 노후, 행복한 죽음을 살아가야 한다.

1) 딕 존슨 이즈 데드 Dick Johnson Is Dead, 2020, 다큐멘터리, 감독; 커스틴 존슨
2) 더 파더 The Father, 2020. 감독; 플로리안 젤러
3) 영화가 뒤엉키고 혼란스러운 순간, 비로소 영화를 이해한다, 영화 〈더 파더〉 주간조선, 2021-05-03
4) [영화의 향기] 더 파더 - 치매 환자 시점에서 느끼는 공포와 혼란. 가톨릭평화신문 2021-06-27
5) 네이버 영화 - 더 파더 https://movie.naver.com/movie/bi/mi/basic.naver?code=191920
6) 임재준, 가운을 벗자 - 의학, 세상과 만나다. 일조각, 2011
7) 노인들 Arrugas, Wrinkles, 2011. 애니메이션, 감독; 이그나시오 페레라스
8) https://youtu.be/BHvzn_hhDac
9) 어느 말기 암환자의 생전 장례식. 조선일보, 2018-08-15
10) 만약 72시간 후 죽음이 찾아온다면? 시니어신문, 2020-11-18
11) 김민수 이냐시오. 딕 존슨이 죽었습니다, Health & Mission 2021 Spring vol 61

라자레스쿠 씨의 죽음

응급실 방문 오디세이

The Death of Mr. Lazarescu, 2005[1)]

2010년 11월 대구에서 장중첩증을 앓던 4살 여자아이가 모 대학병원 등 시내 5개 병원 응급실을 찾아다녔지만 적절한 치료를 받지 못한 채 구미의 한 병원에서 숨진 사건이 발생하였다. 이 사건으로 의료계에 이어 국회에서도 이 문제를 제기하여 큰 이슈가 된 적이 있다.[2)]

본 영화에서도 주인공이 갖가지 사정으로 여러 병원을 돌아다니는데, 크리스티 푸이우 감독에 의하면 이 영화는 루마니아편 ER(응급실)이라고 하였으며 코미디로 분류되었다. 응급실 진료 여정이 블랙 코미디(Black comedy)[3)]에 이용된다는 자체가 슬프다.

혼자 살면서 식사도 잘하지 않고 술에 의지하며 살고 있는, 게다가 성격까지 괴팍한 라자레스쿠 씨는 어느 날 머리가 아프고 토하고 목욕탕에서 쓰러지기까지 한다. 구급요원을 불렀으나 주말이어서 빨리 오지 않는다. 간호사 구급요원이 주사 한 대 주고 가려고 하다가, 뭔가 심상치 않음을 직감하고 가까운 응급실로 데려간다. 응급실에서 오래 기다리다 드디어 진료 순서가 되었는데 환자의 몸에서 술 냄새가 난다고 의사가 짜증을 낸다. 의사는 큰 병원으로 가라고 소견서를 써주는데, 이때부터 환자와 간호사는 여러 병원을 전전하게 된다. 주말인데다 대형사고 때문에 응급실 환자가 넘쳐 제대로 진료도 받을 수 없고, 컴퓨터 사진(CT)도 찍기 힘들다. 간호사가 환자 정보를 이야기하지만 말을 끝내기도 전에 의사는 그 말을 묵살한다. 소위 나쁜 의사들이 많이 나오는데, 그러다 보니 영화의학교육에서 사용하는 영화 중의 하나이다.

다행히 어느 병원 응급실에서 응급구조사를 알아보는 사람이 있어서 CT를 바로 찍을 수 있게 된다. 그러나 한편으로는 누군가 아는 사람이 있으면 순서에 상관없이 빨리 찍을 수 있다는 것은 공평하지 못한 것 같다. 소셜 미디어의 발달로 여섯 명만 거치면 세상 어느 사람과도 연결된다고 하는데(6단계 분리이론), 우리나라에서도 휴대전화 및 SNS 발달로 의료인들에게 청탁이 더 많아졌다. 영화 〈휴 그랜트의 선택〉에서도 총상을 입은 강도와 경찰이 응급실에 같이 도착하였을 때 누구를 먼저 치료하느냐는 의료윤리 문제로 시작한다. 조금이라도 더 응급한 사람을 먼저 치료하는 것이 당연하지만, 이러한 정의를 실천하기는 쉬운 것이 아니고 의료 현장에서는 어렵기만 하다.

길론(Gillon R)[4]은 세 사람이 죽어가고 있는데 살릴 수 있는 기계는 한 대뿐일 때 어떤 사람을 먼저 치료할 것인가라는 문제에서 가장 어린 사람(가장 오래 살 것이기 때문- 복지의 극대화), 가장 아픈 사람(가장 필요하기 때문 - 의학적 필요), 가장 친절한 사람(대우받아야

시놉시스[5]

혼자 살고 있는 라자레스쿠 씨는 우리가 상상할 수 있는 모든 악몽을 실시간으로 겪고 있는 사람이다. 거의 술 중독이 되어가는 어느 날 밤, 갑자기 통증을 느끼고 목욕탕에서 쓰러진다. 앰뷸런스가 달려오고 응급구조사가 방문하고 이때부터 여러 병원(네 병원)을 전전하면서, 이때부터 슬프고도 웃긴? 라자레스쿠 씨의 병원 오딧세이가 시작된다.

하기 때문 - 도덕적 공과), 의사가 가장 좋아하는 사람(불공정 그 자체), 추첨에 의한 배분(불공정 - 다른 사람이 받을 수 없기 때문), 사회적 가치 높은 사람(가난한 사람 vs 영국 여왕) 등을 고려할 수 있다고 한다. 시대에 따라 적용하는 사람들에게 따라 기준이 달리 사용되고 있는데, 그만큼 의료 정의, 분배의 정의는 어렵기만 하다.

응급실에 근무할 때 술 먹은 환자가 내원하면 당황할 때가 많다. 영화에서처럼 다른 응급환자 때문에 혼란스러운데 환자가 술 냄새를 풍기면 기분이 나빠진다. 물론 사회 초년병 의사일 때의 이야기이지만 이런 마음은 나이가 들어도 지속된다. 아파서 응급실에 왔지만 술을 먹었다는 선입관 때문에 진단이 흐려지는 경우가 있다.

우리나라에서도 단순 주취자인 줄 알고 귀가시켰는데 뇌출혈로 사망하여 당직의사가 과실치사형을 받은 경우도 있다.[6] 술 취한 상태로 코피가 나서 응급실에 내원하였는데 코피는 멈추었고 환자는 진료를 거부하였다. 화장실에서 구토도 하고 정신을 못 차린 상태에서 술이 깨면 진료를 하기로 하고 집에 보냈는데 뇌출혈로 사망하였다는 것이다. 아마 코피가 난 것도 두부 외상 때문에 생겼을 가능성이 높지만, 술에 취한 상태로 횡설수설 하다 보니 의사가 최선의 조치를 하지 못하였던 것 같다. 응급실에서 난동을 부린 사람들도 술이 깨고 나면 기억을 못 하는 경우가 허다하다. 최근에는 응급실에 보안요원이 근무하기도 하고, 경찰이 방문하는 경우도 많지만 술에 취해 과도한 행동을 한 사람을 다루기는 쉽지 않다.

영화에서 라자레스쿠 씨가 호소하는 어떤 증상이 가장 시급한지를 정확히 판단하는 것이 중요한데, 진료하는 의사마다 주요 증상을 다르게 판단하다 보니 진단명도 달라진다. 최종적으로 뇌출혈로 진단되고 수술이 필요하지만, 담당 의사는 어떻게 하면 한밤중에 응급수술을 하지 않을 것인가를 고민한다. 영화 초반에 환자의 의식은 비교적 명료하여 의사의 불친절한 말에 대꾸도 하지만 영화가 진행하면서 점차 의식 수준이 떨어진다. 의식 수준이 떨어진 환자에게 수술동의서 서명을 하지 않으면 수술을 할 수 없다고 말하는 의사는 정말 나쁜 의사이다. 설령 서명하였다고 하더라도 그 서명은 유효하지 않다.

어떻게 사는 것이 좋은 의사(Good doctor)가 되는지를 정의하기는 쉽지 않다. 그러나 어떤 의사가 나쁜 의사인가는 쉽게 이야기할 수 있다. 나쁜 의사가 되지 않는 것뿐만 아니라 어떻게 하면 좋은 의사가 되는지를 항상 고민하는 의사가 좋은 의사가 될 수 있다.

---

1) 라자레스쿠 씨의 죽음 The Death of Mr. Lazarescu. 2005, 감독; 크리스티 푸이우
2) 백성주. 경북대병원 소아 사망사건 이후. 데일리메드. 2011-04-26
3) 네이버 지식 백과 블랙 코미디; 아이러니한 상황이나 사건을 통해 웃음을 유발하는 코미디의 하위 장르. 냉소적이며 음울하고 때로는 공포스러운 유머 감각에 기초하고 있다.
4) Gillon, R. 박상혁(역)(2005). 의료윤리. 서울, 아카넷
5) 네이버 영화. 라자레스쿠 씨의 죽음. http://movie.naver.com/movie/bi/mi/basic.nhn?code=44137
6) "술깨면 오세요" 돌려보냈다 사망… 응급실 의사 과실치사 확정. 중앙일보 2019-08-03

로렌조 오일 · 특별 조치

장애아를 보살피는 부모의 고난 여정

Lorenzo's Oil, 1992[1] · Extraordinary Measures, 2010

2013년 MBC 다큐스페셜에서는 「해나의 기적」[2]을 방송하였다. '선천성 기도 무형증'을 앓고 있어 2개월밖에 생존할 수 없다고 선고를 받은 해나가 기적처럼 살아남았다. 인공기도 삽입 및 줄기세포 치료를 하는 미국 연구단체들과 연결이 되고, 기도 생성 수술의 대가 '파울로 마키아리니' 박사 및 수많은 사람의 도움으로 수술을 받는다.[3]

이처럼 선천성 질환을 가지고 태어난 환아들을 의사들은 포기하라고 쉽게 권유하는 경우가 많으나 부모들이 이 결정을 받아들이기는 정말 어렵다. 정말 지푸라기라도 잡고 싶은 심정으로 세상에 매달리게 되고 때로 기적처럼 이 지푸라기가 연결되기도 한다.[4]

이 분야의 대표적인 영화로는 〈로렌조 오일〉이 있다. 희귀병을 앓고 있는 시한부 아들을 살리기 위해 의학분야에는 문외한이던 부모가 숱한 고난과 시행착오를 겪은 뒤에 직접 치료약을

시놉시스[5)]

오돈 부부는 아들 로렌조가 ALD(부신백질이영양증)이라는 희귀한 병에 걸린 것을 알게 된다. 오돈 부부는 ALD에 관련된 모든 서적을 닥치는 대로 탐독하며 치료법을 모색하던 중 불포화지방산과 포화지방산 사이의 효소작용으로 에쿠루산이 혈중 지방 수치를 정상화시킬 수 있다는 사실을 알아낸다. 그러나 의사들이 그들의 말을 믿지 않자 유전자를 가지고 있으나 병이 발생하지 않은 환자의 이모를 대상으로 실험한 결과 지방 수치가 줄어드는 것을 보게 되고, 병의 초기에 있는 제이크라는 아이는 완치하게 된다. 로렌조에게도 이 치료법을 사용, 중증인 로렌조의 몸에 새로운 힘을 준다.

만들어낸 실화를 영화로 만들었다. 6살까지 잘 크고 있는 외아들이 대뇌백질 위축증을 일으키는 유전성 부신백질이영양증(Adrenoleukodystrophy, ALD)[6)]이라는 희귀한 병을 진단받는데, 이 병은 6개월 만에 시력과 청력을 잃고 2년 내 식물인간이 된 후 결국 사망에 이르는 무서운 병이다. 당시에도 체내에 긴사슬지방산(VLCFA)이 축적됨으로써 신경섬유의 수초가 손상되고, 점진적으로 부신의 퇴행이 일어난다는 병태생리는 알고 있었지만, 그 치료방법은 없었다. 부모는 도서관에서 연구논문을 뒤적이다가 순수 올레산(Oleic acid)이 체내 지방질을 감소시킬 수 있다는 사실을 알아내고 전 세계 전문가를 초청하여 부신백질이영양증 세계대회를 개최하기도 하고, 일부 학자들의 반대를 무릅쓰고 올레산과 평지씨유를 혼합한 소위 '로렌조 오일'을 투여하여 병의 진행을 억제시키기도 한다. 실제로 주인공 로렌조 오도네는 2년밖에 살 수 없다는 진단을 받았지만 24년을 더 살고 30살이 되던 2008년 사망했다.

〈사랑의 기도(아들을 위하여)〉[7)]라는 영화에서도 난치성 뇌전증을 앓고 있는 아이를 치료하기 위해, 1997년경부터 존스홉킨스 병원을 중심으로 사용하고 있는 케톤 식이요법(지방은 많이 섭취하고 단백질과 탄수화물은 적게 섭취하여 케톤체 생성을 증가시킴)을 하는 것을 볼 수 있다. 로렌조 오일을 이용한 치료 역시 케톤 식이요법의 하나이다.

선천성 장애를 가지고 태어난 아이들의 치료에 관한 다른 대표 영화는 〈특별조치〉(Extraordinary Measures, 2010)[8)]이다. 폼페병

(Pompe's disease)을 앓고 있는 두 자녀를 둔 잘 나가던 뉴욕 변호사의 약 개발을 위한 처절한 투쟁을 영화화한 가족 드라마이다. 폼페병이란 당원축적 질환이라 해서 우리 음식의 에너지원인 포도당이 너무 많아지면 글루코겐이라는 당원으로 저장하였다가 필요할 경우 다시 사용하곤 하는데 이때 필요한 효소가 부족하거나 기능을 제대로 하지 못하여 발생하는 병이다.

실력도 있고 유명하지만 아직 약을 개발해 본 경험도 없고, 소통이라는 것을 거부하는 괴짜 의학자와 잘 나가던 변호사가 본업을 포기하고 제약회사를 설립하는 등 스스로 기적을 만들어 가는 아빠의 투쟁을 비교적 소상히 표현하였다. 포스터만 보면 해리슨 포드가 브렌든 프레이저와 같이 출연하니 꼭 첩보영화 같다. 약을 개발한다고 해서 바로 환자에게 투약하는 것은 아니며, 내가 개발하였으니 우리 아이에게 먼저 투여해야 한다는 법도 없다. 이 영화는 『조금만 더 하루만 더』[9]라는 책을 바탕으로 만들어졌다.

영화는 아니지만 『이젠 들을 수 있어요(Sounds from Silence)』[10]의 저자 그렘 클라크는 청각 장애인 아버지를 둔 의사로 청각장애를 공부하고 연구하여 와우이식(Cochlear Implant)을 성공하였고 많은 청각 장애인들을 도와주었다. 지금은 안정성이 확인되어 호주 과학기술의 대표적 개가로 인정받는 기술이지만, 클라크 박사가 처음 연구를 시작할 때만 해도 와우이식이라는 개념은 격렬한 저항에 부딪쳤지만, 그는 굳센 의지로 이 모든 것들을 극복하고 성공하였다.

현대의학은 근거중심의학이라 해서 근거가 확실해야 사실을 받아들이고 환자에게 투여할 수 있는데, 근거중심의학이 완벽한 것은 아니지만 지금까지 의학의 최선으로 생각된다. 그런데 때로 보호자들이 근거가 확실하지 않은 치료 방법으로 치료해 달라고 할 때는 난감하기도 하고, 현대의학에서 확실한 치료가 있는데도 '신앙으로 치료하겠다.'고 고집을 부리는 경우에 특히 설득하기가 힘들다.

1998년에도 효소부족으로 배가 나오는 등 희귀질환 고셔병을 진단받은 아이의 부모가 치료를 거부하고 기도에만 매달리던 일이 있었다. 지금은 국립보건연구원 희귀난치성질환 센터에서 많은 지원을 하고 있어서 경제적인 도움을 주고 있다.

제3자 입장에서 "포기하시는 것이 좋겠습니다.", "아이를 지우는 것이 좋겠습니다."라는 말을 하기는 매우 쉽다. 그러나 그 부모의 입장이 되어서는 쉽지 않고 의사나 간호사 등 의료인도 그 부모 당사자가 될 수 있다. 지금 쉽게 치료되는 병들도 이전에는 쉽게 치료되지 않았던 병이었고, 수많은 의료인과 연구자들의 노력으로 연구논문이 작성되고 국제적으로 인정되어 '근거중심의학'의 근간이 되었기 때문에 치료지침이 만들어지고 교과서에 올라간 것이다.

---

1) 로렌조 오일 Lorenzo's Oil, 1992 드라마, 감독; 조지 밀러
2) MBC 다큐스페셜, 가정의 달 특집 - 휴먼 다큐 사랑 2013, 해나의 기적 1,2부. 2013-05-06
3) 이영미, 해나의 기적 - MBC 휴먼다큐 사랑 감동실화. 아우름, 2013
4) 기적을 선물한 해나, 짧지만 아름다웠던 35개월. 여성신문, 2013-07-08
5) 네이버 영화, 로렌조 오일 http://movie.naver.com/movie/bi/mi/basic.nhn?code=11583
6) [네이버 지식백과]부신백질 디스트로피 (Adrenoleukodystrophy)
7) 사랑의 기도, First Do No Harm, 1997, 감독; 짐 에이브러햄스
8) 특별조치 Extraordinary Measures, 2010, 감독; 톰 본
9) 지타 아난드, 이은선 (역)(2010) '조금만 더 하루만 더'- 희귀병에 걸린 아이를 살리기 위해 모든 것을 바친 한 아버지의 감동 실화, 시공사
10) 그렘 클라크(2002) 서계순(역). 이젠 들을 수 있어요 Sounds from Silence, 사이언스북스

멜랑콜리아

우울증과 천재

Melancholia, 2011[1)]

누구나 살면서 한번쯤은 우울해질 수 있는데 이 우울한 마음에도 과연 "의미"가 있을지 의심스럽다. 우리는 종종 우울감을 경험하며 상처를 받기도 한다. 특히 감수성이 풍부한 사람들이 그 가능성이 높은데 여기에는 공허감이 따르게 되고 따라서 우울감과 함께 권태감이 같이 오기도 한다.[2)]

'멜랑콜리'는 기원전 4세기에 만들어진 용어로, 알 수 없는 우울함이나 슬픔, 애수, 침울함 등의 감정을 의미한다. 검은색을 의미하는 그리스어 멜랑(melan)과 담즙을 의미하는 콜레(chole)의 합성어로 직설적인 의미는 '흑담즙병'이다. 그리스에서 의학의 아버지라 불렸던 히포크라테스는 4체액설 즉 인체가 혈액, 담즙, 점액, 흑담즙으로 이루어졌다고 주장하였다. 흑담즙이 과도하게 나오면 불명확한 이유로 슬프고 불행한 감정을 느낀다고 생각해 멜랑콜리는 우울이라는 의미를 갖게 되었다.[3)] 유럽 현대철학 · 미학 연구자인 김동규의 저서 『멜랑콜리아』[4)]에 의하면 멜랑콜리

시놉시스[5)]

유능한 광고 카피라이터인 저스틴은 마이클과 결혼하지만, 고질적인 우울증으로 인해 이상 행동을 보이며 결혼을 망치고 만다. 상태가 심해진 저스틴은 언니 클레어의 집에서 살게 되고 언니는 그런 동생을 극진히 보살핀다. 한편 '멜랑콜리아'라는 이름의 거대한 소행성이 지구를 향해 날아오고 클레어는 종말에 대한 두려움을 느끼지만 과학자의 말을 맹신하는 남편 존 때문에 내색하지 못한다. 날이 갈수록 더 이상한 행동을 보이는 저스틴을 보면서 클레어는 최악의 사태를 대비한다. 다행히 과학자들의 주장대로 멜랑콜리아는 지구를 지나쳐 다시 멀어지지만 이 소행성 행로는 그대로 끝나지 않는다.

아는 끊임없는 불안, 권태, 고독에서 죽음에 대해 불안해하기도 하지만, 극적인 반전으로 조증(Mania) 단계에 이르러서는 천재성을 보이기도 한다. 이탈리아의 의사이며 철학자인 마르실리오 피치노는 검은 담즙의 누적이 풍부한 상상력, 지적인 예리함 그리고 예언 및 예지능력과 관련이 있다고 생각하였으며 자신의 저서 『삶의 책』에서 천재적 멜랑콜리는 창조적인 천재의 조건이자 원인이라고 주장하면서 자연적인 검은 담즙은 판단력과 지혜를 빨리 자라게 한다고 하였다.[6) 7)] 중세에는 여기에 점성술을 받아들여 화성의 색과 열이 담즙의 색과 열에 가까운 점에서 멜랑콜리의 원인이 이 행성에 있다고 생각하였는데, 토성과 관계가 있다는 설도 있다.[8)] 천재성을 보인 화가 고흐나 철학자 니체도 말년에 정신과 병동에 입원하였다. 공감능력은 떨어졌으나 체계화 능력은 높았던(자폐증 범주) 도덕철학자인 벤덤이나 칸트도[9)] 뇌전증 발작 전에 보이는 데자뷔(deja vu), 자동증(自動症, automatism) 등이 있었는데, 그리스 시대의 용어로 멜랑콜리아였을 가능성이 높다.

본 영화의 제목이 〈멜랑콜리아〉인데 영화에서는 지구를 향해 다가오는 소행성의 이름이고 주인공이 앓고 있는 병도 우울증(멜랑콜리아)이다. 주인공 저스틴은 우울증을 앓고 있어 일상생활을 유지하기 힘들 정도이긴 하지만, 광고 회사의 카피라이터로 일하면서 가끔 천재성을 발휘한다. 그 때문에 사장은 저스틴을 해고하지 못하고, 순간적으로 나타나는 천재성을 기록하기 위해 젊은 직원을 같이 근무시킨다. 그녀는 아무도 알 수 없는 병 속 콩의 개수를 맞히는 등의 천재성도 보여준다.

여주인공 던스트 커스틴(Dunst Kirsten)은 미국 배우이자 가수, 패션모델로 활동하고 있으며 본 영화로 2011년 제64회 칸 국제영화제에서 여우주연상을 수상하였다. 이 영화의 감독 라스 폰 트리에(Lars Von Trier)는 인위적인 것을 배제하며 기술로부터 자유로워지자는 내용의 '도그마 선언'[10]을 한 것으로 유명하며, 2000년 칸영화제에서 황금종려상을 받은 〈어둠 속의 댄서〉의 감독이기도 하다. 폰 트리에 감독은 3부작 시리즈를 좋아하는데, 이 영화는 폰 트리에 감독의 우울 3부작[Depression Trilogy; 안티클라이스트(Antichrist), 님포매니악(Nymphomaniac)] 중 2번째 작품이다. 감독 본인도 고소공포증이 심하여 비행기를 타지 못한다고 하는데 영화는 감독 본인 이야기일지도 모르겠다.

명확하고 구체적인 대상에 대한 두려움을 공포라고 하고, 이에 비해 불안은 대상이 명확하지 않고 추상적인 경우가 많다. 즉 사나운 개를 만나게 될 때 느끼는 감정을 공포라고 하고, 특별한 이유 없이 걱정과 초조감이 드는 경우는 불안이라고 할 수 있다. 주인공 저스틴도 다른 사람들은 전혀 느끼지 못하였지만 지구를 향해 다가오는 소행성에 대한 불안감에서부터 우울증이 발생하였을 수도 있다. 영화의 후반부에서 소행성이 다가오자 언니 클레어와 그녀의 남편이 극도로 불안해하는 모습을 보여주고 있다. 이제야 일반인들의 눈에 보이는 지구멸망에 대한 공포(불안)라고 할 수 있는데, 주인공은 오히려 크게 불안해하지 않는다. 하긴 도망을 가려고 해도 갈 곳이 없다.

영화의 초반에 배경음악은 바그너의 오페라 「트리스탄과 이졸데」의 1막 전주곡(Richard Wagner's opera Tristan und Isolde)인데 영화 전편에 걸쳐 오로지 전주곡 하나만 나온다. 이렇게 영화 한 편에 단 하나의 곡만 쓰는 것은 매우 이례적인 경우이고,[11] 여기에는 음향적 고려 이외의 다른 이유 즉 라이트모티프라 하는데 "악극이나 표제음악 등에서 곡 중의 주요인물이나 사물, 특정한 감정 등을 상징하는 동기, 즉 주제적 동기를 취하는 악구(樂句)를 이르는 말"[12] [13]이라고 하며 바그너가 처음 사용하였다. 영화계에서는 음악을 통해 인물, 상황, 장면을 표현하는 음악적 모티브를 일컫고, 할리우드 영화에서 가장 많이 쓰이는 작곡방식의 하나이다.[14]

고독과 우수의 실존철학자 키에르케고르는 "만일 인간이 동물이나 천사라고 할 것 같으면 불안에 빠지지는 아니할 것이다. 인간은 불안을 가지는 자요, 불안이 깊으면 깊을수록 그 인간은 위대한 것이다."[15]라고 하였다. 과다르니 신부는 저서 『우울한 마음의 의미- 키에르케고르 사유 여정의 출발점』[16]에서 "상처 나기 쉬운 내면은 상처를 입히는 것을 피해 달아나려고 애씁니다. 자기 자신을 위해서, 그러나 또한 남에게 피해를 주지 않기 위해서 말입니다.(우울감에 젖은 사람의 심리에서 중요한 것은 그런 사람이 아주 철저한 이타주의적 기질을 가지는 경우가 흔하다는 것입니다)"라면서, "우울한 마음으로 시달리는 사람들이 힘을 얻었으면 좋겠고, 그들의 시련이 현실과 인생을 남들보다 오히려 더 깊이 체험하는 '좋은 우울감'이 되었으면 좋겠습니다."라고 하였다. 이해하기 쉬운 영화는 아니지만 이 영화를 보고 치유되는 사람이 많았으면 좋겠다.

지구와 멜랑콜리아의 죽음의 댄스

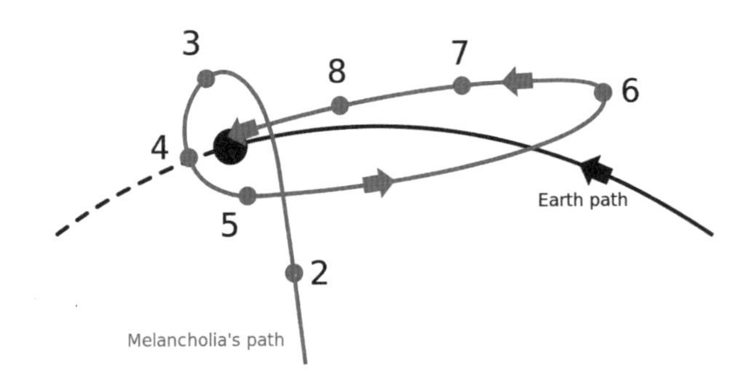

멜랑콜리아의 최초 접근과 이후 행적 –
접근하였다가 멀어지듯 하더니 다시 돌아와 지구와 충돌한다.[17)]

1) 멜랑콜리아 Melancholia, 2011, 감독; 라스 폰 트리에
2) 과다르니(Guardini, Romano). 김진태 역(2014). 우울한 마음의 의미. 서울, 가톨릭대학교출판부
3) 멜랑콜리의 의미, '우울 · 슬픔'의 의미만 가졌던 것이 아냐. The Fact 라이프 2014-11-26
4) 김동규(2014). 멜랑콜리아. 파주, 문학동네
5) 씨네21 멜랑콜리아 (2011), 세상의 끝에 울려퍼지는 지상 최대의 판타지아! "두려워하지 마… 그저 이치일 뿐이야." http://www.cine21.com/movie/info/movie_id/30868
6) McMahon DM. 윤인숙(역)(2008). 행복의 역사. 파주, 살림. p224
7) 김지혜. 네이버캐스트 - 천재들의 병, 멜랑콜리
8) 한국사전연수사. 종교학대사전; 멜랑콜리. 네이버지식백과
9) Haidt, J. 왕수민(역) (2014). 바른 마음. 서울, 웅진지식하우스
10) 도그마 95; 1, 촬영은 로케이션으로만 이루어져야 한다. 2, 영화 속에서 나오는 음향만 사용해야 한다. 3, 항상 핸드 헬드 카메라를 사용하여야 한다. 4, 컬러로 찍어야 하며, 극적인 조명을 사용하지 말아야 한다. 5, 특수효과는 절대 쓰지 말아야 한다. 6, 인위적인 액션은 등장하지 않아야 한다. 7, 시간과 공간의 인위적인 조작은 금지다. 8, 장르 영화는 수용하지 않는다. 9, 영화는 35mm 필름이어야 한다. 10, 감독 이름은 크레디트에 올리지 않아야 한다.
11) 진희숙, 영화 속 클래식 - 멜랑콜리아. 네이버케스트
12) 두산백과, 라이트모티프, http://terms.naver.com/entry.nhn?docId=1086893
13) Leitmotif - (음악) 라이트모티프(오페라나 다른 작품들에서 특정 인물, 물건, 사상과 관련된 반복되는 곡조) - Oxford Advanced Learner's English-korean Dictionary
14) 류태형. 생활 속에 녹아 있는 클래식 용어. 네이버케스트
15) 대한신경정신의학회. 정신이 건강해야 삶이 행복합니다- 불안과 공포. 네이버지식백과
16) 과다르니(Guardini, Romano). 김진태 역(2014). 우울한 마음의 의미. 서울, 가톨릭대학교출판부
17) 위키피디아 Melancholia (2011 film) https://en.wikipedia.org/wiki/Melancholia_(2011_film)

바티스타 수술 팀의 영광

수술이 잘못된 것인가?

The Glorious Team Batista, 2008[1)]

심장을 수술하려면 심장이 정지하여 있어야 한다. 심장이 정지하면 뇌 등 주요 장기에 피가 돌지 않기 때문에 인공 심폐기(인공 심장과 인공 폐)를 통하여 피 속에 산소를 유지시키고 특히 뇌에 피가 잘 공급되게 한다. 체온이 낮아지면 신진대사량이 줄어들기 때문에 특히 두부(頭部)를 얼음으로 채워놓는다.

저자가 심장내과를 전공하였기 때문에 심장 수술은 그 과정이 아주 흥미롭다. 한편 얼마 전 심장학회 및 의료계에 '카바수술'이라는 심장수술에 대한 논란이 증폭되었다.[2)]

이 영화는 '의학 미스터리'라는 흔치 않은 장르의 소설과 그를 바탕으로 하여 동명의 드라마와 영화로 만들어졌는데, 다이도 다케루의 베스트셀러를 영화화했다. 원작의 완성도를 잘 살려 의학 미스터리 스릴러의 교범이 될 만한 작품으로 원작[3)]을 모른다 해도 누구나 처음부터 끝까지 집중할 수밖에 없는 영화이다. 2009년에는 '제너럴 루주의 개선'[4)]이라는 후속편[5)]도 나왔다. 다만 한

시놉시스

평소 성공률이 높지 않은 바티스타 수술을 도조 대학의 7인조 바티스타 수술팀이 26회 연속 100%라는 환상적인 성공률로 최고의 명성을 받는다. 바티스타 수술은 확장형 심근증이나 좌심실류(Aneurysm)가 있는 환자에서 늘어난 곳을 잘라 줄여주어 심장기능을 높여주는 수술로, 심장 이식술을 대치할 수 있는 수술로 각광을 받는 수술이다. 그런데 잇따른 세 차례 수술 실패를 겪는다. 팀의 리더인 흉부외과 의사인 기류와 병원장은 내과 계열 의사인 타구치에게 수술 실패 원인에 대해 조사를 부탁하지만, 어수룩하고 어딘지 모자란 듯한 성격을 가진 타구치의 조사는 진척이 없다. 그러다가 후생성(보건복지부) 조사관이 파견되어 사건을 파헤치면서 상황은 급변하게 된다.

가지 아쉬운 점은 원작 소설과 동명으로 만들어진 미니시리즈 드라마에 비해 한정적인 시간으로 비추어진 영화 전체의 흐름이 순간순간 어색함을 느끼게 하는 점이 있다. 시간이 있으면 조금 길지만 11편 드라마로 보는 것이 좋을 것이다.

영화는 원작에 충실하게 병원 내부의 갈등과 의학적 현실감을 잘 묘사하였으며, 이와 더불어 조사관인 시라토니와 원작과 달리 여성으로 설정된 타구치의 인물적인 매력으로 독특한 재미를 더하였는데, 26회에 걸친 심장수술 성공 영웅에서 살인 용의자로 바뀐 7명 팀원들의 훌륭한 연기력을 감상할 수 있다.

이 영화는 의사로서 좋은 화질의 심장 수술 장면과 흔히 접할 수 없는 바티스타 수술에 대한 정보를 접할 수 있다는 것과 원인을 알 수 없는 결과는 없으며, 모든 것 하나하나의 준비와 확인 검토가 최선이라는 점을 느끼게 하는 영화이다. '하인리히 법칙' 또는 '깨진 유리창의 법칙'처럼 모든 결과는 미처 신경 쓰지 못했던 작은 것에서 시작되는 것이라는 점과, 이 사회에는 영웅도 필요하지만 영웅이 생각지 못한 것을 챙기는 사람도 매우 중요하다는 것을 이야기한다. 모두가 영웅인 곳에는 그들이 스스로 절대 깨닫지 못하는 경미한 징후, 깨진 유리창이 나오기 마련이다.

다음은 영화의 주요 대사이다.

> '천재만이 환자를 살릴 수 있어?
> 시간은 걸려도 제대로 정확한 수술을 할 수 있는 그런 평범하게 좋은 외과의를 목표로 하면 안 되는 거야?

천재가 될 수 있는 소질이 있어도 외과의를 포기해야만 하는 사람도 분명 있을 거야.'

'계속 현장주의로 논문 같은 건 제쳐놓고 마니까
출세길에서는 멀어졌고요.
카키타니 선생님이 만년 강사라고 불리는 건 그런 이유 때문이에요.'

'기류 선생님 같은 화려한 의사와 카키타니 선생님 같은 항상 뒤에서 기여하고 있는 의사, 어느 한쪽이 빠져도 의료는 성립되지 않아요.'

한동안 심장이 늘어나 있는 환자에서 심장(좌심실) 크기를 줄여주는 바티스타 수술[6]을 많이 하였지만 지금은 하지 않는다. 서양의학의 근본인 근거중심의학(Evidence based medicine)에서는 몇몇 성공한 증례만 가지고 치료지침을 만들지 않는다. 성공한 증례가 어떤 특정한 상태에서 이루어질 수 있기 때문이다. 따라서 많은 약이나 수술 방법이 역사 속으로 사라지고 새로운 연구가 이루어지고 있다. 그런데 최근 방송에서 단식이나 산중 생활 등에서 병이 완치된 '성공한 스토리'를 방송하고 있는데 그 인기도 대단하다. 그렇지만 그런 시도를 하는 수많은 성공하지 못한 사람들도 많이 있을 것이다. 방송에서는 시청률이 나오지 않을 것 같은 실패 사례에는 관심을 두지 않는다.

이 영화에서 흉부외과 의사들의 고난과 열정, 수술 방법 등을 잘 관찰할 수 있으며, 선두에서 논문도 많이 쓰는 등 조명을 받은 의사와 뒤에서 묵묵히 지지하고 도움을 주는 팀원들의 노력을 볼 수 있다. 뛰어난 한 사람의 카리스마도 중요하지만 팀워크가 더 중요하다는 것을 보여주는데, 팀워크에서 제2인자가 없으면 1인자도 없다. 기회가 된다면 원작 소설을 또는 드라마를 보는 것도 적극 추천한다.

1) 팀 바티스타의 영광 The Glorious Team Batista, 2008. 드라마 일본, 감독; 나카무라 요시히로
2) 심장수술 후 사망 카바수술 논란… 법원 "아니다" 데일리메디 2015-01-18
3) 바티스타 수술 팀의 영광(チーム・バチスタの栄光) 일본 드라마 총 11부작(2008.10.14.~2008.12.23). 일본 후지TV, 연출; 우에다 히사시, 극본; 고토 노리코
4) 바티스타 수술 팀의 영광 2 : 제너럴 루주의 개선. 일본 드라마 총 12부작 (2010.04.06~2010.06.22) 일본 후지TV, 연출; 이마이 카즈히사. 극본 고토 노리코
5) 바티스타 수술 팀의 영광 3 : 아리아드네의 탄환 일본 드라마 총 11부작(2011.07.12~2011.09.20) 일본 후지TV, 연출; 이마이 카즈히사, 극본; 고토 노리코
6) Batista RJ. (2001). "Reduction ventriculoplasty." Z Kardiol 90 Suppl 1: 35-37

뷰티풀 마인드

천재 수학자, 노벨 경제학상을 받다

Beautiful Mind, 2001[1)]

이 영화는 비운의 천재 수학자 존 내쉬(John Forbes Nash)의 일생을 그린 영화이다.

젊은 시절 천재 수학자로 이름을 날리던 내쉬는 서른 살 무렵 조현병[2)]에 걸려 인생이 완전히 망가지고 만다. 그 뒤 '프린스턴의 유령'으로 불리며 폐인과 같은 삶을 보내다가 아내의 헌신적인 사랑 덕분에 여러 가지 망상으로부터 차츰 벗어나기 시작하고, 1994년에는 21살 때 발표했던 '내쉬의 평형이론(Nash's Equilibrium Theory)'으로 노벨 경제학상을 받으면서 화려하게 재기한다(수학자가 경제학상을 받음). 본인의 강인한 의지와 아내의 헌신적인 사랑, 그리고 주위 사람들의 따뜻한 도움이 한데 아우러진 감동적인 스토리와 스릴러 영화처럼 구성한 충격적인 반전이 인상적인 영화이다.

영화에 나오는 내쉬의 평행이론을 이해하기는 쉽지 않다. 내쉬 평행은 상대적으로 모두 만족하고 있는 상태로 모든 사람이 상대

시놉시스[3]

1940년대 최고의 엘리트들이 모이는 프린스턴 대학원에 시험도 보지 않고 장학생으로 입학한 웨스트버지니아 출신의 한 천재가 캠퍼스를 술렁이게 만든다. 너무도 내성적이라 무뚝뚝해 보이고, 오만이라 할 정도로 자기 확신에 차 있는 수학과 새내기 존 내쉬는 누구도 따라올 수 없는 뛰어난 두뇌와 수려한 용모를 지녔다. 괴짜 천재인 그는 기숙사 유리창을 노트 삼아 단 하나의 문제에 매달린다. 바로 자신만의 '오리지널 아이디어'를 찾아내는 것이다. 어느 날 짓궂은 친구들과 함께 들른 술집에서 금발 미녀를 둘러싸고 벌이는 친구들의 경쟁을 지켜보던 존 내쉬는 섬광과 같은 직관으로 '균형이론'의 단서를 발견한다. 1949년 27쪽짜리 논문을 발표한 20살의 청년 존 내쉬는 하루아침에 학계의 스타로, 제2의 아인슈타인으로 떠오른다.

이후 MIT 교수로 임용되어 승승장구하던 그는 정부 비밀요원 윌리엄 파처를 만나 냉전시대 최고의 엘리트들이 그러하듯 소련의 암호해독 프로젝트에 비밀리에 투입된다. 하지만 정작 그를 당황케 한 것은 몇만 개의 암호가 아닌 사랑이란 인생의 난제였다. 자신의 수업을 듣던 물리학도 알리샤와 사랑에 빠진 그는 난생처음 굳게 닫혔던 마음의 문을 열고, 둘은 행복한 결혼에 골인한다. 알리샤와의 결혼 후에도 존은 윌리엄과의 프로젝트를 비밀리에 수행한다. 하지만 점점 소련 스파이가 자신을 미행한다는 생각에 사로잡히는 존은 목숨의 위협에도 불구하고, 아내에게 끝까지 자신의 일을 비밀로 하지만, 자신의 영혼의 빛이 점점 꺼져가고 있음을 깨닫지 못한다.

의 전략에 대해 최대 효용을 갖는 전략을 선택한 상태이다. 또한 게임이론이란 경쟁하는 상대의 행동을 생각하면서 자신의 이익을 얻기 위해 합리적으로 행동하는 것을 수학적으로 분석하는 이론인데, 일회성 게임이면서 비협조게임인 '죄수의 딜레마'의 상황을 더욱 일반화한 이론이 내쉬의 평행이론이다.[4] 영화에서도 나오지만 애덤 스미스는 국부론에서 사람들이 자신의 욕망을 채우기 위하여 이기적으로 행동하고 그런 결과로 사회 전체의 부가 증대된다고 하였다. 20세의 내쉬는 애덤 스미스가 '틀렸다'라고 이야기하면서 이야기를 전개한다. 내쉬를 포함한 4명의 남학생이 술을 마시고 있는데 금발의 미녀와 여학생 4명이 술집에 들어온다. 모든 남학생이 금발 여학생을 차지하려고 경쟁하면 4 명중 한 명은 성공할지 모르지만 나머지는 성공할 수 없다. 차선책으로 다른 여학생들에게 접근하지만 자존심이 상한 여학생들은 거

들떠보지도 않기 때문이다. 그러면 어떻게 하면 좋을 것인가? 그런 상황이라면 처음부터 금발 여학생에 눈길을 주지 않고 평범한 여학생에게 말을 걸고 춤을 추자고 한다. 5명 중 4명은 데이트에 성공할 것이고 금발 여학생일지 누구일지 모르나 한 명의 여학생은 남는다. 그림1에서처럼 사회적 호용이 가장 높은 것은 C효용이고 다음이 A, 가장 낮은 것이 B효용이다.

자주 반복하여 게임을 하면 이런 실패를 교훈삼아 어떤 방법이 가장 좋을지를 결정하게 되나 이 게임은 서로 협조적이 아니면서 일회성으로 그치는 게임이다. 그렇지만 서로 이기적으로 선택을 하면 A나 B효용밖에 얻을 수 없으나 많은 세상 사람들이 때로 이타적으로 행동한다는 것이다.[6] 출퇴근길이 막히는 교통문제에서도 모든 사람이 빨리 가려고 자기만의 욕심을 채우기 위해 상대방을 고려하지 않으면 모두 실패하게 된다는 이론이다.

옛말에 한 사람이 출세를 하려면 삼대가 고생하여야 한다고 한다. 본인과 부인은 물론이려니와 부모와 자식들도 희생을 감수해야 한다는 것이다. 조현병에 걸린 수학자를 지극히 간호하여 노벨

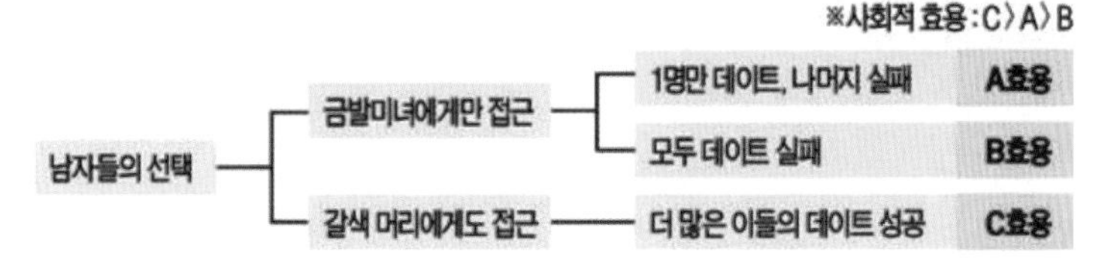

그림1. 선택이 달라짐에 따른 사회적 효용의 크기.
C효용이 가장 크고 다름이 B효용, A효용 순이다.[5]

상을 받게 한 동료이자 수학자인 부인의 경우도 마찬가지다. 하지만 이러한 아내의 고통도 노벨상 수상석상에서 아내 이름을 크게 불러준다면 조금은 위안이 되지 않을까 싶다.

"저는 오랜 세월 남들이 발견하지 못한 창조적인 이론을 발견하기 위해 살아왔습니다. 그리고 저는 발견했습니다. 세상에서 가장 위대하고 아름다운 것은 바로 사랑입니다. 저는 그것을 제 아내 알리샤를 통해 배웠습니다." 이 말은 영화에서 존 내쉬가 노벨상 수상석상 위에 올라가 한 말인데,[7] 원문 자막이 더 감동적이다. '당신은 내가 존재하는 이유이며 내 모든 존재의 이유입니다.'[8]

그 후 이야기

존 내쉬는 평행이론을 발표한 지 45년이 지난 1994년 노벨 경제학상을 받았으며, 2015년 3월 수학자 루이스 니렌버그와 함께 편미분방정식 분야에서 획기적 기여를 한 공로로 수학계 노벨상

영화 중 노벨상 시상식 장면

으로 꼽히는 아벨상 수상자로 선정되었다. 2015년 시상식에 참석 한 뒤 귀국해 아내와 함께 집으로 돌아가는 길에 교통사고로 사망했다(향년 87세).[9)]

---

1) 뷰티풀 마인드 A Beautiful Mind, 2001, 드라마, 감독; 론 하워드
2) 2011년부터 정신분열병이라는 단어 자체가 풍기는 부정적인 인상과 편견으로 조현병으로 개명되었다.
3) 네이버 영화, 뷰티풀 마인드 http://movie.naver.com/movie/bi/mi/basic.nhn?code=34010
4) 일회성 게임이면서 비협조게임인 '죄수의 딜레마'의 상황을 더욱 일반화한 것인데, 기업이나 개인이 서로가 '비협조적인 경쟁 관계'에서도 균형이 이뤄질 수 있다는 '내쉬 균형'을 수학적으로 증명했다. (반면 비협조적 게임이론인데, 협조적 게임이론으로 노벨경제학상을 받은 학자도 있다).
5) 이현진. '최적의 결과' 찾아 환상 헤매던 천재 수학자… '최적의 선택'은 사랑이었다. 한국경제신문. 2014-01-17
6) KBS (2002). TV 책을 말하다, 매트리들리의 이타적 유전자 [DVD]. 서울, KBS 미디어[제작 · 기획]
7) 이면희 (2008). 지식의 재구성. 청년정신, p310
8) I've always believed in numbers. In the equations and logics... that lead to reason. But after a lifetime of such pursuits, I ask, what truly is logic? Who decides reason? My quest has taken me through the physical, the metaphysical, the delusional... and back. And I have made the most important discovery of my career. The most important discovery of my life. It is only in the mysterious equations of love... that any logical reasons can be found. I'm only here tonight because of you. You are the reason I am. You are all my reasons. Thank you.전 언제나 수를 믿어왔습니다. 추론을 이끌어내는 방정식과 논리를 말이죠. 하지만 평생 그걸 연구했지만 저는 묻습니다. 무엇이 진정한 논리입니까? 누가 이성을 결정하는 거죠? 저는 그 동안 물질적인 세계와 형이상학적 세계와 비현실 세계에 빠졌다가 이렇게 돌아왔습니다. 전 소중한 것을 발견했어요. 그건 제 인생에서 가장 소중한 발견입니다. 어떤 논리나 이성도 풀 수 없는 사랑의 신비한 방정식을 말입니다. 난 당신 덕분에 이 자리에 섰어요. 당신은 내가 존재하는 이유며 내 모든 존재의 이유예요. 감사합니다.
9) 존 내쉬 '게임이론'이란… '사익 추구가 공익' 애덤 스미스 경제학 반박. 국제신문, 2015-05-25

블랙스완

현모양처로 살 것인가, 요부로 살 것인가?

Black Swan, 2010[1)]

독일의 정신과 의사 한스 요아힘 마츠가 쓴 『엄마의 마음자세가 아이의 인생을 결정한다 - 릴리스 콤플렉스 극복하기』[2)]에 의하면 '수천 년 전부터 여성상은 이브와 릴리스로 구분되었는데, 가부장적인 사회는 이브를 성스럽게 떠받드는 반면, 릴리스는 악마 취급을 하며 금기시하고 있다. 그리하여 이브는 복종하는 여성, 수동적인 성생활, 일부일처제, 희생적인 어머니, 집안일, 종교생활, 육아를 의미하게 되었고, 반대로 릴리스는 여성의 동등권, 적극적인 성생활과 쾌락을 향유하는 여성, 임신과 출산을 거부하는 여성을 상징한다. 이렇듯 우리는 이브와 릴리스에게 여성의 양면성을 보게 되는데, 이들은 서로 분리되어 있을 뿐 아니라 심지어 적대적인 관계를 대표하기도 한다. 즉 그 둘은 성녀와 창녀의 화신인 것이다.'라고 한다.

영화 〈블랙스완〉에서는 차이코프스키의 곡을 극화한 발레 '백조의 호수'에서 백조와 흑조의 역할을 하는 주인공의 스트레스와 애환을 나타내고 있는데, 백조의 역할은 이브의 표본이고 흑조의 역할은 릴리스의 표본이라고 할 수 있다. 백조는 마법에 빠져 저녁에만 사람이 되는 공주의 역할로 왕자를 만나서 사랑 고백을 받으면 인간으로 돌아올 수 있지만 거의 성사될 뻔 한 순간에 쌍둥이 흑조가 나타나 왕자님을 빼앗아 가고 백조는 슬퍼서 쓰러지고 만다. 발레에서 백조의 역할은 정통 발레를 잘 추는 것이지만, 흑조의 역할은 왕자님을 유혹해서 빼앗아가야 하기 때문에, 보다 관능적 교태를 부리는 역할이다. 하지만 어릴 때부터 전통발레에만 몰두한 주인공에게는 힘들기만 하고, 보다 관능적인 동료와 경쟁하는 것도 고통스럽지만 이런 스트레스를 극복하고 두 역할을 완벽하게 해내면서 환희를 느낀다.

릴리스란 누구인가?

유대교에 따르면 창세기 1장에 근거해 릴리스를 아담의 첫 번째 부인으로 불러야 옳다고 한다. 유대인의 역사 구약에 의하면 신은 아담을 창조한 것과 같은 방식으로 릴리스를 창조하지만 아담과 릴리스는 평화롭게 살 수 없었다는데 그녀는 아담에게 복종하지 않았고, 모두 흙으로 빚어졌으니 서로 동등하다고 주장했다고 한다. 이렇듯 릴리스가 복종을 거부하고 동등권을 내세우자, 아담은 불안해하며 화를 냈고, 최초의 부부싸움은 릴리스가 낙원에서 도망가는 것으로 끝이 났다. 아담이 외로워하니 신은 세 천사를 시켜 릴리스를 데려오라고 하지만 릴리스는 돌아가기를 거부하였으며, 천사가 돌아가지 않으면 릴리스가 낳는 아이를 모두 죽이겠다고 하나, 릴리스는 자기에게도 신성이 남아 있으니 이브의 자손이 낳은 아이를 죽이겠다고 한다. 그래도 천사들이 살려 주었으니, 세 천사의 이름이 적혀 있는 부적이 있는 아이는 죽이지 않겠다고 약속하였는데 그 부적이 지금도 전해 내려온다고 한다.

그리하여 릴리스는 '관능적인 여자'의 화신이 되었고, 나중에는 창녀의 수호자이자 자위행위를 하는 악녀, 금지된 쾌락의 길

발레 네브래스카의 '백조의 호수'에서 백조의 뒷이야기가 드러난다.[3)]
여기에서는 두 배우가 각각 백조와 흑조를 맡았다.

로 유혹하는 여자의 상징이 되었다. 융(C. G. Jung)의 심리학에서 그녀는 부정적인 아니마(남성에게 억압되어 있는 여성적인 속성)로 해석되고 있다. 탈무드에 정통한 학자들이 릴리스에 대해 설명하는 글을 보면, 그녀는 긴 머리카락에 가슴의 절반이 훤히 드러나는 모습을 한 채, 남자를 유혹하고 아이를 위협하는 요부이다. 괴테의 『파우스트』에서도 "릴리스이지요. 아담의 첫 번째 아내라오. 그녀의 아름다운 머리카락에 조심하시오. 그녀가 입고 있는 옷도 조심하시오. 저 옷으로 젊은 남자를 유혹하면 절대로 놓아주는 법이 없거든요."라고 나온다.[4] 이렇게 릴리스는 임신부와 산모에게 해를 입히고, 아이를 훔쳐가거나 죽이기도 하는 마녀가 되며, 수많은 전설과 동화에서 릴리스는 산모와 어린아이들에게 공포의 대명사로 등장한다.

현모양처처럼 살 것인가, 요부처럼 살 것인가?

우리나라에서도 시대에 따라 여성상이 바뀌고 있는데, 1950년대 전쟁이 끝난 다음에 미망인 한 사람이 2.07명의 아이를 책임질 상황이다 보니 '억척부인(억순이, 똑순이)'이 주류였고, 1960년대 사회가 안정되면서 '전업주부(사랑받는 아내, 현명한 어머니)'가 등장하고 알뜰 주부형이 권장되면서 이 당시 여성이 본받아야 할 '현모양처'의 전형은 신사임당이었다. 1970년대 후반에 들면서 '밤에는 요부, 낮에는 요조숙녀'로 외도하기 쉬운 남편을 사로잡는 매우 혼돈스러운 트렌드가 권장되었는데. 이는 1960년대 소박미가 강조되었던 것과는 너무 대비된다. 1990년대에 들어서면

서 미시족은 애인 같은 아내, 미혼여성 같은 외모가 권장되며 상업적으로 이용되었다.[5]

그리하여 불과 몇십 년 전만 해도 많은 소녀들이 장래희망으로 현모양처를 마음에 두곤 하였는데, 현모양처뿐만 아니라 신데렐라, 백설공주, 콩쥐의 소위 예쁜 여자를 꿈꾸곤 하였지만 사실 현모양처는 '행복한 가정'이라는 명분하에 전적으로 남자들을 위해서 만들어진 남자들의 이데올로기[6]일 뿐만 아니라. 남성, 특히 한국 남성의 이중적인 사고방식 때문일 수도 있다.[7] 일단 남성들은 여성에게 너무나 많은 것을 바란다. 낮에는 현모양처지만 밤에는 요부라든가, 회사에서는 커리어 우먼이지만 집에서만큼은 조선시대의 순종형 여성이어야 한다거나, 내가 유혹하고 싶은 여자는 전부 창녀일 수 있지만 집에다 모셔놓은 마누라만은 성녀여야 한다는 식이다.

그렇지만 현모양처와 요부는 동전의 양면이 아니고 — 영화에서는 거울에 비치는 백조의 모습이 흑조이다. — 뫼비우스의 띠처럼 양면이 공존한다. 즉 내벽인 것으로 생각하고 계속 진행하면 외벽, 외벽이라고 생각하고 계속 진행하면 내벽인 것이다.[8] 또한 동전의 앞뒷면을 펼쳐 놓으면 어느 한쪽 면의 부분이 현모양처이고 다른 부분은 요부가 될 수 있다. 그러므로 사람들은 70% 현모양처, 30% 요부처럼 어느 일정한 부분을 공유할 수 있다. 즉 콩쥐도 팥쥐 성격이 있으며, 팥쥐도 콩쥐 성격의 일부가 있다는 것이다. 지킬 박사와 하이드에서도 약품으로 이 두 부분을 분리할 수 있다라는 가정을 한 것이지만, '공주와 무수리', '춘향과 향단'처럼 어느 한 편의 성격만 있는 것이 아니고, 공주의 특성이 예를 들면 80%, 나머지 20%가 무수리 특성을 가질 수 있다는 것이다. 영화 〈마더〉에서도 주인공은 연약한 공주의 이미지와 위험에 빠진 아이를 구하려는 용감하고 무서운 엄마라는 설정을 같이 갖고 있음을 나타내고 있다.

뫼비우스의 띠[9)]

이는 파레토의 법칙(Pareto, 80:20 법칙, 개미 법칙)에서도 관찰할 수 있는데, 열심히 일하는 개미 집단 내에 열심히 일하는 무수리형의 개미가 있는가 하면(20%) 그냥 왔다 갔다만 하는 일개미가 있어(80%), 무수리 형 일개미만 골라서 놓았더니 다시 20%만 일하고 80%는 대충 일해 그 중 20%는 게으른 공주형이 된다라는 것이다. (공주형만 골라서 집단을 만들어 무인도 체험을 하면 어떻게 될지 상상만 해도 즐겁다) 따라서 집단 내에서는 타고난 공주나 무수리도 있을 수 있지만 상황에 따라 변할 수 있다는 것이다.

〈블랙스완〉에서는 상업성을 위하여 발레 감독의 나쁜 이미지와 주인공이 스트레스에 시달리면서 환상을 경험하는 장면을 부각시켰지만 그 내면의 본뜻을 이해하고, 경쟁사회에서 상처 받고 사는 이브의 모습을 이해하면서 본다면 좋은 경험을 얻을 수 있을 것이다.

1) 블랙 스완 Black Swan, 2010. 감독; 대런 아로노프스키
2) Maaz, H.-J. 이미옥, 엄마의 마음 자세가 아이의 인생을 결정한다. 2007, 서울: 참솔.
3) Ballet Nebraska's Swan Lake reveals the story behind the swanshttps://amballet.org/ballet-nebraskas-swan-lake-reveals-the-story-behind-the-swans/
4) 안진태. 불멸의 파우스트 - 위대한 인문 정신을 드높인 괴테 문학의 최고봉. 열린책들 2020
5) 중앙일보사, 아! 대한민국: 한국 현대사 40년, 격동의 100대 드라마 2005, 랜덤 하우스 중앙. p. 403
6) 정수연, 우먼파워의 성공 코드를 읽어라. 2006, 서울: 중앙경제평론사
7) 이종학, 난 한국이 싫어. 1997, 서울: 새로운사람들
8) 뫼비우스의 띠와 클라인의 병 https://blog.naver.com/ghangth/221271033534
9) 뫼비우스의 띠 https://ko.wikipedia.org/wiki/뫼비우스의 띠

4개월 3주… 그리고 2일 · 베라 드레이크

여자아이들은 어디로 갔나?

4 Months, 3 Weeks & 2 Days, 2007[1] · Vera Drake, 2004[2]

2005년 홍콩의 정기 간행물 「차이나 퍼스펙티브스」(China Perspectives)에 '도대체 여자아이들은 다 어디로 간 것일까?(Where Have All The Young Girls Gone? Fatal Discrimination of Daughters - A Regional Comparison)'라는 제목의 기사가 실렸다. 동아시아 및 동남아시아, 서아시아 대륙에서 남자의 수가 여자의 수에 비해 너무 많아졌다는 것인데 2003년 기준 0~4세가 121:100까지 증가하였다고 한다.

그에 대한 가장 큰 이유는 태아 때 감별하여 낙태시키기 때문이라고 주장하였는데, 그 후 가톨릭 단체 등에서는 젠더사이드(Gendercide)[3]의 문제점을 제기하였다.[4] 2011년 6월 미국 과학 잡지인 사이언스의 베이징 특파원인 마라 비스텐달이 외교전문지 「포린폴리시」에 기고문[5] '여자 아이들은 다 어디로 갔나?(Where Have All the Girls Gone?)'에서, 서양의 자본과 충고가 아시아에서 성감별을 촉발시켜, 아시아 지역에서 남자가 여자보다 1억 6000만

명 더 많은 남초 현상을 초래했다는 것이다.[6] 아시아 지역 남초 현상의 가장 큰 이유는 뿌리 깊은 남아 선호 사상이지만, 마라 비스텐달은 "1970년대 미국이 세계 차원에서 산아제한 정책을 추진했다."며 그것을 근본적인 문제점의 하나로 꼽았다. 냉전 시대에 후진국에서 아이를 많이 낳으면 더욱 가난해질 것이고 공산주의 사상이 퍼질 것이라는 우려 때문에 미국국제개발처(USAID)와 록펠러재단이 인구 증가를 막기 위해 많은 돈을 투자했다는 것이다. 이러한 정책 속에서 한국에서는 미군 부대에서 사용하던 중고 앰뷸런스가 소위 '이동 보건소'가 되고 이곳에서 공공연히 낙태가 행해졌다는 것이다. 고용된 사람들은 임신 여부에 상관없이 부인들을 데려와 임신을 한 여성은 낙태를 시키고 임신을 하지 않은 여성은 불임시술을 하는 등 인권유린이 자행됐다고 한다. 그 결과 한국은 가족계획에는 성공하였지만 전 세계에서 유례없는 최고의 낙태천국이 됐다는 것이다.[7] 조은주는 가족계획 사업을 통한 인구의 통치는 이와 같은 이른바 '국가의 통치화(Governmentalization)' 과정[8]이라 하였는데, 이제는 인구 감소에 대한 출산장려 대책이 절실하게 필요하게 되었다.

한편 루마니아의 독재자 차우세스쿠는 루마니아의 인구가 줄어들자 인구를 늘리기 위해 이혼, 낙태, 가족계획을 금지했고 낙태시술을 하는 병원과 콘돔 등의 피임기구 및 피임약 등도 일절 없애버렸다. 하지만 탁아소, 유치원, 산부인과 및 유아용품 등 아이를 키우기 위한 제도와 시설은 전혀 없는 실정이었다. 결과적으로 약 50만 명의 여성들이 불법적인 임신중절을 하다 사

시놉시스[9]

4개월의 끝, 막다른 골목… 3주의 선택… 그리고 남은 2일. 1987년, 차우세스쿠 독재정권으로 임신중절이 금지되었던 루마니아. 대학 기숙사 룸메이트 여대생 오틸리아와 가비타는 시내의 허름한 호텔을 예약한다. 원치 않는 임신을 하게 된 가비타의 임신중절을 위해서이다. 어렵게 구한 돈으로 임신중절을 하기로 한 날, 불법으로 임신중절을 해주기로 한 베베를 만나지만 임신 2개월이라 속였던 가비타는 임신 4개월이 되었음이 들통나고, 베베는 돈 대신 더 큰 것을 요구한다.

망했다는 보고가 나올 만큼 부작용이 컸다고 한다. 인구를 늘리기 위해 시행한 정책이지만 오히려 인구가 감소하는 효과를 가져왔다.[10) 11)]

이를 배경으로 한 영화가 〈4개월 3주…그리고 2일〉이다. 사회적 리얼리즘 계열의 이 영화는 배우 전도연이 〈밀양〉으로 여우주연상을 받은 2007년 칸 영화제에서 황금종려상을 받았다. 이 영화를 만든 루마니아 감독은 당시 동유럽의 사회상 아니 우리의 사회상을 고발한 것으로 생각되는데, 이 영화를 본 사람들은 대부분 마음이 편하지 않았다. 그래도 영화에서처럼 우리 주변에는 보이지 않는 곳에서 도와주는 수호천사가 있는 것 같다.

이외에 낙태에 대한 영화는 〈주노〉(Juno, 2008)와 〈더 월(If these walls could talk〉(1996), 〈사이더 하우스〉(The Cider House Rules, 1999), 〈베라 드레이크〉(2004) 등이 있다.

이중에서 조금 더 살펴볼 영화는 〈베라 드레이크〉이다. 전쟁의 상처가 아물지 않은 1950년대 영국의 성에 대한 억압과 뒷골목에서 무분별하게 자행되던 낙태에 관한 영화이다. 영국의 헌신적이면서 평범한 주부 베라 드레이크는 풍족하지는 않지만 가정부 일을 열심히 하면서 행복하게 살고 있다. 베라 드레이크는 임신을 하고 어찌할 줄 모르는 어린 소녀들을 위해 간혹 낙태수술을 해주곤 하였는데, 그 중 한 소녀가 출혈이 심해져 병원에 입원하게 되었고 그녀는 구속되고 재판을 받는다. 영화는 이 과정을 담담히, 그리고 낙태 찬반에 관해 어느 한쪽 편에 치우침이 없이 잘 표현하였다. 2004년 61회 베니스영화제의 그랑프리 황금사자상을 받았고, 무미건조하게 낙태 시술을 하는 연기를 한 배우 이멜다 스턴톤 역시 이 영화제에서 여우주연상을 수상했다.

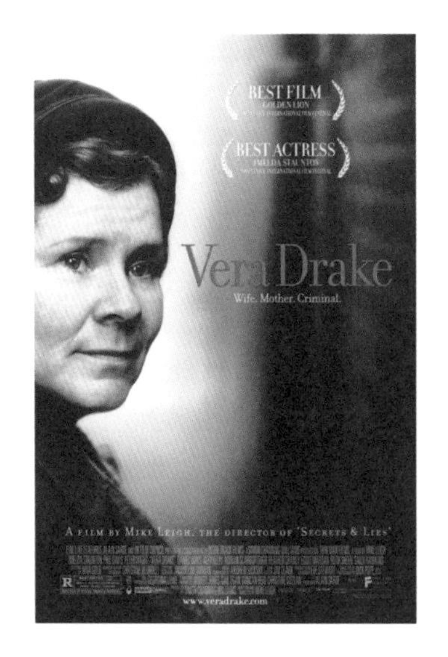

한편 경제학자 스티븐 레빗은 낙태에 대한 유명한 판결 '로 대 웨이드(Roe vs. Wade) 판결'이 나비효과를 일으켜 1990년대 미국의 범죄율이 급락하는 효과를 일으켰다고 주장한다.[12] 즉 많은 사람들이 경기회복과 총기규제법의 확산이 그 이유라고 하지만, 레빗은 낙태를 하는 대부분의 여성은 비싼 불법 시술을 받기에는 돈이 없거나 조건이 여의치 않은 10대 청소년 등 불우한 환경에 처해 있을 가능성이 많고 따라서 그들 자녀가 태어난다면 범죄자로 자랄 확률이 평균보다 훨씬 더 높기 때문에 낙태 허용이 나비효과를 일으켰다는 것이다.

낙태 반대 홍보 영상물은 〈침묵의 절규〉(낙태전문 의사의 눈으로 오랜 임상경험 후에 경험한 낙태에 대한 실상보고서), 〈이성의 종말〉, 〈냉혹한 진실〉 등이 있다. 시인 손진은은 '밟아, 안 무서워'라는 시[13]에서 낙태병원의 풍경을 이렇게 묘사하고 있다. "… 복도에는 젊은 부부 / 혹은 고개 떨군 어린 처녀 / 하얗게 질려 절망을 씹은 얼굴 / 뒤에는 초점을 잃은 어머니 / 울먹이는 모습 / 그 사이 간호사실로 들어온 바퀴벌레 / 시멘트 바닥에 납작하게 엎드려 / 죽은 척한다. 지나가는 간호사가 / 흠칫 놀란다. 어느새 새파래진다 / 옆에 있는 친구가 발을 쾅 구르며 명령한다 / 밟아, 밟아 죽여 / 슬리퍼 밑으로 뭉개질 때 느끼는 뭉클한 느낌 / 다른 간호사의 눈길이 말한다 / 안 무서워? / 모두들 다른 쪽으로 얼굴 돌린다…."

2013년 3월 프로라이프 의사회의 낙태 고발이 3년 정도 지난 시점에서 낙태에 대한 의료계의 변화를 살펴보면 낙태 시술 병원은 감소하였으나 낙태 시술이 음지화되었고 시술비용이 10배 넘게 뛰었으며 중국 등지로 소위 '원정 낙태'를 가기도 하고[14] '중국산 낙태약'뿐만 아니라 '셀프 낙태약'[15]이라는 정체불명의 약이 성행한다고 한다. 실제 낙태 숫자가 감소하고 인구가 증가하였는지는 알 수 없다. 인구가 증가하지 않았으니 낙태가 감소하였다고 볼 수 없다.

1994년 카이로에서 세계 각국 대표가 모여 '낙태를 인구 조절의 한 방법으로 채택할 것인가'를 토의할 때 마더 데레사는 다음과 같은 메시지를 보냈다. "전 세계가 이처럼 무서운 파괴와 폭력과 정신의 황폐로 치닫고 있는 것은 어머니가 뱃속에 있는 아이를 살인하는 낙태에서 비롯된 일입니다. 만일 키울 수 없는 아이라면 죽이지 말고 저를 주십시오. 제가 키우겠습니다."[16]라고.

그 외에도 2012년 6월에 일어난 '사후피임약 재분류 논란'에서 의사회, 약사회, 여성단체, 종교단체간의 찬반 논란이 서로 팽팽해졌는데, 프로라이프와 프로초이스 간의 논란도 있었지만 의사 약사 간의 밥그릇 싸움으로도 보는 시각이 있어서 씁쓸하다. 그 요지는 선진국의 일부에서 일반약으로 분류되어 있으며, 원하지 않는 임신을 막기 위해 관계 후 72시간 내 복용하는 사후 피임약을 의사 처방이 없이 약국에서 판매할 수 있는 일반약으로 전환하고자 하는 시도였는데 종교단체 및 낙태반대운동연합 등의 반대로 당분간 현행대로 유지하기로 하였으나, 그 불씨는 남아 있어 언젠가는 다시 논쟁이 될 수 있다고 한다.

그 후 이야기

2020년 4월 헌법재판소에서는 형법 269조 낙태죄가 헌법불합치라고 결정하였으며, 2020년 말까지 낙태죄 조항을 개정하라고 판결하였다. 당시 정부는 장고 끝에 '임신 초기인 14주까지는 낙태를 처벌하지 않기로 하고, 임신 24주까지는 성범죄 등 사유를 고려해 허용하기로 하는 등 낙태죄를 유지하는 방향으로 법안을 준비하였으나 아직 답보 상태다.[17] 낙태죄는 폐지되었고 대체입법은 아직 없다.

그런데 2022년 6월 미국 연방대법원이 50여 년 전 '로 대 웨이드' 판결을 뒤집으면서 미국 여성이 낙태(임신중단)에 대한 헌법상의 권리를 보장받지 못하게 됐다. 이번 판결로 인해 미국에서는 임신중단은 불법이므로 이를 금지할 수 있게 됐다.

1) 4개월, 3주… 그리고 2일, 4 Months, 3 Weeks & 2 Days, 2007, 감독; 크리스티안 문쥬
2) 베라 드레이크 Vera Drake, 2004, 감독; 마이크 리
3) 젠더사이드 [gendercide]. 시사상식사전. 여성 또는 남성 등 특정 성별자에 대한 대량학살
4) National catholic register. Where Have All the Girls Gone? 2007-04-17
5) Mara Hvistendahl. Where Have All the Girls Gone? Foreign Policy, 2011-06-27
6) 하태원. 아시아 남초 원죄는 美반공정책? 동아일보, 2011-06-30
7) 얼마나 많은 사람을 데려왔는지 얼마나 많은 시술을 하였는지에 따라 급여가 지급되었다고 한다.
8) 조은주(2012). 인구와 통치. 서울, 연세대학교대학원. 국내박사학위논문.
9) 네이버 영화. 4개월, 3주… 그리고 2일 http://movie.naver.com/movie/bi/mi/basic.nhn?code=67085
10) 김애화. 서구의 경험을 통해 본 출산통제와 낙태 논쟁. 여성이론. 오마이뉴스, 2010-04-05
11) 김민수 이냐시오. '주노(JUNO), 4개월 3주… 그리고 2일.' Health Mission(한국가톨릭의료협회지) 2008 여름호 vol. 11, 46-49
12) 레빗, 스티븐, (2012). 괴짜경제학. 서울, 웅진지식하우스
13) 손진은. 두 힘이 숲을 설레게 한다. 민음사, 1992
14) 한국여성민우회 (2013). 있잖아 나, 낙태했어. 서울, 다른
15) "수술 않고 태아 지웁니다"… '셀프 낙태약' 인터넷 확산. 동아일보 2012-03-28
16) 최인호. 칼럼 '아침을 열며 - 원하지 않는 임신.' 동아일보. 1995-02-26
17) 낙태죄 헌법불합치 3년, 달라진 게 없다. 경향신문, 2022-04-11

샤도우랜드

고통의 문제

Shadowlands, 1993[1)]

『고통의 문제(The Problem of Pain)』[2)], 『순전한 기독교(Mere Christanity)』[3)]로 유명한 C. S. 루이스의 삶을 그린 영화이다. 영국 옥스퍼드와 케임브리지 대학 교수로 기독교 관련 서적과 비평, 영문학 등의 분야에서 탁월한 저술 활동을 했던 인물이다. 원래 그는 무신론자였으나 기독교로 개종하였다. 50살이 다 되도록 독신으로 생활하던 그에게 미국 작가 조이 그레셤(아들이 딸린 이혼녀)이 마법처럼 다가와 사랑을 하게 되고 결혼한다. 그러나 사랑의 저주에 걸린 부인이 암으로 세상을 떠나 버린다.[4)] 배우자의 죽음은 아마도 사람이 인생에서 겪어야 할 가장 힘든 상황일 것이다.

영화에서 많은 해군사관 생도가 교통사고로 죽은 것에 대한 루이스의 강의 내용 일부는 다음과 같다. “하나님은 그날 밤에 어디 계셨나? 왜 막지 않으셨나? 하나님은 좋은 분이 아니신가? 우리를 사랑하셔야 하지 않는가? 하나님은 우리가 고통 받기를 원하시나? 이에 대한 답이 ‘그렇다’라면 어떻게 생각하십니까? 하나

시놉시스[5)]

배경은 1952년 영국. 루이스는 옥스포드 대학교의 영어 영문학과 교수이다. 친구들 사이에서 잭이라 불리는 루이스는 독신으로 조용하게 살아간다. 명석하고 이성적인 잭은 감성적인 문제에는 흔들림이 없을 만큼 냉철하고 오로지 지적 토론에만 의미를 찾는다. 그런 잭의 삶에 찾아든 여성은 미국인 시인이자 작가인 조이 그레셤인데 감성이 풍부하고 외향적이며 잭 못지않게 지성적이다.

잭은 스스로가 놀랍게도 조이에게 이끌린다. 조이가 방탕한 남편과 이혼하기 위해 미국으로 돌아가자 잭은 조이에 대한 감정이 얼마나 간절한 것인가 깨닫게 되고 그녀를 그리워한다. 몇 개월 후 조이가 돌아오지만 잭은 로맨틱한 관계를 주저한다. 그토록 오랫동안 가슴에 묻어둔 감정이 쉽게 표현되지 않는다. 그러한 과정에서 잭은 조이의 8세 된 아들 더글러스와 가까워진다. 조이의 체류 기간이 만료되려 하자 잭은 그녀가 영국에 영구히 머무를 수 있도록 계약 결혼을 한다. 그렇지만 서로 간의 편리를 위한 관계는 넘어서지 않는다. 그러나 조이는 사랑이 깊어져 잭이 강박관념처럼 지니고 있는 신중한 도피본능을 깨뜨려 버리려 한다.

마침내 잭의 감정에 변화가 있게 되지만 조이는 사형 선고와도 같은 악성골수암 진단을 받는다. 그녀를 잃게 될지도 모른다는 두려움에서 잭은 사랑을 고백한다. 잭은 정식으로 조이에게 청혼하고 결혼식을 올린다.

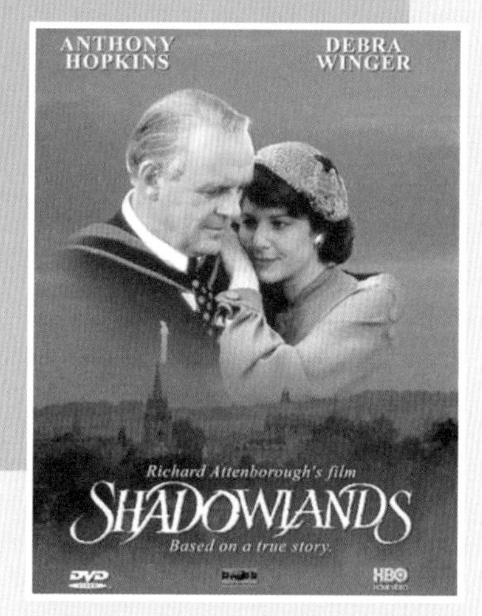

님은 우리가 꼭 행복하길 원하시진 않는 것 같습니다. 사랑할 줄 알고 사랑받을 줄 아는 사람이 되길, 우리가 철들기를 바라시죠. 우리를 사랑하시기에 고통의 선물을 주시는 겁니다. 귀 기울이지 않는 세상을 깨우치려고 고통이라는 메가폰을 드신 겁니다. 우린 조각가가 인간 형상으로 깎아내는 돌덩어리입니다. 끌로 때리면 너무 아프지만 그건 우리를 완벽하게 해주죠."

이처럼 "고통의 목적이란, 인간이 가진 거친 흠을 깎아냄으로써 인간을 완벽하게 만들려는 신의 뜻이다(Suffering is God's way of perfecting us by carving away the rough edges of human being)"라고 확신했던 루이스이지만 사랑하는 이를 잃은 현실적 아픔 앞에서 그도 인간일 수밖에 없었고, 짧은 기간이나마 믿음을 상실하기도 했다.[6] 그는『헤아려 본 슬픔』[7]에서 그때의 슬픔과 상실을 기록하고 있다. "그녀의 목소리는 여전히 생생하다. 그 목소리를 생각하면 나는 또다시 훌쩍이는 어린아이가 되어 버린다."

루이스는 톨킨의『반지의 제왕』과 버금가는『나니아 연대기(The Chronicles of Narnia)』[8]를 쓴 작가이다. 7권 시리즈의 첫 권인『사자, 마녀 그리고 옷장(The Lion, the Witch and the Wardrobe)』에는 특별한 문이 등장하는데, 바로 인간 세계와 눈으로 쌓인 마법 세계를 연결하는 옷장의 문이다. 이 영화에서도 양아들 더글러스에게 이 문을 보여주기도 하는데, 영화〈나니아 연대기〉[9]로 제작되어 미국에서는 큰 인기를 끌었지만 우리나라 흥행은 저조하였다. 톨킨과 루이스는 문학이나 인생에서 서로에게 대단한 영향을 주고받았다고 하는데, 톨킨은 "오랫동안 그는 나의 유일한 청중이었다. 내 글이 개인적 취미 이상의 작품이 될 수 있다고 생각되게 된 것은 오로지 루이스 덕분이었다. 그의 끊임없는 관심과 다음 이야기를 들려달라는 재촉이 없었다면 나는 결코 반지의 제왕을 끝마치지 못했을 것이다."라고 회고했다.[10)]

> "우리에게 내일의 행복이 있는 건 오늘의 고통이 있기 때문이에요.
> (We can't have the happiness of tomorrow without the pain of today)." – 조이
>
> "고통은, 귀를 닫은 세상을 일깨워주는 신의 메가폰이지.
> (Pain is God's megaphone to rouse a deaf world)." – 루이스

고통 없이 사는 사람은 없을 것이다. 그러나 그 고통 중에 그 의미를 깨닫는 사람은 드물다. 잘 견디어 낸 다음에야 그 고통의 의미를 조금이나마 알 수 있다. 박완서 작가의 말대로 고통은 극복하는 것이 아니라 잘 견디어 내는 것이고, 견디어 내는 사람이 살아남는 것이다.

강범모 교수는 〈샤도우랜드 – 고통의 의미〉에서 "하나님은 우리 인간을 사랑하신다. 그런데 왜 인간에게 고통이 찾아오는 것인가? 하나님을 믿는 사람들에게도 실패와 좌절이 찾아오고, 질병과 사고로 인한 고통이 닥친다. 그것은 무엇을 의미하는 것인가? 사랑하는 사람을 만난 행복한 순간에 그를 잃어야 하는 고통이 같이 오는 것은 무슨 이유일까?"라고 질문하고 "하나님의 피조물인 인간은 고통 없는 행복이 불가능한 세계를 만드신 당신을

완전히 이해할 수는 없다. 우리는 그저 그림자(shadow)와 같이 불분명한 이 세계에서 희미한 불빛을 향하여 묵묵히 발걸음을 내디딜 뿐이다."[11]라고 답하였다.

송봉모 신부는 『고통 그 인간적인 것』[12]에서 모든 종교는 고통이란 어떻게 피해야 하는가의 문제가 아니라 어떻게 겪어야 하는가의 문제라고 한다. 시련의 시기를 맞아 인간은 자기가 믿는 종교의 신에게 믿음을 갖고 그 고통을 감수해야 한다고 가르친다고 하면서 불교, 이슬람교, 기독교의 고통관을 설명하고 있다. 불교와 이슬람교에서는 고통에 대한 해결책보다는 주어진 고통을 참아 견디라고 가르치고, 기독교에서도 마찬가지로 고통에 대한 어떤 해결책을 제시하지 않는다. 단지 예수의 고통스러운 죽음에 대해서만 이야기한다. 예수께서는 죽음의 권세를 꺾기 위해서 이 세상에 오셨지만 죽음이나 고통을 제거한 것은 아니라고 가르친다. 그렇지만 고통을 겪는 우리를 위로해 주시고, 우리가 흘리는 눈물을 부드럽게 닦아 주신다고 역설한다.

이 영화는 우리로 하여금 '고통의 문제'를 다시 한번 깊게 생각하게 한다.

1) Shadowlands, 1993 샤도우랜드, 감독: 리처드 어텐보로
2) Lewis, C. S, 이종태(역)(2006). 고통의 문제. 서울, 홍성사
3) Lewis, C. S, 이종태, 장경철(역). (2002). 순전한 기독교. 서울, 홍성사
4) 이상용, 나니아 연대기의 작가 C. S. 루이스(1898~1963) 네이버캐스트http://navercast.naver.com/contents.nhn?rid=75&contents_id=240
5) 네이버 영화 샤도우랜드 http://movie.naver.com/movie/bi/mi/basic.nhn?code=17169
6) 이미도. 인생을 바꾼 명대사-고통은 신의 메카폰이다. 문화일보 2009-12-09
7) Lewis, C. S. 강유나(역) (2004). 헤아려 본 슬픔. 서울, 홍성사
8) Lewis, C. S. 김민선(역) (2005). 나니아 연대기. 서울, 계림
9) 나니아 연대기 - 사자, 마녀 그리고 옷장 The Chronicles Of Narnia: The Lion, The Witch And The Wardrobe, 2005
10) 이순녀, '루이스와 톨킨' 콜린 듀리에즈 지음 서울신문, 2005-11-11
11) 강범모, '샤도우랜드-고통의 의미' http://riks.korea.ac.kr/bmkang/f_shadow Lands.htm
12) 송봉모 (1998). 고통 그 인간적인 것. 서울, 바오로딸

선택(휴 그랜트의 선택)

의사들의 '선택'

Extreme Measures, 1996[1)]

우리는 매 순간 선택을 하게 된다(인생은 선택의 연속이다[2)]). 때로는 그것이 우연한 것인지 운명적인지, 아니 우연을 가장한 필연적인 선택을 통하여 인생이 완성되어 간다. 특히 의사들에게는 의과대학(전문대학원)을 졸업하고 무슨 과를 할 것인가부터 수련을 마치고 나서도 개원을 할 것인지 종합병원에서 근무할 것인지 대학에 남아서 후학들을 가르칠 것인지 국내외 봉사활동을 할지 선택해야 하고(이태석 신부[3)], 의료 선교사[4)]), 배우자를 선택하여야 하며,[5)] 갑자기 병세가 위중한 환자가 많이 내원하였을 때 어떤 환자를 먼저 볼 것인지도 선택해야 한다.

몇 년 전 의사국가고시에 인공호흡기가 필요한 환자가 2명이 있지만 이용 가능한 인공호흡기가 한 대밖에 없을 때 누구에게 먼저 시행할 것인가를 판단하는 것은 생명윤리 4대원칙 중 무엇인가라는 문제가 출제되었다. 정답은 '정의의 원칙(분배의 원칙)'이고 더 위중한 사람을 먼저 치료하는 것이 원칙이다. 그러나 실제 의료현장에서는 그 원칙이 무시되고 아는 사람이나 돈이 많은 사람, 사회적 지위가 높은 사람을 먼저 선택하는 경우가 있다.

영화 〈선택(휴그랜트의 선택)〉에서는 마약을 팔던 범죄자와 경찰이 총상을 입어 응급실에 같이 들어왔는데, 수술실은 하나밖에 없을 때 누구를 먼저 치료할 것인가가 영화 도입부에 나온다. 범죄자는 욕을 하고 악을 쓰는 상황이고, 경찰 환자는 많은 동료 경찰들이 살려달라고 부탁을 하고 환자의 부인도 간절하게 부탁을 하는데, 건강 상태는 범죄자가 더 심각하다. 당직의사는 윤리적인 선택을 하느냐 의학적인 선택을 하느냐의 기로에서 경찰을 먼저 치료하는 윤리적인 선택을 하고, 이후에 간호사에게 비난을 받기는 하지만, 얼마 지나지 않아 수술실 두 개를 사용할 수 있어 두 사람 모두 응급수술이 가능하였다.

영화의 주요 내용은 사고나 혹은 선천적인 질병으로 움직일 수 없는 환자에게 새로운 척수를 이식할 수 있는 기술을 개발하고 있는 주인공의 은사인 진 해크먼 박사가 거리의 노숙자를 실험 대상으로 연구하는 병원을 운영한다. 주인공 기아가 그 사실을 알게 되고, 거의 마지막 장면에서 이 둘은 총을 들고 대립한다. 박사는 유능한 제자인 주인공에게 "나와 함께 하자. 우리는 환자들에게 희망을 줄 수 있다."라고 설득하지만 그는 단호하게 거부한다.

얼마 전에 황우석 사태에서 첫 제보자 〈닥터 K〉[7]에 대한 이야기가 알려졌는데, 그도 10살 전신마비 소년에게 줄기세포를 주입하려 한다는 얘기를 전해들은 순간 눈앞이 아찔했다고 한다. 그리하여 가족들의 만류에도 불구하고 용기를 내어 제보하였다고 한

시놉시스[6]

숨 돌릴 틈 없이 새로운 환자가 밀려드는 뉴욕 시립병원 응급실. 벌거벗은 채 밤거리를 질주하다 쓰러졌다는 환자를 맡게 된 기아(휴 그랜트, 의사)는 도무지 종잡을 수 없는 증상에 당황한다. 중년의 나이, 대머리, 심각한 망상증을 보이던 그는 결국 사망하고, 환자의 시체는 물론 그에 관련된 모든 의료기록이 감쪽같이 사라져 버린다. 마약 중독자에 무연고 부랑자로 추정되는 그 환자가 사라진 미스터리에 대해 병원 측에서는 아무도 관심을 갖지 않는다. 그러나 두려움에 사로잡혀 있던 환자의 마지막 모습이 왠지 뇌리에서 떠나지 않는 의사는 사건에서 손을 떼라는 상사의 경고도 무시한 채 컴퓨터 파일과 창고 속의 해묵은 서류까지 뒤지며 단서 찾기에 골몰한다.

다. 우리 주위에는 세상을 건강하게 하려고 외로운 길을 가는 사람들이 많기 때문에 불안정하기는 하지만 그래도 그럭저럭 유지되어 가고 있다. 주변에서 때로 고액의 연구비나 연봉, 직위에 대한 많은 유혹이 있으나 정당한 길, 옳은 길이 아니라면 과감하게 "No"라고 말하는 용기가 필요하다.

의사들의 선택에 관한 영화는 미국 대도시의 성형외과보다 시골 의사를 선택한 〈할리우드 의사〉,[8] 대학병원 의사보다는 야전병원에서 응급환자와 같이 하는 일본 의사 이야기인 〈신의 카르테〉,[9] 독일 통일 전 서방으로 탈출할 수 있었으나 본인 대신 환자를 탈출시키는 선택을 한 소아과 여의사 〈바바라〉[10] 등이 있으며, 홀로코스트에서 유대인 어린이들과 같이 행진한 소아과 의사 코르작의 일대기를 영화화한 〈코르작〉[11]이 있는데 코르작 이야기는 『천사들의 행진』이라는 책으로도 출간되었다.

안제이 바이다 감독의 영화 〈코르작〉은 1939년 독일군이 폴란드를 침공하면서 발생했던 유대인 수난을 배경으로 유대 고아들과 함께하다 죽임을 당한 폴란드 의학자 야누쉬 코르작 박사에 관한 실화를 그린 작품이다.[12] 2차 세계대전이 발발하기 직전, 폴란드인 코르작은 바르샤바에서 200명 유대 고아들을 돌보고 있었는데, 그는 독일 의학계에서도 알려진 의학자이며 시인이었다. 1939년 세계대전을 시발점으로 독일군이 바르샤바에 진주하면서 그곳 유대인들은 예외 없이 유대인 거주지(게토 Ghetto)로 이주하게 되는데, 코르작도 고아들과 함께 그곳으로 들어간다. 거주지는 어린아이들의 최소한의 생계유지도 어려운 장소였고 들려

영화 〈코르작〉 포스터와 그의 일대기 『천사들의 행진』 표지

오는 총성 소리에 고아들은 잠을 설친다. 마지막 장면은 코르작과 200여 명의 고아들의 삶이 어떤 결말을 맺는지 상징적으로 표현하고 있다. 그들이 탄 열차 칸이 수용소로 향하는 앞 칸들과 분리되면서 어느 평원에 홀로 멈추어 서고 이내 열차 문이 열리면서 코르작 박사와 아이들이 뛰쳐나와 운무로 가리어진 넓은 평원으로 달려간다.

코르작은 몇 번이나 스위스 등 서방으로 탈출할 수 있는 기회가 있었다고 한다. 그러나 아이들을 가스실로 향하는 기차에 태웠을 당시 그는 "아이들이 기차에 타 무서워하면 누군가 손을 잡아줘야 하지 않겠느냐?"면서 "난 결코 아이들을 떠나지 않겠다."라고 하면서 함께 기차에 올랐다. 이런 코르작의 숭고한 정신에 유엔은 그의 탄생 100주년 기념해 1979년을 '세계 아동의 해'로 지정했다고 한다.

MICHAEL J. FOX
JULIE WARNER WOODY HARRELSON
DOC HOLLYWOOD
This summer's prescription for comedy.

제62회 베를린 영화제 감독상 수상작
어두운 절망의 한가운데서
눈부신 희망은 다시 시작된다!
바바라
크리스티안 펫촐트 감독 | 니나 호스 주연
EIN FILM VON CHRISTIAN PETZOLD
www.barbara-der-film.de
3월 대개봉

最後に
こんなに幸せな時間が
待っていたなんて。
心は、きっと救える
神様のカルテ
櫻井翔 宮崎あおい
www.kamisamanokarute-movie.jp

프랑스의 실존주의 철학자 사르트르는 'Life is C between B and D', 즉 인생은 B와 D 사이의 C라고 하였다. 여기서 B는 Birth, D는 Death, C는 Choice이다. 삶은 곧 선택의 연속일 수밖에 없다는 것이다. 그것도 정답을 알 수 없는 그런 선택 말이다. 우리는 수많은 선택의 순간에 놓이게 된다. 의학적 선택을 하느냐? 윤리적 선택을 하느냐? 어느 것을 선택하느냐는 당사자의 몫이며, 그 결과가 좋을 수(선행)도 혹은 나쁠 수(악행)도 있는데, 그 책임은 선택한 본인이 져야 한다. 변명하거나 도망가서도 안 되며, 때로는 확실히 "Say No"를 할 줄 알아야 한다.

---

1) 선택 Extreme Measures, 1996, 감독; 마이클 앱티드, 출연; 휴 그랜트
2) Johnson, S., 형선호(역), (2005). 선택. 서울, 청림. 원제 Yes or No
3) 울지마 톤즈 2010, 감독; 구수환
4) 나의 선택 - 잊혀진 가방 그 못다한 이야기 The Forgotten Bag, 2010, 감독; 김상철
5) 히스테리아 Hysteria, 2011, 감독; 타니아 웩슬러
6) 네이버 영화 선택 http://movie.naver.com/movie/bi/mi/basic.nhn?code=18773
7) '8년만의 고백 "내가 황우석 사기 제보한 이유는…"' 첫 제보자 '닥터K' 류영준. 한겨레 2014-03-05
8) 할리우드 의사 Doc Hollywood, 1991 감독; 마이클 카튼-존스
9) 신의 카르테 神様のカルテ, In His Chart, 2011. 감독; 후카가와 요시히로
10) 바바라 Barbara, 2012, 감독; 크리스티안 펫졸드
11) 코르작 Korczak, 1990, 감독; 안제이 바이다
12) 하태수 (2003). "20세기의 아름다운 순교자 - 닥터 코르작." 들숨날숨

세렌디피티

운명의 수수께끼를 던지고 사라진 그녀

Serendipity, 2001[1]

세렌디피티(serendipity)는 "뜻밖의 발견(을 하는 능력), 의도하지 않은 발견, 운 좋게 발견한 것"을 뜻하는데,[2] 완전한 우연으로부터 중대한 발견이나 발명이 이루어지는 것을 말할 때 사용한다. 형용사형은 serendipitous이며, '뜻밖에 행운을 발견하는 사람'은 serendipper라고 한다. 영국 작가 호러스 월폴(Horace Walpole)이 1754년에 쓴 『The Three Princes of Serendip』이라는 우화(寓話)에 근거하여 만든 말이다. 스리랑카의 옛 이름인 Serendip이라는 섬 왕국의 세 왕자가 섬을 떠나 세상을 겪다가 뜻밖의 발견을 했다는 데 착안한 것이다.[3]

플레밍의 페니실린 발견으로부터 전자레인지, 포스트잇 등 많은 발명품들이 우연하게 발명이 되었으며, 실데나필이라는 발기부전 치료제도 혈압약 임상실험 중에 우연히 알게 되었다, 또한 심장병 환자의 심장혈관검사도 좌심실 조영을 시도하던 중에 우연히 발견되었다고 한다. 미국의 역사가 돈 리트너(Don Rittner)

는 "역사는 타이밍과 인맥, 환경, 세린디피티가 어우러져 만들어진다.(History is an intricate web of timing, people, circumstances, and serendipity.)"고 했는데, 특히 과학 분야에선 이런 사례가 많다.

헬리코박터 파이로리라는 박테리아의 발견으로 2005년 노벨 생리의학상을 받은 로빈 웨렌과 베리 마셜(몇 년 전 유산균 음료의 광고에 출연)의 연구도 세렌디피티의 일부라고 할 수 있다. 마셜은 외과 의사였다고 하는데, 레지던트 과정이 다 끝나가도록 기초 논문을 쓰지 못하여 고민하였다. 그러던 중 병리학자인 웨렌 교수를 찾아갔다. 웨렌 교수는 외과 수술로 제거된 위장조직에서 평소 그가 궁금해했던 어떤 미생물의 존재를 찾으라는 방대한 일을 맡겼는데, 마셜은 공기도 잘 안 통하는 지하실에서 조직표본을 열심히 분석한 결과 꼬리를 가진 어떤 미생물을 발견하여 '헬리코박터 파이로리'라고 명명하였다.

그런데 이 논문을 학회에 제출하였을 때 많은 학자들이 산성이 강한 위에서 세균이 산다고는 믿지 않아 학술지에 실을 수 없었다고 한다. 이전에 미국 국립보건연구원(NIH)에서는 위장에 박테리아가 존재할지에 대해 많은 연구를 시행하였고, '위에서는 세균이 살 수 없다'라는 결론을 내리고 있었기 때문이다. 이제 문제는 헬리코박터 파이로리라는 균을 배양하여 존재를 증명해야 하는데 이 문제가 아주 힘들었다. 그런데 부활절 휴가 동안 배양 접시를 씻지 않고 싱크대에 방치하고 모두 휴가를 떠나 버렸는데, 돌아와 보니 이제까지 그렇게 배양하려고 하던 그 균이 상온에서 배양되고 있었다고 한다. 그야말로 세렌디피티이다. 그러나 열심히 배양하려고 노력에 노력을 기울이고 실패를 반복한 결과이지 어느 날 갑자기 하늘에서 뚝 떨어진 발견은 아니다.

그 후 이야기는 다음과 같다. 균 배양은 성공하였으나 이 균이 병을 일으킨다는 동물실험을 해야 하는데, 동물실험에서 위염 등 병을 일으킨다는 증거를 찾지 못하였다. 고민을 하다가 조금은 무모하기도 하지만 본인이 균 배양액을 마셨는데도 본인에게도 아무 증상도 나타나지 않았다고 한다. 그러던 중 휴일에 어머니 집을 방문하였는데 어머니가 "네 몸에서 무슨 이상한 냄새가 나는구나."라고 했다고 한다. 그래서 헬리코박터 파이로리라는 균이 번성하여 위에 염증이 생기면 증상은 심하지 않더라도 구취 등 냄새가 날 수 있다는 사실을 알 수 있었다고 한다. 이런 현상은 이 병의 진단에 이용하기도 한다.

이 영화에서 주인공이 헌책방에 팔아 운명에 맡긴 흥미로운 책의 이름이 있는데, 콜롬비아가 낳은 노벨문학상 수상자 가브리엘 가르시아 마르케스(1927~2014)가 1985년에 쓴 『콜레라 시대의 사랑』[4]이다. 2007년 마이크 뉴웰 감독에 의해 영화[5]로 만들어졌으며 한 여자와 두 남자를 둘러싼 사랑과 죽음, 그리고 욕망, 51년간의 기다림 등을 잘 표현하고 있다.

살다 보면 수많은 우연과 마주치게 된다. 타생지연(他生之緣)이라고 불교에서 낯모르는 사람끼리 길에서 소매를 스치는 것 같은 사소한 일이라도 모두가 전생의 깊은 인연이 있어야만 이루어진다고 한다. 운이 좋았다는 말은 단지 승자의 겸손의 말일 뿐이며 수많은 시행착오의 결과이고 우연을 가장한 필연만이 있을 뿐이

시놉시스[6]

달콤한 뉴욕의 크리스마스 이브. 모두들 사랑하는 사람을 위한 선물을 사느라 무척 활기찬 한 백화점에서 조나단과 사라는 각자 자신의 애인에게 줄 선물을 고르다가 마지막 남은 장갑을 동시에 잡으면서 첫 만남을 갖게 된다. 뉴욕의 한가운데서 처음 만난 두 사람은 들뜬 크리스마스 분위기 속에서 서로의 매력에 빠지게 되어 맨해튼에서 황홀한 저녁을 잠시 보낸다. 서로의 이름도 모르는 채 헤어지게 된 두 사람, 이때 한눈에 사랑에 빠진 조나단은 다음에 만날 수 있도록 전화번호를 교환하자고 제안하지만, 평소 운명적인 사랑을 원하는 사라는 주저하며 운명에 미래를 맡길 것을 말한다. 그녀는 고서적에 자신의 이름과 연락처를 적은 후 헌책방에 팔아 조나단에게 찾으라고 하고, 조나단의 연락처가 적힌 5달러 지폐로 솜사탕을 사 먹고는 그 돈이 다시 자신에게로 돌아오면 연락하겠다고 말하는 등 엉뚱한 행동을 한다. 결국 엘리베이터 버튼에 운명을 걸어보지만, 두 사람은 아쉽게 헤어진다.

몇 년이 흐른 뒤, 조나단과 사라는 서로 완전히 다른 삶을 살아간다. 하지만 그 둘은 7년 전 뉴욕에서의 몇 시간 동안의 만남을 잊지 못하고 있다. 둘 다 서로의 약혼자와의 결혼을 눈앞에 두고 있는 어느 날, 서로에 대한 그리움이 극에 달하게 되고, 둘에 관한 추억들을 운명처럼 떠올리게 되는 사건들이 연이어 발생하게 되자, 마침내 둘은 결혼에 앞서 마지막으로 7년 전의 추억을 떠올리며 뉴욕으로 향한다.

다. 이 글을 쓰면서 엄청나게 넓은 인터넷 정보바다에서 '좋은 정보'를 획득하는 것도 세렌디피티일 수 있다. 찾고자 하는 것만이 보이고 아는 만큼 보이기는 하지만 수많은 시행착오와 끈기로 실패를 견디어내야만 얻을 수 있다.

---

1) 세렌디피티 Serendipity, 2001, 감독; 피터 첼솜
2) 네이버 지식백과 serendipity (교양영어사전2, 2013. 12. 3. 인물과 사상사) http://terms.naver.com/entry.nhn?docId=2076831
3) 위키백과 세런디피티 http://ko.wikipedia.org/wiki/세런디피티
4) 가브리엘 가르시아 마르케스, 송병선(역)(1985) 콜레라 시대의 사랑. 민음사
5) 콜레라 시대의 사랑 Love In The Time Of Cholera, 2007, 감독; 마이크 뉴웰
6) 네이버 영화 세렌디피티. http://movie.naver.com/movie/bi/mi/basic.nhn?code=33493

스틸 앨리스 · 소중한 사람

정물 인간, 정물 인생, 정물적인 삶

Still Alice, 2014[1] · Ori Ume, 2002

치매의 초기 증상은 뇌의 언어 관련 부분이 손상을 받기 때문에 단어(주로 명사)부터 생각이 잘 나지 않는다.

언어학에서 세계적인 권위를 가진 여교수가 이런 치매 증상을 보이게 되는데, 그는 유전성 알츠하이머병으로 비교적 젊은 나이에 치매에 걸린다. 영화 소개에 보면 감독이 두 사람으로 나오는데, 주 감독인 '리처드 글랫저'는 루게릭병으로 온몸이 마비된 채로 이 영화를 감독하였다고 하며, 2015년 3월 세상을 떠났다. 치매와는 달리 루게릭병 환자는 죽을 때까지도 너무 맑은 정신을 가지고 있기 때문에 가능하다고는 하지만 그 열정이 어떠했는지는 실로 경외할 만하다.

치매와 관련이 있는 대표적인 영화는 〈어웨이 프롬 허〉(Away from her, 2006), 〈아이리스〉(Iris, 2001), 〈내일의 기억〉(Memories of tomorrow, 2006) 등이다. 〈어웨이 프롬 허〉와 〈아이리스〉의 주인공이 여성인 반면 〈내일의 기억〉은 남성이 주인공이다. 그 외에

시놉시스[2]

세 아이의 엄마, 사랑스러운 아내, 존경 받는 교수로서 행복한 삶을 살던 앨리스는 어느 날 자신이 희귀성 알츠하이머에 걸렸다는 사실을 알게 된다. 행복했던 추억, 앨리스는 사랑하는 사람들까지도 모두 잊어버릴 수 있다는 사실에 두려움을 느끼지만 소중한 시간들 앞에 온전한 자신으로 남기 위해 당당히 삶에 맞서기로 결심한다.

도 〈노트북〉(The notebook, 2004)이 있고, 노인의 심리상태를 잘 표현해 주는 〈황금연못〉(On Golden Pond, 1981)이 있다. 〈노트북〉에서 담당 의사가 환자의 남편에게 치매는 불치병이니 이제 그만 포기하라고 말한다. 그런데 환자의 남편이 "과학이 닿지 않은 곳에 기적이 있다.(Science goes only so far and then comes God)"고 말하면서 부인이 노트에 쓴 일기를 반복적으로 읽어주는 노트북 역할을 충실히 한다. 노트북은 치매관련 영화보다는 순애보적인 러브스토리로 분류하는 것이 좋을 것 같다.

그럼 '스틸 앨리스'는 무슨 의미일까? 앨리스는 주인공의 이름이니 '스틸'의 의미가 문제이다. 사전적인 의미는 '아직도, 여전히'라는 뜻도 있고 형용사로는 '고요한, 정지한'의 의미가 있고 명사로는 영화나 비디오의 한 장면을 담은 사진, 스틸이다. 그럼 '스틸 앨리스'의 스틸은 '여전히 앨리스', '고요한 앨리스', '정지된 앨리스'일지 번역이 힘들다. 그런데 '스틸 라이프(Still life)'는 정물화라는 뜻이기도 하고 '고요한 삶'의 의미로 사용되고 있으며 다른 영화의 제목[3) 4)]으로 사용되기도 하는데, 우베르토 파솔리니 감독의 〈스틸 라이프〉에서 주인공은 조용하게 시계추 혹은 다람쥐 쳇바퀴 돌기처럼 반복된 삶을 살아가는 것을 의미한다. 치매와 관련된 영화 〈러블리 스틸〉과 〈해피엔딩 프로젝트〉에서 의미가 조금 다를 수 있지만 '스틸(Still)'을 사용하고 있다. 그러므로 스틸은 정물적 인생을 의미하고, 스틸 엘리스는 '정물적인 삶을 사는 엘리스'라는 뜻이다.

치매가 심해지면서 성질이 고약해지고 화를 자주 내며 의심이 많아지고 평소에 하지 않던 욕을 하기도 하는 증상이 많은 환자에게서 관찰할 수 있다. 이러다 보니 간호하는 사람들의 고생이 이만저만이 아닌데 소위 동물적인 본능만 남아 있고 인간의 이성을 가지고 있다고는 생각이 안 될 때도 많지만, 어느 순간에는 정상인처럼 돌아와 간호하는 옆 사람들을 헷갈리게 하기도 하고 정상인으로 회복할 수 있는 기대감을 놓지 못하게 한다.

그럼 이런 사람 혹은 삶을 무엇이라고 하는 것이 좋을까? 심한 뇌손상을 받고 중환자실에서 기계에 의존하여 살고 있는 상태를 식물인간이라고 하는데, 치매에서 이런 상태는 정물인간이라고 할 수 있으며, '정물적인 삶(정물 인생)을 살고 있다'라고도 할 수 있다. 정물화(Still life)는 움직이지 못하는 사물들을 배열해 놓고 그린 그림을 말한다. 종교개혁 후 성화를 그리지 못하게 되고 움직이지 않는(못하는) 자연을 그리게 되는 것이 유래가 되었다고 한다. 영화에서도 점점 기억력이 떨어지고 사랑하는 딸마저 몰라보며, 살아 있는 그 자체로 가족에게 피해만 주는 정물적인 상태, 즉 정물 인간이 되어가는 과정을 보여준다.[5)]

영화에서는 "차라리 암이면 좋겠다.", "제가 고통받고 있다고 생각하지 말아주세요. 전 고통스럽지 않아요. 다만 힘을 다해 애쓰고 있어요."라는 대사가 나오는데, 이 영화감독의 처절한 외침이라고 할 수 있다.

한편 〈소중한 사람〉(折り梅, 2002)[6)]은 치매에 걸린 시어머니를 간호하는 며느리 이야기이다. 원제인 '오리 우메(折り梅)'는 꽃꽂이 용어로서 '꺾어진 매화'라는 뜻인데, 일본 사람들도 그리 많이

시놉시스[7]

홀로 노년을 보내고 있던 마사코는 셋째 아들 내외의 제안을 받아들여 도시로 올라와 함께 살기 시작한다. 착실한 아들, 싹싹한 며느리, 할머니를 곧잘 따르는 손녀 손자가 식구들이다. 모두 함께 즐겁던 생활도 잠시 지나가고 언젠가부터 마사코의 행동이 낯설어진다. 이유 없이 불같이 화를 내거나 건망증이 나날이 심해지는 마사코, 그리고 서로에게 상처를 주고 있는 가족. 그들의 삶이 점점 악화되어 가던 어느 날, 새로운 희망이 찾아온다.

쓰는 단어는 아니지만, 매화나무는 꺾여도 꽃이 잘 피는 특성이 있어서 일본인의 성격을 상징하는 표현이라고 한다.

부모가 아들딸이 많아도 어느 자녀에게는 정이 더 가고, 자기와 닮은 자녀와는 싸움을 많이 하는 경우도 있다. 그러나 우리나라 할머니 할아버지는 그래도 큰아들에 대한 사랑이 대단하다. 그런데 병원에 내원하는 보호자를 보면 자녀들 중에도 효자는 따로 있다. 큰아들과 살고 싶은 욕망은 굴뚝같지만 며느리와 관계 등 복잡한 인간사 때문에 부모를 모시는 사람은 따로 있다. 본 영화에서도 셋째 아들과 며느리가 홀로 된 어머니를 모신다. 그러나 효자와 부모의 사이는 그렇게 좋은 것만은 아니고, 사소한 말다툼을 많이 한다.

아직 우리 사회에는 고부간의 갈등이 많은데, 서로 껴안으려 해도 고슴도치의 우화[8]에서처럼 상대방의 가시에 찔려 서로 아프다. 이해하고 받아들이면 '사랑'과 '사람'이 보인다고 하지만 일정 간격을 유지해야 서로 아프지 않다. 그런데 일정 간격을 가진 기찻길처럼 달리는 것은 부부관계가 아닐까 싶다. 기찻길은 너무 붙어서도 떨어져서도 안 되고 일정 거리를 정확하게 유지해야 한다.

주인공 며느리는, 시어머니 마사코가 무엇이든 감추려 하고, 의심이 많아지며 때로 욕설도 하는 치매 증상 때문에 힘들다. 며느리는 "꽃을 보면 예쁘고 좋은데, 병든 노인은 왜 정이 안 가는지?" 라고 하면서 자책하기도 한다. 시어머니를 양로시설에 맡기러 가던 길에 시어머니의 과거에 대한 비밀을 듣게 된다. 역시 고부간에도 비밀을 공유하는 것이 이해의 첫걸음인가 보다. 그 후 치매 걸린 마사코는 시설에 가지 않고 집에서 그림을 그리는데 그림에 대한 천재성을 발휘하게 된다. 치매나 뇌졸중, 뇌의 외상 등에서 때로 후천적 천재성을 발휘하는 경우가 있다고 한다.

꺾여서 화병 속에 꽂아진 매화는 아직 살아남아 몇몇 송이의 꽃이 피기도 한다. 식물인간보다는 나은 상태이지만 정물 인간처럼 정물적 삶을 살아가는데, 그중 몇 매화는 우리의 소망처럼 그림을 잘 그리거나 시를 쓰기도 한다. 우리 의료인들이 쉽게 포기하지 못하는 이유 중의 하나이다.

'소중한 사람'은 영어로 'the apple of one's eye'라고 하는데, 눈에 넣어도 아프지 않은 사람, 눈동자처럼 소중한 사람이라는 뜻인데, 애플사의 애플(Apple)도 여기에서 따왔다고 한다.[9] 구약성경에서도 '내 가르침을 네 눈동자처럼 지켜라'라는 Apple of eye가 있다.

---

1) 스틸 앨리스 Still Alice, 2014, 감독; 리처드 글랫저, 워시 웨스트모어랜드
2) 네이버 영화 스틸 앨리스 https://movie.naver.com/movie/bi/mi/basic.nhn?code=120759
3) 스틸 라이프 三峽好人: Still Life, 2006, 감독; 지아 장 커
4) 스틸 라이프 Still Life, 2013, 감독; 우베르토 파솔리니
5) 최송아, 그럼에도 남아있는 추억 한 조각, 광주매일신문 2015-5-20, "앨리스라는 인물(人物)이 생명 없는 정물(靜物)로 되어가는 과정을 그려내고 있다."
6) 소중한 사람 折り梅, Ori Ume, 2002, 드라마, 일본, 감독; 마츠이 히사코
7) 네이버 영화 소중한 사람 http://movie.naver.com/movie/bi/mi/basic.nhn?code=47250
8) 나무위키-고슴도치의 딜레마. 추운 겨울 어느 날, 서로의 온기를 위해 몇 마리의 고슴도치가 모여 있었다. 하지만 고슴도치들이 모일수록 그들의 가시가 서로를 찌르기 시작하였고, 그들은 떨어질 필요가 있었다. 하지만 추위는 고슴도치들을 다시 모이게끔 하였고, 다시 같은 일이 반복되기 시작하였다.
9) 잠언 7,2 Keep my commands and live, my teaching as the apple of your eye.

시(詩)

배우 윤정희를 생각하며

Poetry, 2010[1]

〈시〉는, 2007년 칸 영화제에서 여우주연상을 받은 〈밀양〉(Secret Sunshine, 2007)[2]으로 150 만 명 이상의 관객을 동원한 이창동 감독이 5번째 제작한 영화다. 칸 영화제에서 각본상을 수상하는 등 우리나라와 전 세계적으로 17개 이상의 상을 수상하였으나 관객 동원에서는 초라하였던 영화이다. 이 영화를 노인의학 측면에서 보기로 한다.

영화에서는 1960~70년 한국영화를 주름잡던 여배우 트로이카(문희, 남정임, 윤정희) 중 한 사람인 윤정희가 16년 만에 스크린에 복귀하여 '미자'라는 본명(손미자)으로 열연을 펼쳤다. 원래 윤정희는 공주 스타일이었는데[3] 영화에서도 공주 스타일 연기를 잘 소화해 내고 있다. ('의상이 너무 튄다.', '내가 멋을 좀 부리죠.' '내가 웃으면 다들 뿅 간다.')

가정이 넉넉하지 못하여 국가 보조금을 받아 생활하고 있으며, 이혼하고 타지에서 살고 있는 외동딸의 중학생 손자를 키우면서

시놉시스[4]

한강을 끼고 있는 경기도의 어느 작은 도시, 낡은 서민 아파트에서 중학교에 다니는 손자와 함께 살아가는 미자. 그녀는 꽃 장식 모자부터 화사한 의상까지 치장하는 것을 좋아하고 호기심도 많은 엉뚱한 할머니이다.

미자는 어느 날 동네 문화원에서 우연히 '시' 강좌를 수강하게 되며 난생 처음으로 시를 쓰게 된다. 시상(詩想)을 찾기 위해 그 동안 무심히 지나쳤던 일상을 주시하며 아름다움을 찾으려 하는 미자. 지금까지 봐왔던 모든 것들이 마치 처음 보는 것 같아 소녀처럼 설렌다. 그러나 그녀에게 예기치 못한 사건이 찾아오면서 세상이 자신의 생각처럼 아름답지만은 않다는 것을 알게 된다.

196,70년 한국영화를 주름잡던 여배우 트로이카, 문희, 남정임, 윤정희[5]와 영화 〈시〉에서의 윤정희

살고 있는데, 생활이 넉넉하지 못하다 보니 가정방문 간병 일을 하면서 노인(김희라 분)의 목욕 등을 시킨다. 실제로 김희라는 뇌졸중을 앓았으나 많이 회복되었는데, 이 영화에서 중풍을 앓는 노인의 역할을 훌륭히 소화해 2010년 대종상 남우조연상을 받았다.[6]

영화 초반부터 주인공 미자는 지갑을 들고 지갑을 찾는 등 깜빡깜빡하는 증상을 보이고 있으며, 심각한 이야기를 하다가도 시상(詩想)이 떠올랐는지 밖으로 나가 맨드라미를 만지는 등 조금 불안한 증상을 보인다. 개인의원에서 "서울 큰 병원에서 진단 한번 받아보세요."라는 말을 듣고, 큰 병원에 방문하여 초기 치매라는 진단을 받았는데, 택시로 동서울 터미널을 가야 하는데 터미널이라는 말이 생각이 나지 않는다. '처음에는 단어 특히 명사가 생각이 잘 안 나고, 나중에는 동사가 생각이 나지 않는다.'라는 것이 치매의 초기 증상이다. 영화 후반부에 죽은 아이의 엄마를 만나 선처를 부탁하러 가지만 '땅에 떨어진 살구' 등 다소 엉뚱한 이야기만 하다가 그냥 돌아와 버린다. 결과적으로는 치매에 걸린 게 좋은 일인지 나쁜 일인지 모를 일이다.

영화에서 할머니와 손자의 세대차도 잘 보여주고 있는데, 중학생 손자는 1년 반밖에 되지 않은 핸드폰을 바꿔달라고 요구하기도 하고, 할머니와 배드민턴을 치다가 핸드폰을 받고 아무 말 없이 그냥 가 버리는 '신세대' 모습을 보여주기도 한다. 아이는 죄를 짓고도 죄책감을 느끼지 못한다. 또한 할머니가 사실 전모를 알고 난 뒤 손자는 밥을 잘 안 먹으려 하지만, 할머니가 제일 좋아하는 것은 '손자 입에 밥이 잘 들어가는 것'이라는 말에 다시 먹는다.

또한 영화에서는 노인 간병 문제도 나오는데, '영양제(실제로는 발기부전 치료제)'를 먹고 '죽기 전에 한번만 할 수 있었으면 좋겠다.'라는 김희라의 천연덕스러운 연기도 볼 수 있다. 또한 관계 후에는 돈을 요구하는 등 노인의 성문제를 보다 깊게 생각해 보게 한다.

노인병 관련 영화는 '서론 및 노인의 심리상태(Geriatric mentality)'와 '치매 관련 영화(Alzheimer and related disease)', '죽음과 존엄사', '노인의 사랑과 성문제', '사별 후 남겨진 배우자의 삶' 등으로 분류할 수 있다. 이들 중 치매 관련 영화는 〈Iris〉(아이리스, 2001), 〈어웨이프롬허〉(Away from her, 2006), 〈노트북〉(The notebook, 2004), 〈러블리 스틸〉(Lovely, Still, 2008), 〈마마 고고〉(Mamma Gogo, 2010), 〈심플라이프〉(桃姐, A Simple Life, 2011), 〈그대를 사랑합니다〉(2011), 〈소중한 사람〉(오리 우메(折り梅, 2002, 우리나라에서는 2011년에 개봉되었다.) 등이 있다. 〈내일의 기억〉(Memories of Tomorrow, 2006)도 치매 관련 중요 영화이나 주인공 나이가 노령이 아니고 중년 남자이다. 또한 KBS에서 제작한 다큐멘터리, 〈황혼－노인요양원에서 보낸 3일〉(2010)이 있다. 노인의 사랑과 성문제에 관한 영화는 〈시〉 (Poetry, 2010) 이외에도 〈죽어도 좋아〉!(Too Young To Die, 2002), 〈콜레라 시대의 사랑〉(Love in the Time of Cholera, 2007), 〈그대를 사랑합니다〉(2011) 등이 있다. 〈콜레라 시대의 사랑〉(124쪽 참조)은 콜롬비아 출신 노벨문학상 수상자인 가브리엘 가르시아 마르케스의 소설을 영화화하였으며 노인의학의 전반적인 문제를 잘 표현하고 있으며 '란셋'이라는 의학회지에도 소개되기도 하였다.[7]

영화의 후반부에 이 영화의 주제인 시 – '아네스의 노래'가 나오는데 노무현 정부에서 문화관광부 장관을 지냈던 이창동 감독이 고 노무현 대통령을 추모하는 '시'라고 하였으나[8] 이를 부정하는 기사가 나오기도 하였으며[9] 그 시의 일부는 다음과 같다.

> "나는 당신을 축복합니다 / 검은 강물을 건너기 전에 내 영혼의 마지막 숨을 다해 / 나는 꿈꾸기 시작합니다 / 어느 햇빛 맑은 아침 다시 깨어나 부신 눈으로 / 머리맡에 선 당신을 만날 수 있기를"[10]

무더운 여름 조금 시원한 곳에서 한번 본다면 더 좋은 영화이다.

영화 및 시사회의 한 장면

그 후 이야기

영화에서 치매 초기 증상을 보인 노인을 연기하였던 배우 윤정희는 알츠하이머 치매를 앓고 있다고 한다. 피아니스트 백건우와 결혼하여 해외 연주 등에 늘 동행하면서 다정한 모습을 보여 잉꼬부부라는 이야기를 듣기도 하고 피아니스트로 활동하는 딸도 있다고 하는데,[11] 77세의 비교적 젊은 나이에 걸린 것 같아 안타깝다.

한편 007 제임스 본드의 주인공이며 유명 배우 숀 코넬리도 노인성 치매를 앓다가 90세 나이로 사망하였다고 하니 치매는 유명 배우들도 피해 갈 수 없나 보다.

---

1) 영화 시, Poetry, 2010, 감독; 이창동
2) 위키백과 – 밀양(영화) http://ko.wikipedia.org/wiki/밀양_(영화
3) 위키백과 – 시(영화) http://ko.wikipedia.org/wiki/시_(영화
4) 네이버 영화 - 시 http://movie.naver.com/movie/bi/mi/basic.nhn?code=70562
5) 70년대 여배우 트로이카 문희, 남정임, 윤정희 http://oh_mydress.blog.me/40189771253
6) 영화 '시' 김희라, 뇌졸중 치료 "병마 이겨낸 것이 연기에 도움" 이투데이 2011-11-29
7) Jones, A. H. (1997). "Literature and medicine: Garcia Marquez' Love in the time of cholera." Lancet 350(9085): 1169-1172
8) 이창동 "윤정희에 작은 보상됐길", 윤정희 "내심 황금종려상 기대…" 한겨레신문 2010-05-26
9) '시' 故노무현 추모? 이창동 "관련 없다" 뉴데일리 2010-06-17
10) 노무현 추모시집, 유시민 · 이창동 · 도종환 · 안도현 참여. 뉴시스 2013-05-08.
11) 윤정희, 치매 걸려 프랑스 방치?…백건우 측 "근거없는 주장" 한국경제, 2021-02-07

썸딩 더 로드 메이드
타고난 재능: 벤 카슨 스토리

손재주는 타고나는가?

Something the Lord Made, 2004,[1)]
Gifted Hands: The Ben Carson Story, 2009[2)]

노래와 춤, 스포츠 등 예능은 타고난 재능이 있어야 한다. 재능을 타고난 사람도 뼈를 깎는 노력을 하지 않으면 안 되겠지만, 재능이 없는 사람들은 아무리 노력하여도 일정 수준 이상은 올라가지 못한다고 한다. 야구에서도 엄청난 연습을 하면 수비는 잘할 수 있지만 타격은 타고나야 한다고 알려졌다.

그러면 수술하는 '손기술'도 그럴 가능성이 높은데 여기에 속한 영화로는 〈썸딩 더 로드 메이드〉와 〈타고난 재능: 벤 카슨 스토리〉가 있다. 'Something the Lord Made'라는 말은 숙어로 '솜씨 한번 기가 막히다', '손재주가 너무 좋다'라는 말이라고 한다. 존스 홉킨스 대학 현관에는 청색증을 가진 선천성 심장병 환자를 최초로 수술 치료한 'Blue baby doctor' 알프레드 블레이락(1899-1964) 의사 초상화가 걸려 있다. 이 영화는 이들이 처음으로 어려운 선천성 심장병 수술을 실시했을 때의 실화를 배경으로 만들어졌다. 대학 현관 블레이락 교수 초상화 옆에는 일반 양복을 입은 흑인

시놉시스[3)]

흑인차별이 극심했던 미국에서 타고난 손재주와 명석함으로 의사의 꿈을 도운 비비안 토마스의 실화이다. 1930년대 인종차별이 극심했던 시대, 내슈빌의 밴더빌트 대학 연구소에서 청소 등 잡일을 하던 흑인 청년 비비안 토마스는 대학 문턱에도 가보지 못했지만 탁월한 손재주로 저명한 백인 외과의사인 블레이락 박사의 조교가 된다. 그 후, 박사를 따라 존스홉킨스 의과대학으로 옮겨간 비비안은 블레이락의 주요 의학 연구와 동물실험에 없어서는 안 될 존재가 되어 간다.

유색인종은 뒷문으로 출입하고 화장실도 백인과 따로 써야 했던 시대에, 이 백인 의사와 흑인 조교는 끊임없이 언쟁하고 갈등하면서도 평생 떨어질 수 없는 동반자가 되었다. 극심한 논란 속에 치사율 백퍼센트였던 청색증 아기 환자의 심장을 세계 최초로 수술해 성공하면서, 마침내 신의 영역으로만 여겨졌던 심장 수술의 길을 열었다. 존스홉킨스 대학은 일평생 외과 의사들의 스승이었던 비비안 토마스에게 명예박사 학위를 수여하고, 그의 초상화를 블레이락 박사의 초상화와 함께 나란히 건다.

초상화도 걸려 있는데 이 사람이 비비안 토마스(1910-1985)이다. 그는 의사는 아니지만 블레이락을 도와서 수술을 성공할 수 있게 도와주었다.

비비안은 목수 출신으로 손재주가 좋았는데 경기가 좋지 않아 실직하고, 동물 실험실에 청소 등 잡일을 도와주기 위해 고용되었다. 나중에는 동물실험실에 근무하면서 실험을 도와준다. 특히 조그마한 동물실험을 할 때 눈에 보이지도 않는 좁은 심장에 손가락만 넣어 꿰매고 그 혈관을 완벽하게 연결하는 장면이 나온다. 이때 블레이락 교수가 감탄한 나머지 "This is like something the Lord Made(솜씨 한번 기가 막히네)"라고 한다.

〈타고난 재능〉은 벤 카슨이라는 흑인 신경외과 의사의 자서전적 소설 『천혜의 손』[4]을 영화화하였다. 디트로이트의 빈곤한 마을에서 태어난 흑인 소년, 시력이 떨어져 칠판이 잘 보이지 않았지만 잘 보이지 않는다는 것도 몰랐고, 빵점만 맞던 소년이 홀어머니의 헌신적인 교육 덕분에 재능을 발휘하게 된다. 의과대학을 졸업한 다음 112:1의 경쟁률을 뚫고 신경외과 전공의가 되었으며 마침내 전문의가 되었다. 그는 머리가 붙은 샴쌍둥이 수술에 성공하여 세계적으로 유명한 의사가 되었는데, 이 영화는 그 과정을 그린 감동 스토리이다. 이 수술이 성공하기 전에는 머리가 붙은 샴쌍둥이를 수술하려면 두 아이를 다 살릴 수 없기 때문에 어느 한쪽 아이를 선택해야 하였는데, 이 수술 성공 후 양쪽 다 건강하게 살릴 수 있었다. 샴쌍둥이를 수술하는 데 심장 수술할 때 사용하는 인공심폐기가 2대 필요하는 등 그렇게 많은 인력과 장비가 필요한지 이 영화를 보고 처음 알게 되었다.

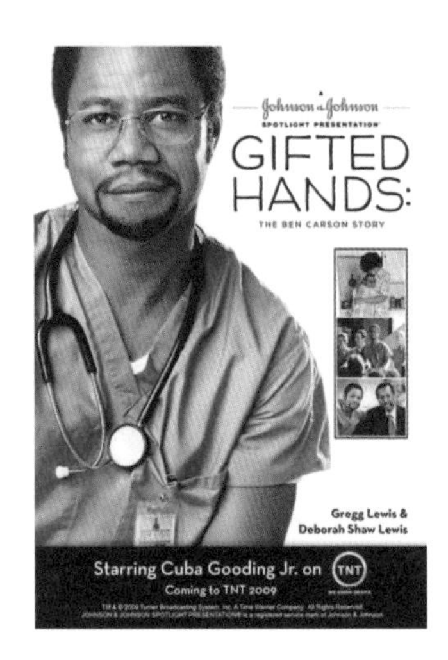

어느 날, 벤 카슨에게 기자가 찾아와 "오늘의 당신을 만들어 준 것은 무엇입니까?"라고 물었다. 그러자 그는 "어머니 덕분입니다, 어머니는 흑인이라고 따돌림을 당하고 꼴찌만 하는 내게 '벤, 넌 마음만 먹으면 무엇이든 할 수 있어!'라며 격려와 용기를 주셨습니다."라고 대답했다. 빈민가의 불량소년, 꼴찌 소년, 놀림과 따돌림을 받던 흑인 소년을 오늘날의 벤 카슨으로 변화시킨 것은 바로 그 어머니가 해준 말 한마디였다.[5]

똑같은 수술을 하여도 10~20분 차이가 아니라 30분 이상 빨리 수술하는 손재주를 가진 의사들이 있다. 물론 빨리 수술하는 것이 그 사람의 진정한 실력이라 볼 수는 없지만 손재주는 타고나는 것 같다. 2012년 유도 만능줄기세포(iPS Cell)로 노벨생리의학상을 받은 야마나카 신야는 정형외과 전공의 시절 다른 의사들은 20분 안에 끝낼 수 있던 수술을 2시간이나 끌어서 자마나카(걸림돌)라고 놀림을 받았지만 전공을 바꾸고 연구에 몰두한 뒤 노벨상을 받았다. 그런데 동물 실험할 때에는 많은 시간이 걸리지 않아서 그렇게 손재주가 없는 것은 아니었다고 하는데 어떤 필연적인 운명의 사슬이었을 수 있다.[6]

그 후 이야기

2015년 5월 이 영화의 실제 주인공 벤 카슨(공화당) 씨는 자신의 고향인 디트로이트에서 대통령 선거에 출마하였으나, 전당대회에서 트럼프에 패하고 트럼프가 대통령이 된다.[7]

---

1) 썸딩 더 로드 메이드 Something The Lord Made, 2004, 감독; 조셉 서전트
2) 타고난 재능: 벤 카슨 스토리 Gifted Hands: The Ben Carson Story, 2009, 감독; 토머스 카터
3) 네이버 영화. 썸딩 더 로드 메이드 http://movie.naver.com/movie/bi/mi/basic.nhn?code=43677
4) 벤 카슨(1993), 천혜의 손. 빛과소리
5) (5-1 국어-가 '신의 손'을 만든 말 중에서) 고상훈. 'A4 반쪽에 담긴 말, 이런 힘 있었구나 -아이들을 위한 긍정의 말 한 마디' 오마이뉴스 2015-06-08
6) 야마나카 신야 (2013) 김소연(역), 가능성의 발견 - 노벨상 수상자 야마나카 신야 교수의 자전 에세이, 놀림 받던 의사에서 세계적인 과학자가 되기까지. 해나무
7) 장진모. 공화당 대권 경쟁 '인종의 용광로' 한경 Business, 2015-05-18

야생의 순수 · 나라야마 부시코 · 고려장

고려장은 실제로 있었다?

The Savage Innocents, 1960 · Ballad Of Narayama, 1982 · 高麗葬, 1963

실제 우리나라에서 고려장이 있었는지 없었는지 논란의 여지가 많은데, 여러 방송 프로그램[1] [2]에서도 없었다는 결론을 내고 방송하기도 하였다.

그런데 얼마 전 89세 할머니를 진료하다가 고려장 이야기가 나왔는데, 실제 시골에서 고려장이 있었다고 한다. 고려장을 만들어 주는 사람도 있었다고 하며, 통상 알고 있듯이 먹을 것이 부족해서라기보다는 심한 치매나 정신질환이 있어서 집에서는 모시기 힘든 부모를 대상으로 했다고 한다. 산중턱 부근 비탈길에 굴을 뚫어서 만들고 큰 양푼에 먹을 것과 조그마한 등불을 켜기 위한 기름통을 같이 넣어 준 다음 입구를 큰 바위나 나무로 막아 놓았다고 한다.

국어사전[3]에 의하면 '예전에, 늙고 쇠약한 사람을 구덩이 속에 산 채로 버려두었다가 죽은 뒤에 장사 지냈다는 일'이라 풀이되어 있다. 몽고에서는 전쟁을 하거나 이동을 할 때 말을 탈 수 없는 노인들은 식량과 함께 그대로 두고 떠난다는데 이것도 고려장 풍습과 유사하다고 볼 수 있다. 피지 섬에서는 말기 노인을 생매장하는 풍습이 있었다고 한다. 우리가 생각하는 것같이 무섭고 이상한 풍습이 아니고 오히려 당사자 노인이나 마을 사람들 모두 축제 분위기라고 한다.[4] 나이가 들어 눈도 침침해지고 잘 들리지도 않고 다른 사람의 도움이 필요한 노인들은 걸림돌이 될 수밖에 없는 처지에 놓인다. 노인의학을 잘 이해하려면 이들 영화도 도움이 될 수 있다.

〈야생의 순수〉(1960)는 추운 알래스카를 배경으로 한 영화로, 니콜라스 레이 감독이 '문명의 위협에 직면한 낙원'이라는 주제로 에스키모인의 문화적 갈등을 그린 픽션으로, 에스키모의 생활방식을 조금이나마 엿볼 수 있다.

> "하지만 포우티(할머니)는 이제 쓸모없고 늙은 여자일 뿐이다.
> 이빨은 너무 닳아서 가죽을 씹을 수 없다.
> 손은 너무 뻣뻣해져 옷을 꿰맬 수 없다.
> 아지아크 뱃속의 (손자)아기가 세상에 나올 때가
> 늙은 포우티가 버려지는 때가 되는 것이다."
> — 영화 중 내레이션

〈나라야마 부시코〉는 1958년 기노시타 게이스케가 감독한 동명의 영화[5]를 리메이크하였기 때문에 거의 비슷한 시기에 제작되었다고 볼 수 있다. 일본의 이마무라 쇼헤이 감독은 이 영화

시놉시스[5)]

북극의 에스키모 사냥꾼 이누크(앤소니 퀸)는 아내를 갖기로 결심한다. 아시악(요코 타니)을 아내로 맞아 한동안 행복한 결혼 생활을 하던 이누크는 어느 날 총으로 사냥을 하는 한 에스키모를 만나게 되고 그가 백인들로부터 여우 가죽을 주고 총을 샀다는 사실을 알게 된다. 항상 활로만 사냥을 하던 그는 총에 매료되어 여우 100마리를 잡은 후 자신의 총을 사러 백인 총포상을 찾아 나선다.

시놉시스[7]

겨울은 고통의 계절이다. 척박한 토양에서 거둬들인 미약한 수확물로는 그들에게 겨울은 굶주림의 계절이기 때문이다. 남의 음식을 훔치는 건 가장 큰 죄로, 그 가족은 산채로 매장된다. 그리고 70세의 노인은 살아있는 사람들에게 짐이 되지 않기 위해 나라야마 산으로 떠나야 한다. 69세인 오린은 나라야마에 가기 위한 준비를 한다. 만나는 사람들마다 그녀는 이번 겨울에 나라야마에 갈 것임을 즐거운 얼굴로 알린다. 30년 전 자신의 아버지는 할머니를 버리지 않으려고 마을을 떠났고 그런 아버지를 평생 원망했지만 이제 아버지를 이해할 수 있다. 다츠헤이가 새 아내 타마얀을 맞게 되고(식구가 늘었다) 착하고 부지런한 새 며느리는 어머니의 마음에 쏙 들지만 이제 그녀는 할 일이 없어졌다. 그녀는 자신이 죽을 만큼 쇠약해졌다는 것을 알리기 위해 스스로 돌절구에 부딪쳐 자신의 이를 깨버린다. 고통에 못 이겨 찡그린 그녀의 얼굴은 온통 피투성이가 되지만 입가엔 희미한 미소가 감돈다.

로 1982년 칸 국제영화제 최고상인 황금종려상을 받았다. 이마무라 쇼헤이 감독은 1997년에도 〈우나기〉로 황금종려상을 한 번 더 받았다. 나라야마[8]는 졸참나무 산이라는 뜻이고 나라마야 부시코는 '졸참나무가 많은 산마을의 전승민요에 대한 고찰'이라는 뜻이라고 한다. 감독은 농촌의 성(性)을 묘사한 일본 작가의 소설 『동북의 신무여』를 합하여 새로운 영화를 만들었다.[9]

우리나라 영화로는 1963년 개봉한 김기영 감독의 〈고려장〉이 있다. 너무 가난하여 먹을 것이 부족한 상태에서 입이라도 하나 줄이려고 노인을 집에 돌아올 수 없는 깊은 산 속에 데려다 놓아 가져간 음식이 떨어지면 죽게 만든다는 내용이다.

2004년 초 40대 남성이 정신분열증과 치매로 정신요양원에 있던 60대 노모를 퇴원시켜 부산 낙동강변에 버려 익사케 만든 사건이 일어나 충격을 준 적이 있다. 이 남성은 요양비 부담을 견디기 어려워 이런 일을 저질렀다고 하는데,[10] '현대판 고려장' 사건이라고 부르기도 한다. 대부분 경제적인 원인으로 발생하며 요양병원이나 요양원에 입원시켜 놓고 발길을 끊기도 한다.

그러나 최근에는 다른 원인에 의한 고려장 사건이 발생하고 있다. 놀이공원에서 쓰러진 할머니를 구급대원들이 모시고 와서 심폐소생술을 시행하였으나 의식이 돌아오지 않아 사망선언을 하고 영안실로 옮겼다. 사인을 규명하기 위해 경찰관과 검안의가 흰 천을 벗겨보니 할머니의 심장과 호흡이 돌아와 있고 정신도 바로 돌아왔다는 것이다. 하마터면 큰일이 일어날 뻔 했는데, 응급실로 다시 옮겨 치료받아 의식이 돌아온 할머니가 병원에서 사라져

시놉시스[11]

기아에 허덕이는 화전민들의 마을, 원시적 생활을 영위하면서 미신에 얽매여 사는 그들 마을에는 나이 칠십이면 산 채로 업어다 버리는 폐습이 전해 내려오고 있다. 워낙 기아선상에서 허덕이는 그들에게 있어서는 하나의 엄격한 계율이었다. 그 엄한 계율을 어기고 한 아들이 어머니를 업고 버리러 갔다가 결국에는 자신도 그렇게 업혀 버림받을 것을 생각하고 다시 업고 돌아온다.

영화 〈고려장〉의 한 장면

버렸다. 치매를 앓고 있을 것으로 생각되는 할머니는 다시 놀이공원에서 발견되고, 경찰서에서 신원조회 한 결과 이미 사망신고가 되어 있었다. 가족여행 중에 바다에 빠져 죽은 것으로 알고 있었다는 것이다. 알고 보니 보험 사기와 관련된 현대판 고려장 사건이었다고 한다.[12]

또 한 사건은 길 잃은 치매 할머니가 발견되었는데 아들이 5명이나 있었다고 한다. 그런데 보험사 직원에 의해 밝혀진 사실에 의하면 사망보험을 가입하고 할머니를 유기하였다는 것이다. 실종 5년이 지난 후에 사망 처리가 되고 보험금을 받아간 후에 할머니가 발견되었는데, 할머니는 치매를 진단받은 적이 없었으며, 자녀들의 범죄 모의를 들은 할머니가 치매 역할을 충실히 하였다고 한다.[13] 어쩌다 꿈결에 아들 전화번호를 이야기하고 말았지만 5년 이상 모른 체하며 살아갔을 할머니가 대단하기도 하다.

한편 고 이규태 논설주간에 의하면 우리나라 지명에 살애비들, 살애비굴, 노사암(老捨岩), 노사굴(老捨窟) 등이 있는 것으로 미루어 살노속(殺老俗), 기로속(棄老俗)이 있었음을 의미한다고 한다. 그는 또 세종 10년 교지에 '고려 때는 무지몽매한 백성들이 미처 숨이 끊어지기도 전에 노부모를 밖에 내다 버리니 이 폐습을 두어둘 수 없다'는 기록이 있다고 한다.[14] 고려는 불교 국가였는데 이런 풍습이 있었는지는 잘 알 수 없다. 설화나 전설, 혹은 풍습 등 우리 문화의 감추고 싶은 부분일 수 있고, 기로장 등 다른 이름이었는데 고려장으로 이름이 고착화되었는지도 모른다.

그러나 생계로 인해 '부친을 생장'한 사건을 다룬 1924년 9월

13일자 동아일보라든지, '병든 장인을 고려장한 사위' 사건을 다룬 1934년 6월 9일자 조선중앙일보 보도 등[15]을 보면 유사한 사건들이 있었을 것으로 생각되는데, 최근에는 '돈이면 무엇이든 가능하다'라는 천민자본주의의 영향으로 다시 이런 용어를 사용하게 된다는 점은 우리 사회의 부끄러운 모습이다.

---

1) 이성욱. 충주 MBC 특선다큐 〈고려장은 있었는가〉 한겨레 1999.08.23. 고려장에 대한 이야기가 일제시대에 일본인들이 우리네 무덤을 도굴하기 위해 날조해 퍼뜨린 유언비어라고 밝히고 있다.
2) MBC '신비한 TV 서프라이즈, 고려장은 없었다' 2011-09-04 방송
3) 네이버 국어사전, 고려장. http://krdic.naver.com/detail.nhn?docid=2632300
4) 손영수. 의사가 바라본 연명의료결정법. 제31차 대한노인병학회 호남지회 심포지엄(2015-7-25). p34
5) 나라야마 부시코 Ballad Of Narayama, Narayama Bushiko, 1958, 감독; 기노시타 게이스케
6) 네이버 영화, 야생의 순수 http://movie.naver.com/movie/bi/mi/basic.nhn?code=65038
7) 네이버 영화, 나라야마 부시코 http://movie.naver.com/movie/bi/mi/basic.nhn?code=25366
8) 한자 표기는 '楢山'이지만, '奈良', '那羅', '寧楽', '平城' 등도 읽는 법은 모두 똑같으며, 나라야마(平城山)라는 지명도 있어서 여러 가지 뉘앙스로 사용하였을 가능성이 많다. https://ko.wikipedia.org/wiki/나라_시
9) 나라야마 부시코 [NARAYAMA BUSHI-KO] (죽기 전에 꼭 봐야 할 영화 1001편, 2005. 마로니에북스
10) 안종주. '나라야마 부시코'와 고령화 사회. 한겨레 신문. 2004-03-21
11) 네이버 영화. 고려장 http://movie.naver.com/movie/bi/mi/basic.nhn?code=19769
12) 사망 판정 받고 살아난 할머니, '현대판 고려장'의 희생자? 동아일보. 2015-01-13
13) 신동엽 용감한 기자들/현대판 고려장 눈물나는 이야기, 길 잃은 할머니. http://blog.naver.com/hane_by/220083438609
14) 이규태, 기로국(棄老國). 조선일보, 2004-04-05
15) 위키백과, 고려장 https://ko.wikipedia.org/wiki/고려장

어둠 속의 댄서

장애인의 삶과 성

Dancer in the Dark, 2000[1)]

몇 해 전까지만 해도 영화 속 장애인의 삶은 주류가 되지 못하였다. 하지만 이번에 소개할 영화는 벌써 10년이 넘은 당시 주류가 되지 못했던 장애인의 삶을 현실적이고 감성적으로 표현한 〈어둠 속의 댄서〉이다. 라스 폰 트리에 감독이 제작한 덴마크 영화로 영어로 제작되었으며 비극적 멜로 드라마와 뮤지컬 형식을 담고 있다. 탄탄한 구조와 시나리오로 관객들로 하여금 긴 여운을 남기고, 2001년 칸영화제에서 황금종려상과 여우주연상을 수상한 꼭 한번 찾아볼 만한 영화이다.

『정의란 무엇인가』로 유명한 마이클 샌달 교수는 『생명의 윤리를 말하다』의 도입부에서 아이를 원하는 레즈비언 커플이 기왕이면 자기들처럼 소리를 듣지 못하는 아이를 갖기로 작정하고, 유전성 청각장애인 가족에서 정자 공여자를 찾았다고 하는데, '이러한 일이 도덕적으로 옳은가 그른가?'라는 문제를 제기하면서 시작하고 있다.

시놉시스

시각 장애를 앓고 있는 주인공 셀마는 같은 유전병을 앓고 있는 그의 아이가 13세 이전에 수술하면 큰 장애를 남기지 않는다는 진단을 받는다. 수술비 마련을 위해 체코에서 미국으로 이민을 와서 돈 벌이가 되는 온갖 일을 다 한다. 본인의 소망은 탭댄스와 뮤지컬을 하는 배우이지만 그 꿈을 접고 닥치는 대로 야간작업 및 가내 수공업 등을 하며 돈을 모은다. 하지만 점점 시력이 떨어지는 장애를 앓고 있는 주인공은 생각처럼 쉽사리 돈이 모이지 않는다. 더욱이 셀마는 경찰인 집주인에게 그 돈마저 빼앗길 위기에 빠지고, 그 싸움 중에 집주인이 사망한다. 주인공은 현직 경찰이라는 공권력과의 대결이라는 희망 없는 싸움을 시작한다.

장애인의 성과 결혼에 관한 편견과 몰이해

장애인은 몸이 조금 불편할 뿐 식욕과 성욕을 가지고 있으며 사춘기 몸살을 겪을 수 있다고 하지만 이전부터 '장애인은 절대로 사랑을 해서는 안 된다.'하고 섹스 자체를 금지할 뿐만 아니라 출산 자체를 인정해 주지 않았다. 그러나 중증 장애인이라도 성적 욕구가 있다고 한다.[2] 우리나라에서도 2010년 조경덕 감독의 〈섹스 볼란티어〉[3]라는 영화가 무료로 개봉되어 화제를 불러일으킨 적이 있는데, 장애인의 성에 관하여 이야기하고 있다.

한편 성이라는 것은 아이를 낳는 것을 위해서고, 따라서 결혼한 사람들에게만 속하는 것이기 때문에 정신지체인은 아이를 낳아서는 안 된다고 하며, 그들은 결혼할 기회도 없어서 성행위를 할 필요도 없고 그 권리도 없다는 논리가 성립된다고 주장하는 편파적인 시각을 가진 이들도 있다. 먹는 것, 자는 것과는 달리 인간은 성행위를 하지 않아도 살아가는 것이 가능하다. 하지만 장애인이 성적 억압을 받고 있는 것은 아주 다르다.[4] 〈어둠 속의 댄서〉에서도 셀마의 친구가 '유전병이 확실한데 왜 아이를 낳았냐?'고 비난하지만, 셀마는 "나도 내 핏

섹스 볼란티어 포스터

덩어리를 내 손으로 안아 보고 싶었다."고 항변한다.

최근 해외토픽에서는 장애자 관련된 영국법원 관련 뉴스가 두 가지 있었다. '지적장애 딸의 강제 불임시술 명령 요구한 영국 엄마의 사연'[5]과 '영국 법원, "IQ 낮으면 섹스도 안 돼"라고 성관계를 금지한 판결'[6]이다. 첫 번째 사연은 21살의 여성이 아이를 하나 낳고 또 임신 중인데 더 이상 낳지 않게 해 달라는 사연이고, 두 번째 사연은 "장애자 앨런은 자신의 행동과 관련해 건강상의 위험을 이해하는 지능을 갖고 있지 않으며, 현시점에서 앨런은 성적인 관계에 관여하고 동의할 수 있는 능력을 갖고 있지 않다"며 정신과 의사는 앨런의 문란함을 치료하기 위해 성교육을 실시하라고 명령했다고 한다. 그런데 선진국가인 영국의 '의사결정 능력에 관한 법률(Mental Capacity Act 2005)'에 따르면 판사는 지능이 낮은 사람에게 수술, 낙태, 피임 등에 대한 결정을 내릴 수 있다고 한다.

벅 대 벨(Buck vs Bell) 재판에 관한 소고

2009년 6월 '유에스에이(USA) 투데이'의 보도에 따르면 버지니아 주는 유전적으로 열등한 아동의 출산을 막는다는 핑계로 간질환자, 정신박약자, 저능아 등에 대해 강제 불임수술을 실시하는 단종법을 1924년 제정해 시행했다고 하며, 1974년 이 법률이 공식 폐지되기까지 50여 년간 강제로 불임수술을 당한 버지니아 주민은 8300여 명에 달했다고 한다.[7]

이 법의 첫 피해자는 캐리 벅(Carrie Buck)이란 여성인데 버지니아 주 샬러츠빌에서 태어난 그녀는 어머니가 정신박약자여서 린 치버그에 있는 '정신박약자 수용소'에 수용됨에 따라 양부모 밑에서 자라다가 17살 때 임신을 하게 된다. 그녀는 성폭행을 당한 것이라고 설명했지만 양부모는 그녀를 어머니가 있는 수용소로 보내고, 그녀가 출산한 아이조차 빼앗았다.

수용소 측은 버지니아 주의 단종법에 의거하여 벅에 대해 불임수술을 시도했고, 이를 둘러싼 논란은 법정으로 옮겨갔는데 소송 명칭은 벅과 수용소장인 존 벨의 이름을 딴 '벅 대(對) 벨(Buck vs. Bell)' 소송으로 붙여졌다. 불행히도 1925년 합헌으로 결정이 난 후 미국의 30여 개 주뿐만 아니라 전 세계의 우생학에 근거한 인종주의의 법률의 근거가 되었다.[8] '정신박약은 3대에 걸친 것으로 충분하다'가 이 판결을 맡은 연방대법관 홈즈 판사가 했던 유명한 말이 되었는데 실제로 3대에 걸쳐 장애를 가진 사람은 없었다.[9]

우리나라에서도 1983년부터 1998년까지 남자 40명과 여자 26명 등 66명의 정신 지체장애인들을 대상으로 강제 불임수술이 시행된 것으로 확인되었다.[10] 우리나라 모자 보건법은 1973년 보건복지부 장관의 명령에 의해서만 유전질환을 예방하기 위해 강제 불임수술을 할 수 있도록 했으나 1998년 법 개정으로 이 조항 자체가 완전삭제 되었다. 미국에서는 1974년에 폐지되었는데 우리나라에서는 1973년에 제정이 되고 25년 뒤인 1998년에야 폐지되었다.

과연 셀마는 재판을 받을 수 있을까?

영화에서는 세상에서 제일 힘없는 장애인 여성과 공권력의 대표라고 할 수 있는 경찰과의 싸움이 진행된다. 무전유죄라고 해서 정상인이라도 돈이 없는 사람은 무척이나 불리한데, 공권력 특히나 경찰하고 시시비비를 가리기는 결코 쉽지 않을 것이다. 사형제도 관련 영화의 대표 중 하나인 〈데이비드 게일〉(The Life Of David Gale, 2003)에서도 게일은 경찰을 살해한 혐의로 사형을 선고받은 17세의 소녀 구명운동을 요청받았을 때, "이건 가능성이 전혀 없는 일이야!"라고 소리친다. 광주 모 장애인학교에서 일어난 실화를 바탕으로 한 소설 공지영의 〈도가니〉에서도 장애인은 피고인 조사받기도 재판받기도 쉽지 않다는 것을 잘 보여준다.

셀마가 선택한 것이 올바른 길일까?

셀마의 친구들이 '아이한테는 장애 없이 사는 것보다도 엄마가 더 필요하다'고 주장한다. 그렇지만 셀마는 아무 대꾸를 하지 않고 아이를 한 번도 면회하지 않는다. 단지 친구에게 아들의 안과 수술을 부탁한 다음 '사형'을 선택한다.

셀마는 "과거도 보았고 미래도 안답니다. 난 다 보았어요. 더 이상 볼 것은 없답니다."라고 체념의 노래를 부르고, 절망의 늪에 빠졌을 때도 "바보 같은 셀마, 다 너 때문이야"라고 노래를 부른다. 과연 셀마는 비난을 받아야 마땅할까? 유전성 시각 장애인이 아이를 낳아 본인과 같은 시각장애 아이가 태어났고, 아이의 수술을 위해 오직 돈만을 벌기 위해 죽자 살자 일을 하였다. 정당방위라고 할 수도 있는 상황에서 사람을 죽였으나 변명 한번 하지 않고, 아니 거짓말을 하고 사형장의 이슬로 사라지는 것이 옳게 사는 것일까? 장애인이 사랑을 한 것이, 아이를 낳고 키우는 것이 이렇게 힘든 것일까?

여자 주인공으로 나오는 비욕은 11세에 음반을 제작한 아이슬란드 출신 천재 음악가이다. 비욕은 아이슬란드 말로는 자작나무라는 의미이고 비교적 흔한 여성 이름이다. 영화 출연은 서너 번이고 〈어둠 속의 댄서〉로 칸 영화제에서 여우주연상을 받았지만 이 영화 촬영 후에 영화에 출연하지 않겠다고 선언하였다. 영화 제작 시에도 감독과 불화로 말다툼도 심하였고 모니터 몇 대를 박살내었다고 한다. 또한 동남아 순회 도중에 파파라치의 뺨을 때려서 화제가 되기도 하였다. 그렇지만 영화에서는 어린애 같은 너무 청순한 이미지 – 정말 이기심이라고는 조금도 없을 것 같은 모습을 보여주며, 공장에서 프레스 기계의 시퍼런 칼날이 하얀 손목

2004년 아테네 올림픽 개막공연에서 '오세아니아'를 부르는 비욕[11]

근처를 배회할 때에도 쿵쾅거리는 톱니바퀴와 나사의 소음에 맞춰 춤을 추며 노래 부른다.

비욕은 2004년 8월 아테네 올림픽 개막식에서 '오세아니아 Oceania'를 부르면서 큰 감명을 일으켰다. 정말 영화에 나오는 셀마와 동일인일까 하는 생각이 들었다.

---

1) 어둠 속의 댄서 Dancer In The Dark, 2000. 감독; 라스 폰 트리에
2) 가와이 가오리, 육민혜(역) 억눌린 장애인의 성 (セックスボランティア) 아롬미디어. 2005
3) 섹스 볼란티어 Sex Volunteer, 2009. 감독; 조경덕
4) 장애인의 성과 결혼. 히라야마 야사시, 권도용, 나운환 (옮긴이). 엘맨, 1994
5) 지적장애 딸의 강제 불임시술 명령 요구한 英 엄마의 사연. 뉴시스 2011-02-16
6) 英법원, "IQ 낮으면 섹스도 안돼" 성관계 금지 판결. 뉴시스 2011-02-07
7) 美 수치스런 역사 '단종법' 진상을 밝히다. 연합뉴스., 2009-06-25
8) (가려진 역사의 진실을 향해) 다시 읽는 미국사. 손영호. 교보문고. 2011
9) 성과 이성. Posner, Richard A. 이민아, 이은지, 말글빛냄, 2007
10) '정신장애인 불임수술 관이 주도' / 김홍신 의원 주장. 보건소별 할당 실적우수자 포상까지. 한겨레 1999-08-23
11) Oceania - Bjork @ Athens 2004 Opening Ceremony https://youtu.be/Canm7glYFgg

어웨이크

마취 중 각성

Awake, 2007[1]

2015년 1월 폴란드에서 뇌수술을 하는 도중 깨어난 10대 여성 환자가 자신을 수술하던 의사에게 "수술은 잘 되고 있나요?"라고 했다는 의학 관련 뉴스[2]가 있었는데, 전문가들은 "수술 도중 뇌 어느 부위가 자극되어 마취가 풀렸거나 처음부터 마취가 제대로 되지 않았을 가능성이 있다."고 설명하지만, 수술 후에 환자 자신은 그 일을 기억하지 못하였다고 한다.

이렇듯 전신 마취 도중 환자의 의식이 깨어 있어 외부의 자극을 인지하고, 그것을 기억하는 것을 마취 중 각성이라고 한다. 마취 중 각성이 발생하면 환자는 주위의 소리를 듣거나, 수술의 고통, 숨쉴 수 없는 압박 등을 느끼게 된다.[3] 환자는 그 과정을 완전히 기억할 수도 있지만, 정밀한 심리검사 등을 통해서만 알아낼 수 있는 암시적인 기억일 수도 있다고 하며, 이를 경험한 일부 환자는 그 불유쾌한 고통 때문에 외상 후 스트레스 장애를 앓기도 한다.

시놉시스[4]

뉴욕 경제의 중심에 있는 젊은 백만장자 클레이는 심장을 이식받아야만 살 수 있는 말기 심장병 환자이다. 어머니가 반대하지만 그는 아름다운 여인 샘과의 결혼을 감행하고, 자신의 친구이며 흉부외과 의사 잭에게 심장 이식 수술을 받을 것을 결심한다. 어머니 몰래 꿈만 같던 결혼식을 끝낸 저녁, 기적같이 심장 이식 수술을 받게 된다. 그러나 그는 수술 도중 '마취 중 각성'을 겪게 되고, 이로 인해 그의 모든 신경과 의식이 깨어나 끔찍한 고통 속에서 충격적인 음모에 대해 알게 된다.

심한 외상 환자의 수술이나, 제왕절개술, 심장 수술 등에서 비교적 많이 관찰되는데, 혈압이 약하고 전신상태가 좋지 못하여 마취를 약하게 하거나 근육 이완제 등을 많이 사용하는 경우에 발생한다. 마취 중 각성에 대한 영화는 〈어웨이크〉가 잘 알려져 있지만 한국영화 〈리턴〉[5]도 이를 소재로 삼았다. 언젠가 심장수술을 많이 하는 흉부외과 교수에게 이 문제를 물어보았는데 수술 중 환자가 묶여 있는 손으로 의사의 몸을 두드리는 행동을 하는 등 심장 수술에서 발생하는 마취 중 각성을 가끔 경험한다고 하였다.

〈어웨이크〉처럼 심장 수술에 관한 영화는 〈존 큐〉(John Q, 2002), 〈21그램〉(21 Grams, 2003), 〈썸딩 더 로드 메이드〉(Something the Lord Made, 2004) 등이 있다.

〈존 큐〉에서 주인공의 아들이 야구 게임 중 쓰러지고 심장 이식술이 필요한 상황이지만 보험에서는 지원되지 않는다고 하고, 조직 적합성 항원검사(HLA typing) 검사비 또한 비싸다. 겨우 검사비를 마련하여 대기자 명단에 올렸으나 심장 이식수술까지는 넘어야 할 장애물이 많기만 하다. 아들을 살리려는 아버지의 헌신적인 노력을 볼 수 있으며, 미국 의료보험 문제를 관찰할 수 있다. 미국 의료보험을 잘 볼 수 있는 영화는 〈식코〉(Sicko, 2007)이며, 우리나라 의사 출신 송윤희 감독이 제작한 〈하얀 정글〉(White Jungle, 2011)에서도 우리나라 의료시스템의 불편한 진실 등을 볼 수 있다.

'수술 중 각성'을 예방하기 위하여 여러 가지 연구가 진행되지만 마취되는 과정의 뇌파 분석을 통해 무의식 상태에 대한 정량적인 판단을 통해 이루어질 수 있다는 연구가 국내 연구진의 연구를 통해 보고되기도 하였다.[6] 한편 정밀한 뇌수술을 할 때 사지가 마비되는 등의 부작용을 예방하기 위하여, 마취를 통해 환자의 통증을 억제하고 의식은 깨운 상태에서 팔, 다리 등 신체의 마비 정도를 상시로 체크하며 수술을 진행하는 '각성시 뇌수술'이라는 분야도 발전해 나가고 있다.[7]

얼마 전 모 성형외과에서 수술 중 의료인들의 담화 내용을 녹음하여, 성추행을 당하였다고 고소한 사건이 있었는데, '낮말은 새가 듣고, 밤말은 쥐가 듣는다.'는 속담처럼 말조심하는 수준을 넘어서, 환자를 진료할 때는 환자를 잘 보살피는 것뿐만 아니라 환자를 사랑하는 마음으로 임해야 한다. 마취를 했다고 해서 못 듣는 것은 아니고 설령 환자가 기억하지 못할지라도 환자에게 나쁜 이야기를 하지 않는 것은 물론 희망을 주는 좋은 이야기를 해 주는 것이 좋다. 의료인의 말 한마디가 병을 낫게 할 수 있고 그의 인생을 바꿀 수도 있다.

최근 사람들의 말이 무척 거칠어졌는데, 수술을 담당한 의사나 동료 혹은 후배 의사, 또는 간호사 등 의료인 동료들 간에도 마찬가지이다. 수술 시간이 길어지고 조직검사 결과 등을 기다리는 무료한 시간에 유쾌한 이야기로 분위기를 전환시키는 시도는 할 수 있다. 그러나 명예나 인격을 손상시키는 유머는 절대 해서는 안 되며, 성적인 농담, 종교나 장애자, 특정 인종관련 이야기 등은 하지 않아야 한다. 특히 누워있는 환자에 관한 이야기는 절대 하지 말아야 한다. 환자 본인에게는 해당되는 이야기가 아닐 수 있지만 듣고 있는 환자는 괴롭기만 하다. '가루는 칠수록 고와지고 말은 할수록 거칠어진다.'고 한 옛 사람들의 관찰을 더욱 절감하게 되는데 말 한 마디 한 마디를 신중히 가려서 해야 할 것이다.[8)]

---

1) 어웨이크 Awake, 2007, 감독: 조비 해롤드
2) 신태철. 뇌수술 받던 여성이 돌연 깨어나 의사에게 "수술 잘 돼가요?"… 이거 사실이야? 국민일보. 2015-01-05
3) 네이버 지식백과, 마취 중 각성 [awareness during general anesthesia]
4) 네이버 영화, 어웨이크 http://movie.naver.com/movie/bi/mi/basic.nhn?code=56232
5) 리턴 Return, 2007, 감독; 이규만
6) 국내 공동연구진들, '수술 중 각성' 막는 길 열었다. 한국일보, 2008-12-11
7) 서울대병원 "대뇌 전두엽 종양 합병증 없이 수술 성공." 메디칼타임즈 2015-05-15
8) 네이버 지식백과, 말 (한국민족문화대백과, 한국학중앙연구원) http://terms.naver.com/entry.nhn?docId=545420

엄청나게 시끄럽고 믿을 수 없게 가까운 · 더 웨이 · 와일드

걸으면서 트라우마를 극복

Extremely Loud And Incredibly Close,2011 · The Way, 2010 · Wild, 2014

세월호 사건으로 전국이 충격에 빠진 지 벌써 10여 년이 된다. 9 · 11 테러는 2001년에 발생하였으니 벌써 20여 년이 지났다.

진상규명 및 재발 방지 등 처음에 부르짖었던 대책들도 시원스럽게 진행이 안 된 것 같아서 안타까운 생각이 든다. 생존자 및 유족들을 위한 대책도 트라우마센터 유치, 심리상담 치료, 생계비 지원 예산확보 등 풀어야 할 난제가 많은데, 이것이 우리의 현주소인 것 같아서 아쉽다. 하나의 사건인데 해석하는 것은 본인들의 입장에 따라 너무 다르다 보니 때로는 누구의 말이 옳은 것인지 헷갈리기도 하고 오히려 피해자의 아픔을 더하는 것이 아닌가 하는 생각이 든다.

트레킹이라고 하는 장기간 걷기로 트라우마를 극복해 나가는 영화로는 〈엄청나게 시끄럽고 믿을 수 없게 가까운〉, 〈더 웨이〉, 〈와일드〉가 있다. 〈엄청나게 시끄럽고 믿을 수 없게 가까운〉은 어린아이, 〈더 웨이〉는 60대 남성, 〈와일드〉는 20대 여성이 트레킹 걷기를 통해 트라우마를 극복하고 인생이 바뀌어 가는 과정을 보여준다.

〈엄청나게 시끄럽고 믿을 수 없게 가까운〉[1]은 2001년 9·11 테러 사건으로 아빠를 잃은 약간의 자폐증이 있는 열한 살 소년의 트라우마 극복 과정을 그린 영화이다.

평소 아버지는 두려움을 스스로 극복하도록 노력을 많이 기울여 왔는데 9·11 테러 사건으로 목숨을 잃는다. 힘든 1년이 지난 후 아들은 아버지의 유품 중 꽃병 속에서 'Black'이라는 이름이 씌어진 열쇠를 발견하게 된다. 아버지의 평소 못다 한 이야기가 있을 것이라 생각하고 뉴욕 시내에 있는 Black 성을 가진 모든 사람들을 찾아다닌다. 두려움으로 버스나 지하철을 탈 수 없기 때문에 걸어서 다니게 되고, 저마다 슬픔을 가진 사람들을 만나게 되

는데, 사실 열쇠는 아버지와는 아무 상관 없는 다른 사람의 것이다. 엄마와의 관계에서도 "9·11 테러 현장에 있어야 할 사람은 아빠가 아니라 엄마여야 했어."라며 상처를 많이 주지만 고통 속에서 엄마는 아이의 계획을 조용히 지켜보면서 도와준다. 정말 엄청나게 시끄럽지만 믿을 수 없게 가까운 사

람이 엄마라는 것을 깨달아 가는 과정을 보여준다.

다음은 이 영화의 대사 중 일부인데 세월호 사건보다 한참 이전의 사건임에도 불구하고 유사한 내용이 나오는 바람에 깜짝 놀랐다. 9 · 11 사건 당시 아이 아빠 토마스는 무역센터 건물에서 회의 중이었고, 사고 직후 아직 빌딩이 무너지기 직전에 전화로 부인과 통화하는 내용이다.

'일이 생겼는데 난 괜찮아… / 그대로 있으라고 하네 /
소방관을 기다리래 / 괜찮을 거야…'

'무슨… 일인지 말해줘야지. /
지금 있는 곳에서 기다리라고 했고… /
소방관이 오고 있다고 /
모두 괜찮고 기다리고 있다고'

영화 후반부에 '기다리지 말고 빨리 탈출하여 나오라는' 우리 모두의 간절한 소망이 터져 나온다.

'토마스, 잘 들어요… 이렇게 해요 / 계단을 찾아요 - 들려요? - /
계단을 찾아서 빨리 집으로 와요.'

두 번째 영화인 〈더 웨이〉[2]는 버클리대에서 박사 코스를 밟고 있던 아들이 학업 중단을 선언하고 '세상을 제대로 배우겠다.'며 홀로 여행을 나선다. 그러나 피레네 산맥의 프랑스 쪽에서 스페

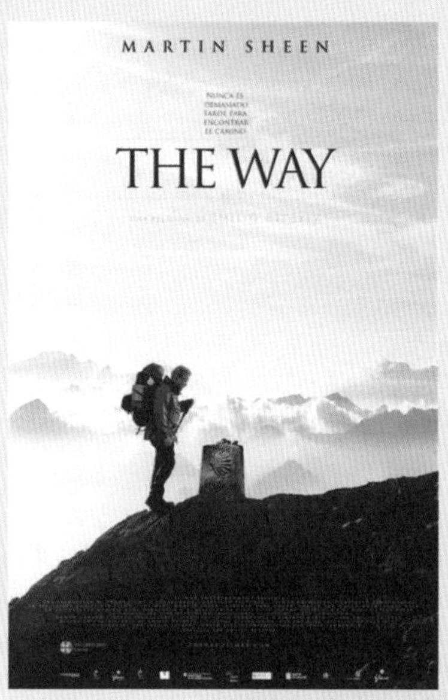
MARTIN SHEEN
NUNCA ES
DEMASIADO
TARDE PARA
ENCONTRAR
EL CAMINO
THE WAY

4285km,
이것은 누구나의 삶이자 희망의 기록이다
wild
와일드
《뉴욕 타임스》 논픽션 1위, 2012 아마존 선정 '올해의 책'
전 세계 21개국 출간 밀리언셀러

REESE WITHERSPOON
Wild

인의 산티아고에 이르는 순례를 출발하던 첫날 사고를 당해 사망하고 만다. 여행 중 사망한 아들의 유해를 안고 안과 의사인 아버지는 산티아고 길(El camino de Santiago) 순례에 떠난다. 그 길에서 여러 가지 사연을 가진 사람들과 함께 한다. '산티아고 길'은 파울로 코엘료의 처녀작이자 자전적 소설 『순례자』[3] 때문에 유명해진 순롓길이다. 세계 3대 트레일 코스 중 하나인 유명한 트레킹 코스이다. 아버지는 처음에는 아들 유해를 찾아 가지고 미국으로 돌아오려고 하였다. 그러나 아들의 트레킹 장비를 보고 늙은(?) 나이에 길을 나서면서 다른 이들뿐만 아니라 아들과 함께 순례하게 된다. 소아과 의사 조석필도 부인과 함께 트레일 코스를 다녀와서 『길의 기쁨, 산티아고』[4]라는 책을 썼는데, 『산경표를 찾아서』, 『태백산맥은 없다』 등의 책을 쓴 전문 산악인답게 그 과정을 자세하게 소개하고 있다.

세 번째 영화인 〈와일드〉[5]는 우리나라에서는 2015년에 소개된 여성 영화로 동명의 소설[6]을 영화화하였다. 가난한 삶, 폭력적인 아빠, 부모의 이혼으로 불우했던 유년 시절을 지나 엄마와 함께 행복한 인생을 맞이하려던 순간, 유일한 삶의 희망이자 온몸을 다해 의지했던 엄마가 45세의 젊은 나이에 갑작스럽게 암으로 세상을 떠난다. 엄마의 죽음 이후 인생을 포기한 주인공 셰릴 스트레이드는 스스로 자신의 삶을 파괴해 간다. 어느 날 지난날의 슬픔을 극복하고 상처를 치유하기 위해 2650마일(4285km)에 달하는 악마의 코스, 삶과 죽음을 넘나드는 극한의 퍼시픽 크레스트 트레일(Pacific Crest Trail, PCT)[7]을 홀로 걸어가는 26세 여성의 94일간의 스토리다. 트라우마를 극복하고 엄마의 자랑스러운 딸로 되돌아가려는 힘겨운 여정을 잔잔한 음악과 함께 보여준다.

퍼시픽 크레스트 트레일은 미국 서부 멕시코 국경에서 캐나다에 이르는 캐스케이드 산군에서 캘리포니아, 오리건, 워싱턴 주를 가로지르는 4285km 트레킹 코스이다.

트레일과 트레킹의 차이[8)]

서로 혼용하여 사용하고 있으나, '트레일'은 길게 걷도록 만들어진 또는 그렇게 연결한 길을 말하는데, 우리나라말로 하면 '둘레길', '탐방로'라고 볼 수 있으며, '트레킹'은 산길을 오래 걷는 행위를 말하고, '트레일'은 행위보다는 '길고 오래 걸을 수 있는 길' 자체를 의미한다.

청주교구 윤병훈 신부는 페이스북에서 "'세상보기' 산행 트레킹은 큰 바위 속을 깨어 미래의 작품을 꺼내는 석공과도 같은 그런 진지한 노력이다. 깊은 곳에 담겨 있어 깨지 않으면 나올 수 없는 생산적 요소들을 꺼내어 걸작을 만드는 작업이다."라고 하였으며, 정신과 전문의 이홍식 교수도 『나는 나를 위로한다』[9)]라는 책에서 "걷기 여행은 참 행복을 발견하는 명상 그 자체다. 따사로운 햇빛, 맑은 공기, 바다 냄새, 새소리와 함께 하며 걷다 보면 구도자가 된다."고 말하였다. 세월호 유가족의 일부도 단원고~팽목항~대전에 이르는 길(900km)을 도보로 순례하였다.[10)] 우여곡절 끝에 순례를 마친 이들은 과연 원하는 것을 얻었을까? 높은 산에 올랐을 때처럼, 처음에 의도한 바와 같은 결과는 아니더라도 무엇인가 가슴이 충만됨을 느꼈을 것이다.

트라우마를 극복할 때 소설 등을 읽는 방법[11]도 있고, 영화에 푹 빠져 보는 방법[12]도 있지만 만사를 제쳐두고 둘레길이나 산행을 떠나보는 것도 좋을 것 같다.

---

1) 엄청나게 시끄럽고 믿을 수 없게 가까운 Extemely Loud And Incredibly Close, 2011, 감독; 스티븐 달드리
2) 더 웨이 The Way, 2010, 감독; 에밀리오 에스테베즈
3) 파울로 코엘료, 박명숙 (역), 문학동네, 2011-10-05, 원제 O Diario de um Mago (1987년)
4) 조석필(2014). 길의 기쁨, 산티아고: 조복희 조석필 부부 산티아고 순례길 38일의 기록, 산악문화
5) 와일드 Wild, 2014, 감독; 장 마크 발레
6) 셰릴스트레이드, 우진하(역) (2012). 와일드 - 4285km, 이것은 누구나의 삶이자 희망의 기록이다. 나무의철학
7) What is the PCT https://theravens15.wordpress.com/trails/pct/what-is-the-pct/
8) 강세훈, 길에서 길을 얘기하다 - 한국에서 트레일의 의미? 매일경제 2015-01-19
9) 이홍식 (2011). 나는 나를 위로한다. 서울, 초록나무
10) 세월호 유가족 도보 순례단, 6㎏ 십자가 메고 900㎞를 쉬지 않고 걸었다 경향신문, 2014-08-14
11) 한귀은(2011). 이별리뷰: 이별을 재음미하는 가장 안전한 방법, 책 읽기. 파주, 이봄.
12) 김준기(2009). (영화로 만나는) 치유의 심리학. 서울, 시그마북스

엑스페리먼트

무엇이 선량한 사람을 악하게 만드는가

The Experiment, 2010[1)]

이번에 소개하는 영화는 〈엑스페리먼트〉라는 할리우드 영화로, 스탠포드 대학에서 실시한 모의 가상실험 '스탠포드 교도소 실험'을 배경으로 영화로 만들었다. 2001년에 독일에서도 동명의 영화[2)]가 제작되어 화제가 된 적이 있다.

심리학자 필립 짐바르도에 의해 시행된 스탠포드 교도소 실험은 '교도소의 생활이 인간의 심리에 미치는 영향'을 실험하기 위해 24 명의 신청자를 모집해 무작위로 죄수와 간수로 나누었다. 실험 초기에는 실험 자체를 하나의 게임으로 받아들이며 규율과 질서를 지켰던 실험 참가자들이 시간이 지나면서 점차 비정상적으로 변해갔다. 교도관들은 모욕적인 기합과 폭행을 일삼았으며, 이에 저항하던 죄수들은 실험임을 알면서도 점점 우울증과 자기 비하에 빠지게 되었다.

하지만 더 충격적인 것은 원할 때 언제든지 실험을 중단할 수 있는 상황이었지만 몇 명을 제외하고 대부분의 실험 참가자들이

시놉시스[3]

트래비스는 사랑하는 연인 베이와 함께 여행을 가기 위한 목적으로 무작정 한 프로젝트 실험에 참여하게 된다. 그 실험은 다양한 인종과 연령대 남자들을 간수와 죄수 그룹으로 나눈 다음 2주간 가상의 감옥 체험을 하는 것이다. 벤지, 닉스 등과 함께 죄수 그룹에 들어간 트래비스는 그곳 사람들과 어울리며 실험 자체를 대수롭지 않게 생각하지만, 실험 2일째 사소한 다툼이 간수 그룹에 속해 있던 배리스와 체이스를 자극하며 실험 참가자들은 점차 간수와 죄수의 역할을 현실로 받아들이게 된다. 점점 폭력적으로 변화하는 배리스 집단과 그에 반항하는 트래비스 집단. 실험 5일째, 첫 번째 살인이 발생하면서 가상의 실험은 점차 파국의 현실로 치닫게 된다.

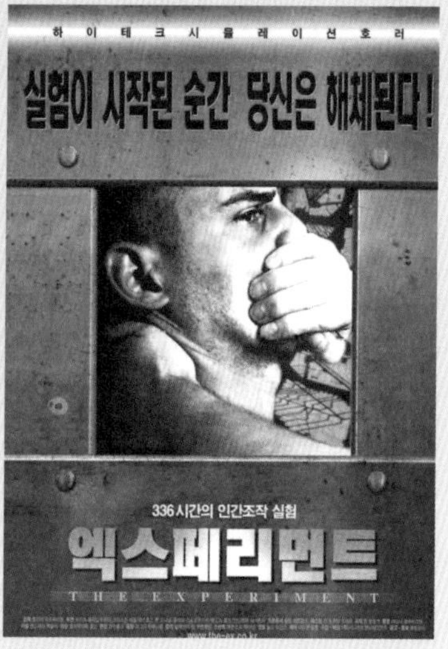

그만두지 않았다는 사실인데, 실험의 심각성을 느낀 짐바르도 박사는 2주 동안 계획하였던 실험을 단 5일 만에 종결시켰다.[4]

2007년 바르도는 실험 35년 만에 그 실험과정과 결과를 공개하면서 2004년 이라크 아부그라이드 포로수용소에서 발생한 포로학대사건의 분석과 함께 『루시퍼 이펙트』라는 책[5]을 출간하였다. 아부그라이드 포로수용소에서 발생한 사건은 '스탠포드 교도소 실험'과 엄청난 유사성을 갖고 있으며, 이는 '어물전 망신은 꼴뚜기가 시키듯'이 일부 '썩은 사과'가 미국 사회를 창피하게 한 것이 아니라 '썩은 상자'라는 어떤 상황에 빠지면 선량한 사람조차 악마(루시퍼)로 변할 수 있다는 것이다. TED(Technology, Entertainment, Design) 강의에서도 짐바르도는 '무엇이 사람을 잘못된 길로 이끄는가? 반면에 영웅은 어떻게 만들어지는가?'라는

주제 하에 강의를 한 적이 있는데, 당시 실험을 중단시킨 동료와 결혼하였다고 한다.

맹자에 의하면 인간의 본성으로서는 악(惡)에 이르는 욕망도 사실은 존재하지만, 맹자는 그 사실을 인정하면서도 도덕적 요청으로서 본성이 선(善)한 것이라고 주장하고, 그렇게 함으로써 모든 사람의 도덕에 대한 의욕을 조장하려고 하였다. 따라서 사람으로서의 수양은 '욕심을 적게' 하여 본래의 그 선성(善性)을 길러내는 일이다고 하였다.[6)]

우리나라에서도 2008년 「EBS '리얼 프로젝트 X, 감옥 체험 편」에서 스탠포드 교도소 실험과 유사한 실험을 재현한 적이 있으며, SBS 긴급출동 SOS '감옥살이 기도원'에서도 수용자에 대한 비인간적인 처사를 할 수 있다는 점은 인간이 얼마나 타락할 수 있는가를 보여준다.

비슷한 심리 실험에는 '밀그램의 실험(Milgram experiment, 밀그램의 전기 충격 실험)'[7)]도 있는데, 스탠리 밀그램(Stanley Milgram)이 1963년에 '복종에 관한 행동의 연구'라는 복종 실험의 논문을 발표하였고 1974년에 『권위에의 복종(Obedience to Authority)』이라는 책을 출간하였다. 밀그램은 권위에 대한 복종에 대해 연구하던 중 (홀로코스트 동안 많은 전범자들이 상관이 시켜서 하는 일이라 주장함.) 사람들이 파괴적인 복종에 굴복하는 이유가 성격보다 상황에 있다고 믿고, 굉장히 설득력 있는 상황이 생기면 아무리 이성적인 사람이라도 윤리적, 도덕적인 규칙을 무시하고 명령에 따라 잔혹한 행위를 저지를 수 있다고 주장했다. 즉 자신에게 책임이 돌아오지 않을 때는 명령을 좀 더 쉽게 따른다는 것이다.

그러나 밀그램 연구는 심리학 역사상 가장 비인간적인 인간성 실험이라고 비난을 받고 밀그램은 1년간 자격정지를 받았으며, 터스키기 매독연구[8) 9)]와 함께 가장 비윤리적인 연구라는 비난을 받았다.[10)] 그런데 최근에 밝혀진 바에 의하면 과테말라에서 시행된 매독 연구는 더욱 비윤리적인 연구였다고 한다.[11)] 그런데 최근 제리 버거에 의해 '밀그램의 실험'을 다시 연구하였는데 유사한 결과가 관찰되었다고 한다.[12)] 즉 20세에서 81세 사이의 남성 29명과 여성 41명을 심문자와 피심문자로 나눈 뒤 피심문자가 질문에 거짓말을 할 경우 심문자가 가상의 전기충격을 가하도록 하였는데, 심문자 82.5%는 피심문자가 고통을 호소해도 지휘관의 강압 명령이 떨어지자 가상 고문기계의 전압을 최대치인 450V까지 올리는 반응을 보였으며, 이번엔 전압높이를 가상으로 설정하였으나 결과는 처음 연구와 거의 비슷했다고 한다.

윤홍길의 소설 『완장』[13)]에서도 제복이나 완장을 차면 보다 위압적으로 되고 부당한 요구를 하게 되며 많은 사람들은 주눅이 들기도 하고 그 명령에 복종한다는 것이다.

우리 속담에 '사흘 굶어 담 아니 넘을 사람 없다.'라는 말이 있는데, 사람이 변하는 데는 3일이면 충분하다는 이야기이다. 정말로 우리 몸 안에는 루시퍼 같은 악마가 꿈틀대고 있는 것은 아닌지, 도덕성을 유지하기 위해 얼마나 많은 노력을 해야 하는지 궁금하지 않을 수 없다. '교도소 실험'을 주도한 짐바르도도 주어진 환경과 역할, 분위기 등에 휩쓸려 가는 것은 인간의 다양한 본능에 따른 것임을 부인하진 않지만 자신의 의지와 행동을 소신 있게 지켜나가는 이른바 "영웅"으로서 살 수 있는 법도 알려준다. 즉 남들이 하지 않을 때 나서야 하며, 자기중심이 아닌 집단중심이어야 한다는 것이다.

2001년 독일 영화에서는 피실험자와 실험 자체를 관찰하는 실험자의 시선이 설정되어 있었으나 본 영화에서는 없어지고 폭력 수준도 완화된 대신 실험 종료 후의 허무한 표정들을 담고 있기 때문에[14] 두 영화 모두 보는 것을 권하나 먼저 나온 독일 영화를 보는 것도 좋을 것 같다.

1) 엑스페리먼트. The Experiment, 2010, 감독; 폴 쉐어링
2) 엑스페리먼트. Das Experiment, 2001, 감독; 올리버 히르비겔
3) 네이버 영화 - 엑스페리먼트 http://movie.naver.com/movie/bi/mi/basic.nhn?code=72080
4) 인간은 어떻게 괴물이 되는가?(스탠포드 교도소 실험) https://blog.naver.com/wjdtkd1227/221226527189
5) 필립 짐바르도,이충호, 임지원 (역), 루시퍼 이펙트- 무엇이 선량한 사람을 악하게 만드는가. 웅진지식하우스(웅진닷컴), 2007. 원제 The Lucifer Effect (2007년)
6) 위키백과 맹자 http://ko.wikipedia.org/wiki/맹자
7) 위키백과 밀그램 실험 http://ko.wikipedia.org/wiki/밀그램_실험
8) Wikipedia - Tuskegee Syphilis Study https://en.wikipedia.org/wiki/Tuskegee_Syphilis_Study 영화로도 만들어졌다. 미스 에버스 보이스 Miss Evers' Boys, 1997. 미국. 감독; 조셉 서전트
9) Crenner, C. (2012). "The Tuskegee Syphilis Study and the Scientific Concept of Racial Nervous Resistance." Journal of the History of Medicine and Allied Sciences 67(2): 244-280
10) Cave, E. and S. Holm (2003). "Milgram and Tuskegee--paradigm research projects in bioethics." Health Care Anal 11(1): 27-40
11) 美, 마루타 실험 사실 밝혀져 충격. 경향신문 2010-10-02
12) Burger, J. M. (2009). "Replicating Milgram: Would people still obey today?" Am Psychol 64(1): 1-11
13) 윤흥길. 완장. 현대문학, 2011
14) 피실험자들의 허무한 표정 〈엑스페리먼트〉 시네21 2010-08-11

2부

엔틀

아담으로 살고 싶은 이브

Yentl -1983[1)]

심장병을 공부하다 보면 때로 "엔틀 증후군(Yentl syndrome)", "엔틀은 없다(No more Yentl)", "엔틀 증후군의 증거가 없다(No evidence for the Yentl syndrome)"라는 말을 접할 때가 있다. 이 말은 심장병, 특히 협심증 같은 심장질환 진단이나 치료에서 남녀 차이가 있느냐 없느냐 하는 관점에 대해 이야기하는 것이다. 아직도 차이가 있느냐 없느냐 하는 논란이 많지만, 우리나라뿐만 아니라 서양에서도 "상심증후군(傷心症候群, Stress cardiomyopathy)"이 여자에게 많은 것을 보면 분명 남자와 여자에게 심장병의 차이는 확실히 있는 것으로 생각된다.

우리나라에서는 오래전에 〈아담이 된 이브〉라는 제목으로 KBS2에서 방영되었다. 엔틀이라는 말은 노벨 문학상 수상자이기도 한 아이작 싱어(Isaac Bashevis Singer)라는 폴란드 출신 미국 유태인이 쓴 'Yentl, the Yeshiva boy'라는 단편 소설의 주인공 이름이다. 엔틀은 유태인 처녀로 늙은 아버지 랍비를 모시고 사는데,

랍비는 집에서 동네 소년들을 가르친다. 엔틀도 자연스럽게 탈무드 내용을 부엌에서 듣고 공부를 한다. '서당 개 3년'이라고 엔틀도 탈무드 이해 수준이 높아지고 공부하고 싶은 열망도 점점 커지지만 당시 유태인 사회에서 여자는 학교에 갈 수 없었다. 그저 그림책이나 동화책을 읽는 것이 고작이었는데, 그러던 중 아버지가 돌아가시게 되고 엔틀은 공부하고자 하는 열망에 남장을 하고 탈무드의 고급 과정인 예시바(Yeshiva) 학교에 입교하게 되면서 발생하는 열정과 사랑을 이야기하고 있다.

영국의 최초 여의사는 엘리자베스 앤더슨(Elizabeth Garrett Anderson, 1836-1917)[2]으로 알려져 있는데, 영국군의 비밀문서가 해지되면서 제임스 배리(James Barry, 1795 - 1865)라는 인물이 여의사로 밝혀졌다. 그 당시에는 상상도 못 하였을 군의관이 여성이었다는 것 때문에 비밀로 분류되었다. 해군 감찰관(Inspector general)까지 올라간 제임스 배리 군의관이 여자였다고 한다. 본명은 미란다 스튜어트(Miranda Stuart)였으나 이름을 바꾸고 남장을 하여 에딘버그 대학을 졸업하여 의사가 된 후에 해군에 입대하였다. 해군 군의관으로 근무 당시 남아프리카공화국에서 처음으로 제왕절개를 하여 산모와 태아를 살리는 등 훌륭한 업적이 많았다.[3] [4] 당시에는 여자가 의과대학을 입학하기가 불가능하였기 때문에 남장을 하고 대학을 다니고 의사가 되었으며 빅토리아 시대의 영국군 군의관으로 근무하였다. 이후 이 이야기는 많은 연극이나 영화(엔틀 Yentl, 1983)의 소재로 이용되고 있다.

영화에서 엔틀은 딸과 남자, 학생, 친구, 남편(?), 여성 역할 등

시놉시스[5)]

학문이 남성들만의 전유물이었던 시절, 1904년 동유럽의 어느 조그만 마을. 지식욕이 강했던 엔틀은 랍비인 아버지로부터 몰래 탈무드를 공부하면서, 그나마 자신의 배움에 대한 욕구를 채워간다. 그러던 어느 날 아버지의 죽음을 맞이하고, 엔틀은 평범한 여성으로서의 삶을 거부하고 자기 자신을 찾아 먼 여행을 시작하게 된다. 배움의 기회를 얻기 위해 남장을 하고 길을 나선 그녀는 우연히 아빅도어 일행을 만나 그가 다니는 학교에 입학하게 된다. 안쉘이라는 새로운 이름으로 살아가며 자유롭게 책을 읽고 탈무드를 얘기하면서 엔틀은 그동안 느껴보지 못했던 기쁨의 순간을 누리게 되고, 늘 함께 웃고 공부를 하던 아빅도어에게서 우정 이상의 감정을 느낀다.

한편, 약혼녀 하다스와의 결혼이 깨진 아빅도어는 깊은 상심에 빠진다. 그를 위해 위로하던 엔틀은 아빅도어에게서 하다스와 결혼해 달라는 부탁을 받게 되고, 어쩔 수 없는 상황에 몰린 엔틀은 하다스와 결혼식을 올리게 된다. 하지만 자신의 비밀을 숨길 수 없는 어려움이 계속되고, 더 이상 자기 자신과 모든 사람을 속일 수 없다고 생각한 엔틀은 모든 사실을 털어놓을 결심을 한다. 루블린으로의 여행길에 엔틀은 자신은 안쉘이 아니며 여자였다는 엄청난 비밀을 아빅도어에게 이야기하게 된다. 있을 수 없는 일이라며 화를 내는 아빅도어에게 엔틀은 속마음을 털어놓는다. 그를 지켜주고 싶었고 사랑했기 때문이라는 그녀의 말에 그는 괴로워하며, 지금까지 안쉘에게 느꼈던 자신도 이해하지 못했던 그동안의 감정을 얘기한다.

일인 6역을 하는데 이 영화 주인공인 바브라 스트라이샌드도 각본, 감독, 주연, 제작을 맡고 영화 주제가까지 불렀다. 바브라는 매부리코를 가진 평범한 얼굴이지만 '화니걸' 등 뮤지컬 배우로 유명해져 돈도 많이 벌었다고 한다. 바브라는 이 영화의 원작 소설을 보고 나서 '이것은 내 이야기다'라고 생각하였으며, 수년에 걸쳐 이 영화를 제작하였다고 하니 본인도 엔틀처럼 살고 싶었는지 모른다.

바브라 스트라이샌드는 이 영화로 아카데미상 5개 후보에 오르며, 골든 글로브 감독상, 작품상을 수상하였다. 이후로도 그녀는 다양한 재능과 열정으로 가수, 배우, 영화감독, 작가, 작곡가, 제작자, 디자이너, 사진가, 사회운동가로 엄청난 활동을 하고 있다. 후에 토니상, 에미상, 그래미상을 석권했으며, 미감독협회상, 미영화협회(AFI) 평생공로상, 국가예술훈장, 피바디상, 그리고 프랑스의 레종 도뇌르까지 품에 안은 최고의 여성이 되었다.[6] 2012년 70세로 황혼의 스트라이샌드는 고향 브루클린에서 난생 처음 콘서트를 열었고, 2014년에는 새 앨범 〈파트너스〉를 발매하였다.

한편 '스트라이샌드 효과'라는 흥미로운 것이 있다. 2003년 바브라가 사진가와 사생활 침해를 이유로 소송을 제기하였는데 오히려 사생활이 노출된 적이 있다. 이 효과는 어떤 정보를 감추려 하거나 삭제하려다가 오히려 그 정보가 더 공공연히 확산되는 현상으로, 주로 인터넷과 소셜 미디어를 통해서 나타난다.[7]

서두에서 언급한 협심증 같은 허혈성 심장질환 진단 및 치료에서 남녀 차이가 있느냐 없느냐라는 엔틀 증후군(Yentl syndrome)은 확실히 존재하는 것으로 나타났다. 모든 근거자료 데이터가 남성 중심으로 연구되었기 때문에 여성에 대한 치명적인 자료 편향이 있을 수 있다는 것이다. 여성의 증상이나 질병이 남성의 증상과 일치하지 않는 한 여성은 오진을 받고 치료를 제대로 받지 못하고 있으며, 그러다 보니 남성들보다 치명적일 수 있다는 것이다. 그리고 사회경제적 배경이 낮은 여성들이 같은 소득층의 남성들보다 심장마비를 겪을 확률이 25% 더 높다고 한다. 심혈관 질환은 미국 여성들에게 주요 사망원인이고 심장발작이 발생하면 여성이 남성보다 사망할 가능성이 더 높다고 한다.[8] [9]

---

1) 엔틀 Yentl, 1983, 감독; 바브라 스트라이샌드, 출연; 바브라 스트라이샌드(엔틀, 일명 안셸)
2) 위키피디아 Elizabeth_Garrett_Anderson
3) du Preez HM (2012). "Dr James Barry (1789-1865): the Edinburgh years." JRColl Physicians Edinb 42(3): 258-265
4) Hurwitz B. and Richardson R (1989). "Inspector General James Barry MD: putting the woman in her place." BMJ 298: 299-305
5) 네이버 영화. 엔틀. http://movie.naver.com/movie/bi/mi/basic.nhn?code=17919
6) 바브라 스트라이샌드; 브루클린에서 할리우드까지. People-NYCultureBeat, 2012-10-10http://www.nyculturebeat.com/index.php?document_srl=808339
7) 위키백과. 스트라이샌드 효과. https://ko.wikipedia.org/wiki/스트라이샌드_효과
8) Yentl Syndrome: A Deadly Data Bias Against Womenhttps://longreads.com/2019/06/21/yentl-syndrome-a-deadly-data-bias-against-women/
9) Hemal K, et al. (2016). JACC Cardiovasc Imaging 9(4): 337

우리 의사 선생님

어떤 의사가 좋은 의사인가?

Dear Doctor, 2009[1)]

골절환자를 치료하여 0.01mm 차이도 나지 않게 수술하였고 수술 경과도 좋아서 활동능력도 100%로 회복하였으나 환자는 계속 아프다고 한다. 완벽하게 치료하였지만 환자가 통증을 호소한 것이다. 한편 상당히 진행된 암 환자가 기도나 안수 등 신앙을 통하여 완치되었다고도 하는 경우가 있다. 해부 · 병리학적으로는 확인할 수 없지만 통증도 없고 엄청난 기쁨 속에서 열심히 생활한다.

이렇듯 치료되었으나 치유되지 않은 환자도 있고, 치료되지 않았지만 치유되는 환자도 있다. 의학은 정말 과학적으로 설명하기 어려운 경우가 종종 있다. 그래서 의학은 과학이 아니라 예술의 한 분야[2)]라고 한다.

이 영화는 2010년 일본 아카데미상에서 우수 편집상, 우수 녹음상, 우수 조명상, 우수 촬영상, 최우수 여우조연상, 우수 남우주연상, 우수 남우조연상, 최우수 각본상, 우수 감독상, 우수 작품상

시놉시스[3)]

존경받는 의사 이노가 개원한 일본 시골 마을에 도시 출신 인턴 소마가 파견되어 근무하게 된다. 이노의 성실함과 인덕 그리고 마을 사람들의 따뜻한 분위기에 소마는 인턴 기간이 끝나도 마을에 남기를 소망한다. 그런데 이노가 갑자기 사라지고 이 실종사건을 수사하는 과정에서, 이노의 과거와 일련의 사건들이 드러나면서 그의 정체가 밝혀지게 되고, 절대적인 믿음으로 이노에게 의지했던 마을 사람들은 그에 대한 기억을 하나씩 되살리며 서로 엇갈리기 시작한다.

등 총 10개 부문을 석권한 작품이다. 젊은 감성으로 아름다움을 섬세하게 표현하는 일본의 30대 여성 감독 니시카와 미와의 연출력으로 풍부한 이야기와 감독의 감성이 그대로 묻어나게 연출된 작품으로, 단순한 감성적 영화를 넘어 메시지를 전해준다.

주인공 역할을 맡은 쇼후쿠데이 츠루베는 만능 엔터테이너로서 일본의 대표적인 만담가이자 코미디언으로 활약하고 있으며 이번 영화가 첫 주연 작품이다.

해박한 의학지식과 치료를 잘하는 의사가 좋은 의사인지….
거짓말이라도 하고 환자의 말을 잘 들어 주는 것이 좋은 의사인지….
시골 환자나 주민들의 동반자로 살아가는 의사가 좋은 의사인지….

가짜가 진짜보다 낫다? 의사 자격증을 가졌지만 아무것도 할 줄 모르는 풋내기 의사 소마는 진짜이고, 자격증 없이도 소외 받는 노인들의 몸과 마음을 돌보고 그들을 치유시키는 이노는 가짜라면 과연 진짜가 가짜보다 훌륭하다고 할 수 있을까?[4] 영화에서 소마는 돈만 밝히는 의사 아버지가 가짜 의사라고 하는데, 진짜와 가짜의 구분은 어떻게 하는 것인가? 자격증 유무로 구분할 수 있는 것인가? 얼마 전에 문제가 되었던 문신(tattoo)의 경우도 성형외과 의사보다는 면허가 없는 사람들이 더 잘하는 경우가 있고, 한동안 우리 사회에 논란이 되었던 구당 김남수옹의 경우도 마찬가지다. 많은 사람들을 치료하고 침뜸으로 유명하여졌으나, 재판부는 "침 · 뜸 시술은 현행법상 면허나 자격이 있는 의료인에 의

한 의료행위로 대학 정규교육을 통해 배워야 할 내용"[5]이라면서 '무면허 의료행위'라 판결하였다.

최근 우리나라에서도 의학 관련 드라마가 인기를 끌고 있으나 어떤 드라마는 인기가 있고 어떤 드라마는 인기를 끌지 못하고 있다. 미국 할리우드 영화에서도 위트와 풍자를 잘 구사하는 코미디언 겸 배우인 로빈 윌리엄스가 출연한 의학 관련 영화들이 인기가 있었다. 로빈 윌리엄스는 2014년 제66회 에미상 특별공로상을 받은 미국의 배우 및 코미디언이었다. 청중은 너무 고지식하고 엄숙한 모습보다는 재미있는 의사를 더 좋아하는가 싶다.

영화 초반부에 이노는 숨이 끊어진 노인에게 삽관하고 심장 마사지를 하는 대신 품에 안고 등을 토닥인다. "그동안 수고하셨습니다." 그의 토닥임으로 노인은 목에 걸린 초밥 덩어리를 뱉어내고 막혔던 숨길이 터진다. 응급처치를 바라지 않는 보호자들의 바람에 따라 등만 두드렸지만 명의가 된 것이다.

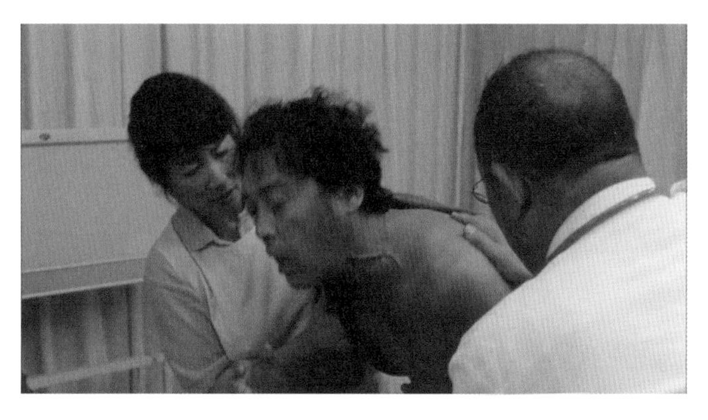

긴장성 기흉에서 보이는 경정맥 확장을 분장으로 잘 표현하였다(영화의 한 장면).

또한 광산 사고로 응급상황인 기흉 환자가 내원하였는데(191쪽 그림), 폭풍우로 헬기가 운행할 수 없고 차로 이동한다면 긴 시간이 걸린다. 응급처치를 빨리 해야 환자를 살릴 수 있는 상황에서, 이노는 응급실에 근무한 경험이 있는 간호사의 도움을 받아 가슴에서 공기를 빼내어 환자를 살려낸다. 진짜 의사인 인턴 소마는 꿈도 꿀 수 없는 응급처치이고, 그는 또 한 번 명의가 된다.

> 여기가 좋아서 있는 게 아니야 / 어쩌다 와서 떠나지 못한 것뿐이야 / 월급이 많아서 왔어… / 일도 쉬울 줄 알았지 / 근데 계속 내게 공을 던져 / 그래서 그 공을 쳤지 / 저들이 더 던지게 공을 친 거지. 계속 반복해서 / – 이노의 독백

의사였던 남편처럼 암으로 고생하다가 죽기 싫다는 여주인공과의 약속 때문에 위암이라는 진단을 감추기 위하여 이노는 그녀의 의무기록을 조작한다. 이노는 환자의 빈혈은 치질 때문이라고 우겨, 의심이 많은 내과 의사인 환자의 딸을 속인다. 그러나 이 딸이 도쿄에 돌아가면 언제 다시 시골에 내려올지 모른다는 말을 들은 이노는, 신싸 조직검사 결과가 적힌 의무기록지를 전달하고 사라져버린다. 환자와의 약속을 지키기보다는 환자를 살리기로 한 것이다.

감독은 일본의 차세대 주자 감독 '니시카와 미와(西川美和)'로 여성 문인 · 심리학자인데 우리가 정말로 원하는 의사의 모습을 잘 표현해 주고 있다. 일본 영화의 특성처럼 잔잔하면서 때론 가벼

운 웃음이 있고, 인간 감정의 섬세한 표현력이 살아 있는 영화다.

세계보건기구 WHO에서는 건강상태(Well-being)의 정의를 단순히 질병이 없거나, 허약하지 않은 상태만이 아니라 육체적, 정신적, 영적, 사회적으로 완전한 상태라고 한다.[6] 따라서 완벽한 치료는 육체적 치료뿐만 아니라 정신적, 영적, 사회적으로 치료가 되어야 한다는 것이다. 그런데 현대 의학에서는 육체적 치료에 집중하다 보니 나머지 부분을 소홀히 하는 경우가 많아 치유가 일어나지 않을 때가 있다. 특히 의사와 환자 간의 대화와 소통이 잘 이루어지지 않는다. 이 영화에서 가짜 의사 이노는 시골 환자들의 훌륭한 이웃으로 살면서 환자들을 돌보고 있는데 그 과정에서 많은 치료가 일어나고 치유가 일어난다.

환자의 암덩어리를 제거하고 항암제 등으로 재발을 방지하였으나, 특히 유방암 환자의 경우, 유방재건수술까지 완벽하게 하였지만 상실감은 어쩔 수 없다. 암을 제거하여 죽음의 위기에서 살아났지만 이전으로 돌아갈 수 없는 경우가 많은 것이다. 현대의학은 이들 정신적, 영적, 사회적 건강상태를 간과하고 있는 것이다.

어떤 의사가 좋은 의사인지 생각하게 하는 영화이며, 이를 통하여 예비의사 및 초년 의학도의 품성(덕성)이 올라갔으면(영화의학교육, Cinemeducation) 한다. "의학은 단순한 과학이 아니라 예술이다. 의사의 성품이 환자에게 사용된 약보다 더 강력하게 작용할 수 있다."[7]

1) 우리 의사 선생님 (Dear Doctor, 2009). 감독; 니시카와 미와
2) Francis, G. (2020). "Medicine: art or science?" Lancet 395(10217): 24-25
3) 네이버 영화, 우리 의사 선생님 https://movie.naver.com/movie/bi/mi/basic.naver?code=70776
4) 박혜은. 할머니 손은 약손의 치유력. 주간한국 2010-05-11
5) 조상희. 김남수옹 오프라인 침 · 뜸 교육 불허. 한국파이낸셜뉴스 2013-11-26
6) Health is a dynamic state of complete physical, mental, spiritual and social well-being and not merely the absence of disease or infirmity. 최근에 영적(Spiritual) 건강을 포함시켰다.
7) Medicine is not merely a science but an art. The character of the physician may act more powerfully upon the patient than the drugs employed. - 파라켈수스 Paracelsus

웨일 라이더

이브는 안 돼!

Whale Rider, 2002[1)]

충남 온양민속박물관 소장품에는 1301년 창녕군 부인 장씨가 쓴 발원문(發願文)이 있다. '인간의 생을 잃지 않고 중국의 바른 집안에서 태어나되 남자의 몸을 얻게 해주소서'라고 적혀 있는데, 남부러울 게 없는 귀족 가문이었지만 다시 태어난다면 '남자의 몸'을 얻게 해달라고 기원하고 있다.[2)] 700년 전 고려 시대에도 남자로 살고 싶어 하는 여성들이 있었다는 것을 증언하고 있다.

〈웨일 라이더〉는 1987년 출간된 뉴질랜드 작가 위티 이히마에라의 베스트 셀러를 영화화하였다. 뉴질랜드의 작은 해변 마을 원주민인 마오리족은 최초의 선조 파이키아가 고래를 타고 이 땅에 정착했으며, 언젠가 또다시 고래를 탄 사람이 나타날 것이라고 믿고 있다.

족장인 할아버지와 아버지 그리고 파이, 대를 이을 아이(쌍둥이 오빠)가 태어나다가 아담은 엄마와 같이 죽고 이브인 파이만 남았다. 아버지는 방황하다 어디론가 사라지고, 파이는 사내아이가 아

시놉시스[3)]

왕가라 부족 사람들은 뉴질랜드에서 살고 있는 자신들의 선조가 수천 년 전 고래를 탔던 파이키아라는 단 한 사람이라고 믿고 있다. 그 뒤로 이 부족에서는 첫 남자아이가 항상 부족 족장을 계승하는 것이 당연한 전통이다.

지도자의 운명을 지녔지만, 지도자가 되어서는 안 될 그녀 그리고, 할아버지의 사랑을 원하는 어린 소녀 파이가 있다. 파이의 엄마는 출산 도중 쌍둥이 오빠와 숨을 거두고, 그 충격으로 아빠는 고향을 떠나버려 파이는 할아버지와 할머니의 손에서 키워진다. 죽어버린 손자와 다른 삶을 사는 아들에게서 지도자가 되어 주길 바랐던 족장 할아버지의 희망은 무너지고, 손녀 파이가 자라면서 뛰어난 영특함을 보이지만 지도자는 장남이어야 하는 전통 때문에 그녀의 능력을 모질게 외면해 버린다. 결국, 족장은 마을의 장남들을 모아다가 훈련을 시킨 후 지도자를 뽑으려 한다. 파이는 훈련에 동참하여 할아버지에게 인정받고 싶어 하지만 코로는 그런 행동 자체가 불경하다고 질책할 뿐이다. 그러나 파이는 자신에게 온전한 애정을 주지 않는 할아버지를 변함없이 사랑하며 눈물겹게 자신의 진심을 표현한다. 지도자가 될 자격을 시험하는 관문에서 마을의 장남들 누구도 통과하지 못하고, 이에 코로는 낙담하여 몸져눕게 된다. 이때, 해변가에 한 무리의 고래떼가 밀려와 죽어가는 기이한 사태가 벌어진다. 마을 사람들은 수호신처럼 여기는 고래들을 바다로 돌려보내려 하지만 고래들은 꿈쩍도 하지 않는다.

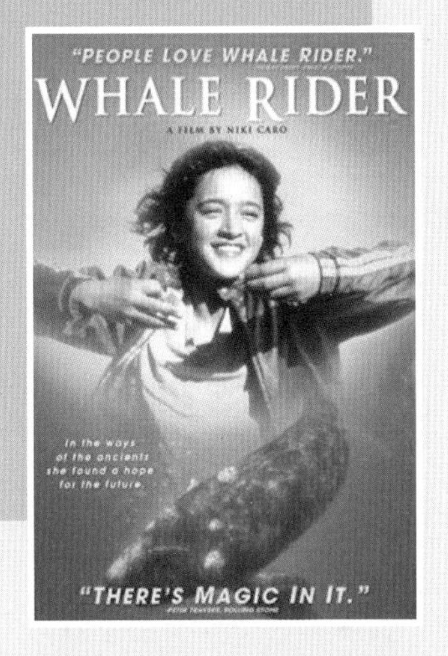

니니까 족장이 될 수 없다.

왜 이브는 안 돼요?
수영도 잘하고 잠수도 뛰어나고
모든 것이 아담보다 잘하는데 왜 이브는 안 되나요?
그래도 운명은 이브 편인가?

이 영화는 2003년 선댄스 영화제, 로테르담 영화제, 샌프란시스코 영화제 관객상, 토론토 영화제의 관객상을 수상하였으며, 주인공 케이샤 캐슬-휴즈는 최연소 아카데미 여우주연상 후보에 오르기도 하였다.

최근 여학생이 남학생보다 우월한 것은 한국뿐만 아니라 영국이나 미국 등 서구에서도 마찬가지 현상이다.[4] 이런 여학생들을 알파걸이라고 하는데, 공부, 운동, 대인관계 등 모든 분야에서 또

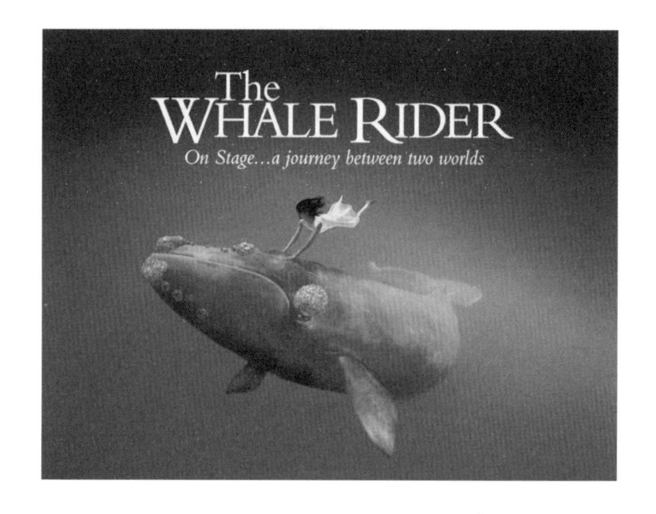

래 남학생과 동등하거나 그 이상의 성과를 보이는 엘리트 계층의 여성을 지칭한다. 미국 하버드 대학의 아동 심리학자인 댄 킨들런 교수가 북미 지역에 거주하는 113명의 소녀를 인터뷰하고 남녀 학생 900여 명에게 편지로 설문한 자료를 바탕으로 하여 만든 개념으로 2006년 그의 저서 『알파걸, 새로운 여성의 탄생』(Alpha Girls: Understanding the New American Girl and How She is Changing the World)을 통해 널리 알려졌다.[5] 저돌적인 도전정신을 지닌 강한 여성을 의미하는 알파걸은 일반적으로 페미니스트들이 남녀차별에 저항하는 태도를 지니는 것과 달리 남녀차별 자체를 염두에 두지 않는 여성들이다.[6]

수전 더글러스는 『배드 걸, 굿걸』[7]에서 최근 성차별주의가 더욱 진화하였다는 것이다. 유능하면서도 아름다워야 한다는 주술, 즉 예쁘고 섹시하되 헤퍼 보여선 안 되고, 유능하지만 남자에게 위협적이어서는 안 된다. 현명해야 하지만 '설치고 떠들어선' 안 되며 남자를 잘 이해해 줘야 하지만 남자를 많이 알아선 안 된다는 것이다. 외모지상주의와 외모 강박은 미디어와 대중문화가 만든 모순으로 진화된 성차별이 만든 굴레이고 그 질곡에서 벗어나는 게 진정한 여성해방이라는 것이다.

그러나 알파걸은 페미니스트가 아니다. 페미니스트는 원래 여성해방론자 또는 여성우월론자를 뜻하지만 알파걸의 경우는 이미 남학생보다 뛰어나기 때문에 스스로 페미니스트가 되어야 할 필요를 느끼지 않는다고 한다. 대부분의 알파걸들은 "나는 남성을 적대적으로 하는 여권주의자가 아니며 그저 평등주의자일 뿐

이다"라는 입장을 밝히고 있다.[8)]

2015년 문화방송 일일드라마 「딱 너 같은 딸」에서는 "사회는 '알파걸' 존재를 들어 성차별이 사라졌다고 선전하지만, '알파걸'이 등장할 수 있었던 건 성평등 때문이 아니라, 그들을 특별하게 길러낸 '여왕벌' 엄마들 덕분이다."라고 하면서 "이들은 기존의 순종적인 엄마들과 달리 적극적인 사회활동으로 딸의 역할모델이 되어 줄 뿐 아니라, 딸을 자신의 분신으로 여기며 자신이 꿈꾸었던 삶을 딸에게 주기 위해 온갖 뒷바라지를 하며 딸의 생활을 관리한다."라는 독백으로 시작한다.[9)]

평생 아이들의 주변을 맴돌면서 아이들의 일이라면 무엇이든지 발 벗고 나서면서 과잉보호를 주업으로 삼는 헬리콥터맘보다는 '여왕벌 엄마'가 조금 나은 모델이라고 할 수 있다. 알파걸이라고 해서 행복하기만 하지는 않는 것 같다. 늦은 밤까지 야근은 물론이고 회식자리에서는 폭탄주도 한 잔씩 해야 하며, 남자들보다 스트레스를 더 많이 받는다. 아이를 낳고 살 여유도 없는 경우도 많다. 알파걸은 아프다.[10)]

1) 웨일 라이더 Whale Rider, 2002. 감독; 니키 카로
2) 700년 전 고려 여인 글 "남자로 태어나고 싶다" 중앙일보, 2018-12-18
3) 네이버 영화 웨일 라이더 http://movie.naver.com/movie/bi/mi/basic.nhn?code=37643
4) "남학생 뒤지는 건 세계적 현상" 연합뉴스 2015-03-06
5) 시사상식사전 알파걸 http://terms.naver.com/entry.nhn?docId=931454
6) 대중문화사전 알파걸 http://terms.naver.com/entry.nhn?docId=371159
7) 수전 J 더글러스, 이은경(역) Bad Girl Good Girl, 글항아리 2016
8) 김봉석. 알파걸에 주목하라. 신한은행 트랜드http://img.shinhan.com/cib/ko/data/FSB_0709_08.pdf
9) 황진미의 TV 톡톡, 알파걸, 왜 신데렐라 꿈꾸나. 한겨레 2015-07-09
10) 알파걸은 아프다. 중앙일보 2014-05-29

위트

당신이 내 병실로 들어올 때 알고 있어야 할 것들

Wit, 2001[1)]

위트는 기지·재치의 뜻인데, 때로는 유머와 혼동해서 사용한다. 어떤 것을 표현하는 데 있어서 비범하고 신기하고 기발한 발상으로 적절하게 표현할 수 있는 재빠른 지적 활동을 말한다.[2)]

영화 〈위트〉는 영어표기가 Wit 혹은 W;T라고 표시한다. Semicolon(;)은 마침표(period)와 쉼표(comma)의 중간쯤 되는 분리를 의미하는 구두점[3)]을 말하고, 마침표를 써서 다른 문장으로 쓰기에는 앞의 문장과 밀접한 관련이 있어서 떼어버릴 수 없고, 쉼표를 쓰기에는 상당한 의미 차이가 있을 때 주로 사용한다.[4)] 이 영화에서도 주인공 은사가 시(Sonnet)에 관한 강의를 하면서 구두점의 중요성에 대해 설명한다.

원작은 1999년 드라마 부문 퓰리처상을 받은 미국 작가 마거릿 에드슨의 『위트』이다. 영화 주인공인 비비안 베어링은 17세기 영시 특히 형이상학의 최고봉인 존 던(John Donne)의 시를 가르치는 대학교수이다. 50세 미혼이며 오직 공부에만 매달려 온 그녀가

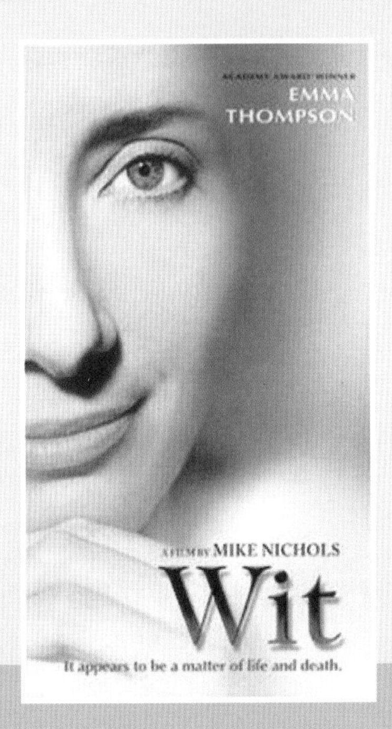

시놉시스

"You must be tough!"라는 말과 함께 난소암 진단을 받은 비비안 베어링(엠마 톰슨)과 암세포를 화학치료로 없애려는 의사의 이야기로, 8주 동안 그녀는 의사라는 전문직 집단의 관찰대상이 된다. 그녀는 약간은 비인간적일 만큼 자신의 삶과 교수로서의 커리어를 통제하는 삶을 살아왔는데, 할머니가 돌아가셔서 과제기한을 조금 늘려줬으면 좋겠다는 학생의 청을 단번에 거절하던 그녀(아이러니컬하게도 그녀의 담당 레지던트는 그때 청을 거절당했던 학생), 그랬던 그녀의 삶에 난소암이 덮쳐오면서 비비안은 삶과 죽음의 경계선에서 독한 항암치료를 받으며 "대상화(對象化)"가 되면서 발견한다. 삶은 고통을 견뎌내며 죽음으로 향하는 선 위에 Wit가 있음을!

어느 날 암 판정을 받는다. 죽음을 가장 중요한 메타포로 사용했던 존 던을 연구하는 그녀였지만 고통과 죽음 앞에서 비로소 인간의 삶과 사랑의 의미를 깨닫게 된다. 영화에서 존 던의 시(Sonnet) 'Death be not proud' 중 'And death shall be no more; Death, thou shalt die'가 자주 나오는데 직역하면 "죽음, 너도 아무것도 아니다. 너도 결국 죽을 것이다"이며, 의역하면 "죽음이여 너 자만하지 말라, 죽음도 날 죽일 수 없다"라는 뜻이다.

죽음을 앞둔 환자의 심리가 잘 표현되어 있고, 환자를 보살피는 의료인 특히 의사가 너무 부족한 모습을 잘 보여주기 때문에 영화의학교육(Cinemeducation)의 영화로 사용되고 있다.

환자의 담당의 제이슨은 교수 밑에서 암연구를 하고 있다(연구전임의). 암 분화과정 이야기를 할 때면 게거품을 물곤 하지만 임상 의사로서는 별로이다. 환자 방문할 때 하는 인사라고는 밋밋하기만 한 'How are you today'가 전부이다. 병력 청취도 하는 둥 마는 둥 하고, 여성 환자를 진찰한다며 불편한 자세를 취하게 해 놓고 한참 동안 병동을 돌아다닌다. 여성 환자 신체검진을 할 때는 간호사를 대동해야 한다는 것이다. 학생들과 병동 회진을 할 때에도 수술 자국이 선명한 환자의 배를 내놓고 아무렇지 않은 듯 만지고 토론한다. 소생응급처치 거부(디엔알 DNR) 상태인지 아닌지도 파악하지 못하고 '블루코드(Code Blue)를 발령한다. 블루코드는 환자가 숨을 쉴 수 없거나 심장 박동이 멈추었을 때 응급처치 팀을 부를 때 쓰는 의학용어이다. 다행히 간호사가 응급소생팀의 처치를 막아 '아무것도 못하게' 한다. 환자의 바람대로 심폐소생술을 하지 않고 존엄한 죽음을 맞게 하는 것이다. 죽음을 전공한 대학교수도 죽음을 피할 수는 없지만, 존엄한 죽음을 맞게 하는 것이 중요하다. 의과대학에서 의료인문학과 죽음학 강의가 필요한 이유이다.

병원에서 많이 쓰는 코드는 앞에서 설명한 디엔알, 블루코드 외에도 소생시키기 위하여 할 수 있는 모든 것을 다 시행하는 풀코드(Full code)가 있고, 아무것도 하지 않은 노코드(No code) 등이 있다. 노코드에 속하는 것이 디엔알과 자연사를 허용하는 에이엔디(AND, Allow natural death)이다. 반면에 말기 환자에서 디엔알을 작성하지 않았거나 보호자가 풀코드를 요청하였을 경우 환자의 상태가 나빠지면 의사들은 심폐기능 회복을 위한 진지한 시도는 하지 않는 경우가 있다. 이를 슬로코드(Slow code)라 하는데 쇼코드(Show code), 할리우드코드(Hollywood code), 라이트블루(Light blue)라고 부르기도 한다.[5)]

대학병원에서는 새로운 치료법을 개발하고 기존 치료 등과 비교하기 위하여 환자의 동의를 얻어 임상연구를 시행할 때가 있다. 비비안은 난소암 4기로 개발 중인 새로운 항암제로 치료 받게 된다. 가능하면 생존 기간이 길어야 논문의 가치가 올라갈 수 있다. 그래서 때로 환자의 상태나 요구에 반하여 약을 투여하는 경우도 있는데, 이 영화에서 이런 모습을 보여주고 있다. 연구 대상이 아닌 일반 환자일 때보다 약간 불이익(?)을 당할 때도 있을 수 있다는 것이다.

마지막 장면에 비비안의 노스승이 찾아오기는 하지만, 아무도 그녀의 병실에 찾아오지 않는다. 지독한 외로움에 환자는 새벽 4시에 혈관주사 줄을 막아 응급 알람이 울리게 한다. 환자는 방문한 간호사와 아이스바를 나누어 먹으면서 교감을 나눈다.

우리나라에서는 2005년 배우 윤석화가 연극계의 불황 속에서도 삭발 투혼을 감행하여 동명 연극이 흥행에 성공한 적이 있다.[6] 다음은 당시 배우 윤석화와의 인터뷰 내용 중의 일부이다. "비비안 베어링은 '난 두뇌만 명석하면 잘 살 수 있을 것으로 생각했다'고 말합니다. 인간적인 따뜻함이라곤 없고 공부만 하는 여자였죠. 그러나 정직했습니다. 죽음을 맞아 삶이 무엇인지를 비로소 깨달았습니다. 아이러니는 대단한 문학적 장치입니다. 극과 극을 메타포(은유)로 연결하니까요."[7]

영화에서 비비안은 담당의사 제이슨에게 "나한테 무슨 할 말 없니?"라고 묻지만 제이슨은 아무 대답이 없다. 대장암 수술을 3번이나 받았던 스테판 쉬미트(교육학 박사)는 '당신이 내 병실로 들어올 때 알고 있어야 할 것들'[8]이라는 글에서 비비안이 하고 싶은 말을 대신해 주고 있다. "당신이 내 병실로 들어올 때 내가 어떤 삶을 살았는지 알아야 합니다." "병원 차트에 적힌 것이 내 삶의 전부가 아니라는 것을", "병을 앓고 있는 사람으로 내가 구하는 것은 치료가 아닌 치유임을", "밤에는 어떤 시술도 받기가 두렵다는 사실을…", "내 병실로 들어올 때 내 마음과 영혼을 알아야 합니다. - 아프다는 것은 고통임을, 고통을 받는다는 것은 종교적인 질문을 하게 함을, 신앙을 갖고 있으나 그것을 잃고 있음을…", "내 병실로 들어올 때 내 희망을 지켜주어야 합니다."[9]

영화 속의 비비안도 카메라를 직접 바라보며 그 너머에 있는 관객들에게 아니 우리에게 뭔가 이야기하고 있다.

관심 있게 봐야 하는 주요 장면

1. 00:00 나쁜 뉴스 전하기
2. 00:11:07 사진 촬영 (X-ray & CT)
3. 00:14:10 환자 인터뷰
4. 00:18:50 신체검진 - 여성환자 검사
5. 00:28:51 회진 – 수술자국을 보고 설명
6. 00:36:35 – 응급실 방문
7. 00:53:30 새벽 4시에 간호사 부름
8. 01:23분 “블루코드 발령”

---

1) 위트 Wit, 2001, 감독; 마이크 니콜스
2) 네이버 지식백과 - 위트 http://100.naver.com/100.nhn?docid=121504
3) 네이버 용어사전 – Semicolon. 우리말로는 쌍반점이라 하는데 쉼표보다 큰 구획부호, 또는 열거부호이며, 구획부호로서의 이 세미콜론은 영문에서만 사용되고 국어에서는 여러 사항들을 열거할 때 열거부호로만 쓰인다.
4) 세미콜론의 의미와 용법 http://blog.naver.com/saw6117/60049451900
5) Gazelle, G. (1998). “The slow code - should anyone rush to its defense?” N Engl J Med 338(7): 467-469
6) 장병호. 윤석화, ‘봄, 눈’서 삭발 투혼… 연극 이어 세 번째. 경제투데이. 2012-03-05
7) 여배우 시리즈 첫번째 무대, 윤석화의 위트 http://cafe.naver.com/dramatic/3968
8) Young RK (Eds) (2007) 유지화(역) 잊을 수 없는 환자들. 서울, 대학서원
9) 당신이 내 병실로 들어올 때 http://blog.naver.com/foreverlllll/120107353953

유 돈 노우 잭

안락사

You Don't Know Jack, 2010[1]

130여 명의 안락사를 도와 온갖 논란을 불러일으켰던 '죽음의 의사' 잭 케보키언(Jack Kevorkian, 1928~2011)의 일대기를 미국의 공영방송사 HBO에서 2010년 영화로 만들었다.[2]

옛 소련 아르메니아계 미국 이민의 후손으로 태어난 잭 케보키언은 의대 졸업 후 군의관으로 한국전쟁에 참전하기도 한 병리학자이다. 암으로 죽은 어머니를 간호하다가 안락사에 대해 깊이 생각하게 된 그는 1987년 네덜란드로 건너가 안락사에 대해 연구한 뒤 돌아와 많은 이들의 안락사를 도와주었다고 한다. 그동안 6차례 기소돼 4차례 법정에 섰지만 모두 무죄로 풀려나기도 했으며, 1993년 5월 타임지의 표지 인물 'Doctor death'를 장식하기도 하였다.

1998년 9월 17일 루게릭병에 걸린 토머스 유크라는 환자의 안락사 장면을 비디오 테이프로 녹화한 후 CBS방송의 '60분'이라는 프로에 제공하고 방영하도록 해 논란을 불러일으켰다. 이 일로 살인죄로 기소되었으며 1999년 2급 살인죄로 10~25년의 징역형을 선고받고 2007년까지 8년 6개월간 복역한 뒤, 안락사를 돕지 않는다는 조건으로 가석방되었다. 이후 "미국인들의 권리를 빼앗은 연방 대법원의 폭압에 맞서기 위해" 무소속으로 미 하원에 출마하기도 하였으며,[3] 낙태에 관한 '로 대 웨이드' 연방대법원 판결 이후 낙태가 합법화되는 계기가 되었듯이[4] [5] 연방 대법원에서 안락사 합법화 노력을 계속하겠다는 뜻을 굽히지 않았다고 한다.[6] [7]

영화는 안락사를 도와주면서 기소되어 법정에 서고 풀려나는 과정을 시작으로, 기어이 직접적이고 적극적 안락사를 시행한 후에 기소되고 법정 투쟁을 하는 과정을 보여주고 있다. 일흔 살이 넘은 알 파치노(Al Pacino)가 그 역할을 잘 해냈다. 확실한 소신을 갖고 적극적으로 행동으로 옮기는 삶을 살아가는 잭을 보면서 많

은 생각이 들었다.

잭은 환자가 요구하는 의료행위를 제공하는 것이 의사의 본분이며 인간은 삶과 죽음을 선택할 결정권을 존중받아야 한다고 주장한다. "사람들은 저에게 자연의 섭리를 배반하는 행위라고 말합니다. 하지만 생각해 보십시오. 스스로 남은 생을 마치고 떠나야만 하는 것이 자연의 섭리라면 우리는 왜 심장을 열어 혈관우회수술을 하고 썩어버린 간을 꺼내 싱싱한 것으로 바꾸죠?"라면서 "인간은 더 나은 의술로 서로를 치유하기 위해 노력합니다. 제가 하는 것도 그들의 마음의 고통을 치유하는 마지막 의료행위일 뿐입니다."라고 주장한다. 이후 Medicide(medical + suicide)라는 신조어가 탄생하였다고 한다.

안락사에 대하여 스위스와 벨기에, 네덜란드에서는 의사의 도움으로 환자들이 목숨을 끊을 수 있도록 허용하고 있다. 2011년 미국 50개 주 가운데 오리건 주만 유일하게 이를 허용하고 있으나 나머지 주에서는 모두 불법이다. 오리건 주는 1994년 '품위 있게 죽을 권리법'을 제정한 후 지금까지 300여 명의 안락사가 시행되었다고 한다. 한편 2011년 6월 영국 BBC방송이, 지병을 앓아온 한 백만장자가 스위스의 안락사 병원에서 스스로 목숨을 끊는 충격적인 장면을 담은 다큐멘터리를 방영해 논란이 일었는데, 지상파 방송이 자살 모습을 담은 프로그램을 내보낸 것은 처음이며, 디그니타스 병원에서는 지난 12년간 불치병을 앓아온 1100명이 전문가들의 도움을 받아 목숨을 끊었다고 한다.[8)]

한편 안락사(의사조력자살)에 대한 일련의 보호조치가 미국의 오리건 주나 네덜란드에 마련되어 있는데 다음과 같다.[9] 첫째로 환자는 의식(정신)상태가 온전해야 하며, 의사조력자살을 위한 처방전의 요구를 자의적이고 반복적으로 요청해야 한다. 둘째 환자는 적절한 완화치료로 경감될 수 없는 통증과 고통이 있어야 한다. 셋째로 안락사나 의사조력자살을 원하는 환자의 소망이 진지하고 굳은 결심임을 확인하는 대기 기간이 주어진다. 마지막으로 담당의사는 독립된 기능을 가진 다른 의사로부터 이차 의견을 얻어야 한다.

케보키언 박사 역시 안락사(의사조력자살)에 대한 요청에 모두 응한 것은 아니었고, 요청의 98%를 거절했다고 한다. 올림픽 대회의 유망주였던 한 젊은 스키 선수는 교통사고로 다리를 쓰지 못하게 되자 미래에 대한 극심한 절망감에서 분신자살을 시도하지만 미수로 그친다. 그는 심한 화상으로 인해 망가진 몸으로 케보키언 박사를 찾아와 의사조력자살을 요청한다. 그러나 케보키언 박사는 조력 자살을 생각할 것이 아니라 우울증 치료를 받으면 행

영화의 주인공 잭 케보키언 박사

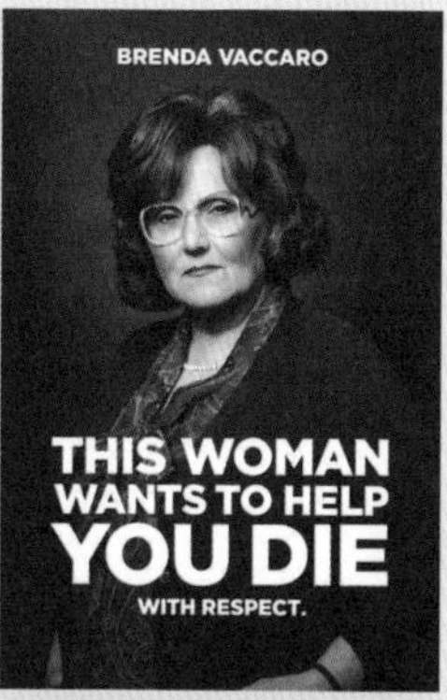

등장인물과 그 역할 – 안락사를 도와주려는 사람도
많지만 반대하는 사람도 많다.

복하고 만족스러운 삶을 살 수 있다며 젊은이를 설득한다. 이러한 면은 일반인에게 잘 알려지지 않은 부분이다.

이 영화는 국내에서는 안락사 관련이라는 예민한 문제 때문인지 개봉되지는 못하였으며 DVD로 출시되었다. 확실한 소신을 가진 의사와 그 소신을 적극적 행동으로 옮길 수 있는 의사 이야기, 시청한다면 안락사에 대한 개념을 조금 더 알 수 있을 것이며 잭 케보키언의 행위를 조금 더 이해할 수 있을 것으로 생각된다.

---

1) 유 돈 노우 잭 You Don't Know Jack, 2010 감독; 베리 레빈슨. 주연;알 파치노, 브렌다 바카로
2) 위키백과 – 잭 케보키언 http://ko.wikipedia.org/wiki/잭_케보키인
3) 잭 케보키언 〈죽음의 의사〉, 미 하원의원 도전. 한겨레 2008-03-25
4) 김민정, 미국 낙태 관련 정책에 영향을 미치는 요인 (The Factors that affect the abortion policy in US)한국정치학회보, 2010. 44(4): p. 265-286
5) Posner, R.A., 이민아, 이은지, 성과 이성. 2007, 서울: 말글빛냄
6) 130명 안락사시킨 '죽음의 의사' 잭 케보키언 사망. 디오데오 2011-06-04 http://www.diodeo.com/comuser/news/news_view.asp?news_code=60022
7) 네이버 지식백과 잭 케보키언 http://terms.naver.com/entry.nhn?docId=71750
8) 스위스, 지난해 '조력 자살' 35% 증가. YTN 2012-02-20
9) 정형채. 안락사를 다룬 영화들. 대한의학회 뉴스레터 2014 Vol. 46

유아 낫 유

루게릭병

You're Not You, 2014[1)]

2014년 여름 '아이스버킷 챌린지'가 한동안 유행한 적이 있었다. 얼음물을 뒤집어쓰면서 루게릭병 환자 근육 수축 고통을 느끼면서 환자들에 대한 관심을 가져달라는 캠페인의 하나로, 연예인 등 많은 유명 인사들이 참여하였다.

루게릭병(Lou Gehrig's disease)의 본래 이름은 근위축성 측색경화증(Amyotrophic Lateral Sclerosis, ALS, 근육위축 가쪽경화증)이라는 복잡한 이름인데 너무 복잡하다 보니 간단히 루게릭병으로 부른다. 루게릭병은 신경, 상부와 하부의 운동신경원 모두가 망가져 이 두 가지 증상이 동시에 나타나게 된다. 살짝 대기만 해도 튈 정도로 무릎반사가 증폭되고, 그와 동시에 근육이 위축된다. 감각이나 인지 능력에는 사망할 때까지 이상이 없다는 것도 이 병의 특징이다. 대부분의 환자들은 3-5년 내 목숨을 잃는다고 알려져 있으나 스티븐 호킹 박사처럼 오래 사는 경우도 있다. 유사한 질환으로는 비교적 양호한 경과를 보이고 남자에서만 발생하는 유전성 실환인 케네디 병(Kennedy disease)이 있다.

루게릭은 가난한 노동자 집안에서 태어나 부모의 소망대로 콜롬비아 대학에서 공부하면서 엔지니어를 꿈꾸다가, 1923년 뉴욕 양키스 구단에 입단하여 23개의 그랜드슬램과 2130경기 연속 출전이라는 대기록을 기록하였다. 루게릭병으로 1939년에 은퇴하고 2년 후 사망하였는데 은퇴 연설에서 "지구상에서 나는 가장 행복한 남자였다"고 말해 심금을 울렸으며, 미국 역사에서 명연설로 남아 있다.[2] 〈야구왕 루게릭〉이라는 할리우드 영화로 만들어졌다.

루게릭병 관련 영화는 〈모리와 함께 한 화요일〉(1999),[3] 〈호킹〉(2004),[4] 〈내 사랑 내 곁에〉(2009),[5] 〈사랑에 대한 모든 것〉(2014)[6] 등이 있는데 〈호킹〉과 〈사랑에 관한 모든 것〉이 스티븐 호킹 박사에 관한 영화이다. 2014년에 개봉한 〈사랑에 관한 모든 것〉은 호킹의 젊은 시절, 결혼식, 중년 시절 등에 찍은 사진과 매우 유사하게 제작하였다고 하며, 호킹 역할을 한 에디 레드메인은 루게릭병으로 동작이 어려워지고 신체가 왜소해지는 호킹 박사의 모습을 사실적으로 연기하여 2015년 아카데미 남우주연상을 받았다. 배우 김명민은 〈내 사랑 내 곁에〉에서 체중 20킬로를 감량하였는데 이 영화의 주인공 에디 레드메인은 10킬로를 감량하였다고 한다.

〈유아 낫 유〉는 잘 나가던 피아니스트가 루게릭병으로 죽어가는 과정을 보여주는 여성 영화이다. 예쁘고 피아노도 잘 치고 요리도 잘하는 등 무엇 하나 빠질 것이 없는 주인공은 어느 날 갑자기 손가락이 마비되기 시작하면서 루게릭병으로 진단받고 어쩔

〈사랑에 대한 모든 것〉 포스터와 영화 속의 장면(왼쪽)과 실제 장면(오른쪽)

수 없는 운명을 맞이하게 된다. 처음에는 변호사인 남편이 간병을 하지만, 병세가 심해지면서 간병인을 쓰게 된다. 그녀는 남편의 외도를 알고 나서 좌절에 빠지고 그러면서 과거를 회상하는데, 그녀는 자기를 진심으로 사랑하는 사람이 아닌 쇼윈도형 화려한 배우자를 선택하였다는 것이다.

2011년에 〈언터처블: 1%의 우정〉[7]이라는 영화가 개봉된 적이 있다. 척추장애를 가진 부자와 가난한 흑인의 우정을 주제로 삼았는데, 본 영화는 여성 2명이 영화를 이끌어가고 있다.

'너는 네가 아니다'라는 〈유아 낫 유〉라는 제목은 얼핏 어렵기도 한데, '지금 네 모습은 네가 아니다.'라는 철학자들의 어려운 말은 아니더라도 '어제의 나는 오늘의 내가 아니다.'라는 것은 사실인 것 같다. '지금 보이는 너의 모습은 진성한 네가 아니다.'라는 의미일 것인데, 너의 진정한 모습을 있는 그대로 봐주는 사람을 찾아가라는 의미라고 생각된다. 배우자는 하늘이 점지해 준다는 말도 있지만 '돈에 울고 사랑에 울고' 하는 이수일과 심순애의 신파극은 아니더라도 자본주의 세상에서 사랑으로만 살아가기는 힘들 때가 많다.

"우리는 왜 내 모습 그대로를 봐주는 사람 대신
그렇지 않은 사람을 택하는 걸까?
네 모습 그대로를 봐주는 사람을 찾아.
그리고 너도 그처럼 있는 모습 그대로를 봐야 해." — 영화 중 대사

시놉시스[8]

머리 끝부터 발 끝까지 완벽한 피아니스트 케이트. 근사한 집, 멋진 남편, 화려한 커리어로 무장한 그녀는 친구들과의 파티에서 피아노 연주를 하던 날, 손가락 근육에 이상을 느낀다. 한 치의 실수도 용납하지 않던 그녀의 연주가 무너지던 순간, 케이트는 루게릭 병에 걸렸다는 청천벽력 같은 소식을 접한다.

모든 것을 잃을 위기에 그녀는 뜻하지 않게 가수 지망생 벡을 간병인으로 채용한다. 주스 한 잔 제대로 만들지 못하고 주방을 초토화시키는 최악의 간병인이지만 케이트는 자신을 동정하는 대신 진정한 위로를 건네는 그녀에게 마음이 끌린다. 인생이 꼬일 대로 꼬였던 벡 또한 담담히 자신의 삶을 지키려는 케이트의 모습을 보며 생애 처음으로 인생의 목표를 찾아간다.

영화의 끝 부분에서 간병인 벡이 의사들과 뭔가 결정하는 장면이 나오는데, 이것은 주인공 케이트가 벡에게 변호사인 남편 대신 항구적 법적대리인(항구적 대리인 위임장)을 지정해 놓았기 때문이다. 보건의료에 관한 항구적 법적대리인(DPAHC, durable power of attoney for health care)은 어떤 불의의 사태에 의하여 본인의 의사결정능력이 없는 경우에 그 환자를 대신하여 결정권[심폐소생술 거부(DNR 등), 무의미한 연명치료 시행여부 등]을 행사하도록 위임받은 대리결정권자가 지명될 수 있는데 이를 위한 양식을 말한다. 우리나라에서도 연명의료법률을 준비할 때는 '대리인 지정'이라는 항목으로 나와 있지만, 법이 제정되면서 빠졌다.

서론에서도 언급하였지만 루게릭병은 치매 등 다른 만성질환과 달리 마지막까지 정신이 너무 멀쩡하여 본인의 의사를 적극적으로 표현할 수 있는 점이 오히려 문제가 될 수 있다. 그렇다 보니 안락사(존엄사), 조력 자살 등을 요구하는 경우가 많다. 고인이 된 호킹 박사도 "고통이 너무 심하거나, 내가 세상에 더 이상 기여하는 게 없고 짐이 될 뿐이라고 느끼면 조력 자살을 고려할 수 있다"[9]라는 말을 하여 화제가 된 적이 있다. 호킹 박사는 이전에도 "말기 환자의 안락사 선택권을 존중해야 한다."라고 해 안락사(존엄사)를 공개적으로 지지한 적이 있다.[10]

한편 영화에서는 칸나비스(마리화나)를 피우는 장면이 나오는데, 일부 국가에서 루게릭병이나 말기 암, 다발성 경화증, 알츠하이머병 등 중증질환이나 난치병에서 의료용 마리화나를 허용하고 있으며, 캡슐이나 피부연고, 쿠키 등으로 제공된다. 대마초에서 추출할 수 있는 여러 성분 중에서 칸나비디올(CBD)은 환각작용이 없다고 알려져 있다. 그러나 대마 성분의 의료용 합법화 과정은 걸림돌이 많다. 경북 안동에는 2020년 7월 헴프(대마) 특구로 지정되어 헴프 재배부터 칸나비디올 추출, 제조 등 전 과정이 블록체인 기반 시스템으로 철저히 관리된다고 한다.[11)]

인간의 목숨을 본인 스스로가 어떻게 한다는 것 자체가 큰 문제이고, 평소에는 이런저런 삶은 살고 싶지 않다고 입버릇처럼 말하던 사람도 막상 죽음을 앞두면 살고 싶다고 한다. 이처럼 제3자의 입장과 당사자의 입장은 너무 차이가 있을 수 있는데, 나와는 상관없다고 방관하지 말고 영화를 보면서 환자의 입장이 되어 한번쯤 고민해 볼 문제이다.

그 후 이야기

2019년 〈아이 엠 브리딩〉(I Am Breathing, 2013)이라는 영화가 개봉되었는데, 돌 지난 아이의 아빠이고 사랑하는 아내의 남편인 30대 건축가 플랫이 루게릭병으로 죽어가는 과정을 기록한 다큐멘터리이다.

1) 유아 낫 유 You're Not You, 2014, 감독; 조지 C. 울프
2) 야구왕 루게릭 The Pride Of The Yankees, 1942, 감독; 샘 우드
3) 모리와 함께 한 화요일 Tuesdays With Morrie, 1999, 감독; 믹 잭슨
4) 호킹 Hawking, 2004, 감독; 필립 마틴
5) 내 사랑 내 곁에 Closer To Heaven, 2009, 감독; 박진표
6) 사랑에 대한 모든 것 The Theory of Everything, 2014, 감독; 제임스 마쉬
7) 언터처블: 1%의 우정 Untouchable, 2011, 감독; 올리비에르 나카체
8) 네이버 영화, 유아 낫 유 http://movie.naver.com/movie/bi/mi/basic.nhn?code=100675
9) 스티븐 호킹 충격발언, "언젠가 조력자살 생각할 수도…" 헤럴드 경제, 2015-06-03
10) 호킹 박사 "말기환자 안락사 선택권 존중해야 해" 이투데이 2013-09-18
11) 권칠승 장관, 국내 최초 대마 산업화 현장 찾아…"규제 적극 정비", 아시아경제 2021-06-10

21그램

장기를 이식하면 영혼도 옮겨가는가?

21grams, 2003[1]

영화 〈21 그램〉은 장기이식에 관한 이야기로 심장 이식자와 공여자, 공여자를 사망에 이르게 한 세 가족의 이야기이다. 21 그램은 영혼의 무게라고 하는데, 1901년 미국 의사 던컨 맥두걸이 환자가 죽기 직전과 직후의 체중을 측정하였더니 21 그램의 차이가 있는 것을 관찰하고 이를 영혼의 무게라고 주장하였지만(그림 1) 많은 지지를 받지는 못한 것 같다. 일반적 관점으로만 보면 아주 작고 보잘것없는 무게일 수 있지만 아주 중요한 무게이다.

영화에서는 심장이식을 받은 남자가 교통사고로 죽은 심장 공여자의 부인에 관심을 갖게 된다는 이야기 즉 심장이식에서 나타날 수 있는 세포기억 등 장기 이식의 문제점을 풀

SOUL HAS WEIGHT, PHYSICIAN THINKS

Dr. Macdougall of Haverhill Tells of Experiments at Death.

LOSS TO BODY RECORDED

Scales Showed an Ounce Gone in One Case, He Says—Four Other Doctors Present.

Special to The New York Times.

그림 1. Soul has weight, Physician thinks. NYTimes, March 11, 1907.

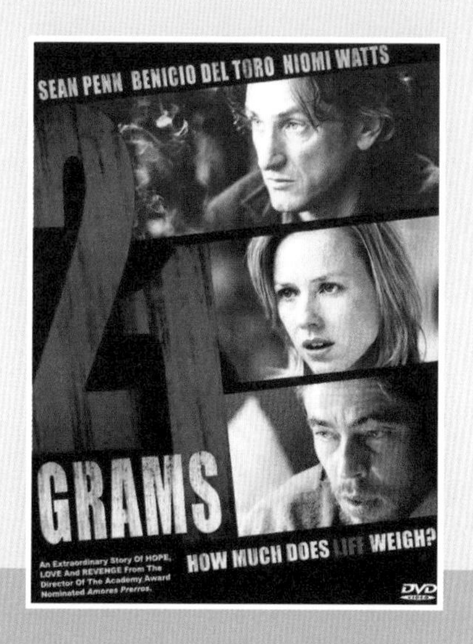

시놉시스[2)]

대학교수인 폴 리비스는 죽음을 눈앞에 두고 심장이식만을 기다리고 있다. 그런 그는 아내 메리와 '삶과 죽음' 사이에서 조심스러운 결혼생활을 유지하고 있는데, 그 와중에 아내는 인공수정을 통해서라도 아기를 갖기를 원한다. 그러던 그에게 심장이식을 받을 기회가 주어지고, 그는 또 다른 삶을 부여받는다. 한편 약물 중독자였으나 좋은 남편을 만나 사랑스런 두 딸과 함께 행복한 가정을 꾸리고 있는 크리스티나 펙은 마이클에겐 착한 아내이며 두 딸에겐 훌륭한 엄마이다. 그러나 행복한 그녀의 삶에 예기치 못한 사고가 찾아오고 한순간 사랑하는 모든 것을 잃는다. 또한 경제적으로 궁핍한 잭 조단은 아내 마리앤과 함께 두 아이들을 키우며, 범죄자였던 자신의 힘든 삶을 종교를 통해 구원을 받고 싶어한다. 그러던 중 교통사고로 사람을 치게 되고, 순간의 실수는 자신의 가정은 물론 다른 사람에도 치명적인 불행을 야기시킨다.

어간다. 우리나라에서도 장기 등 이식에 관한 법률에 의하면 기증자를 알려주면 3년 이하의 징역 또는 2천만 원 이하의 벌금에 처하는 등 대부분 공여자를 비밀로 한다. 그렇지만 워낙 매스컴이나 인터넷이 발달한 시대에서 살다 보니 알려고 하면 얼마든지 알 수도 있다.

세포기억(Cellular Memory)이란 장기의식 수혜자들에게 기증자의 성격과 습성까지 전이되는 현상을 말하는데, 아직은 학문적으로 인정받지 못하는 이야기일 수 있다. 어느 수녀가 심장이식 수술을 받았다. 수술 후 기타를 치면서 로큰롤을 잘 부르게 되었다고 하는데 공여자는 로큰롤을 잘 부르던 음악인이었다고 한다. 2006년 데일리메일에서는 '재능 이식'이라는 제목으로 그림 그리는 것을 좋아했던 공여자의 심장을 이식받은 63세 환자의 이야기를 보도하였는데 예술적인 재능 또한 이식되었다(224쪽 그림 2). 수술을 기다리는 동안 지루함을 달래기 위해 미술치료를 받았는데 심장이식 수술 후 그가 인식하지 못하는 예술적 재능이 나타났고, 야생동물과 풍경화를 아름답게 그렸다고 전한다. 애리조나주립대의 심리학 교수인 게리 슈왈츠 등이 적극적으로 주장하고 있으며 많은 증례를 보고하였다.[3] 2011년 KBS 2TV 아침 드라마 〈두근두근 달콤〉(극본 김윤영, 연출 박기호)에서도 자신을 버리고 떠난 옛 남자 친구의 심장을 이식받은 남자와의 사랑을 주제로 삼았다. 이같이 세포기억은 영화나 드라마의 소재로 많이 이용되고 있다. 세포기억은 주로 심장이나 신장, 간을 이식하였을 때 나타나지만, 영화 〈디아이〉(The Eye, 2008)에서는 각막 이식을 통한 세

그림 2. 그림 그리는 것을 좋아했던 공여자의 심장을 이식받은 63세 환자의 수술 전 그림(왼쪽)과 수술 후의 그림(오른쪽). 예술적인 재능 또한 이식된 것으로 추정되었다.[4]

포기억 전달을 주제로 삼았다.

동양에서도 옛날부터 심장에 영혼(마음, 心)이 들어있다고 생각하였다. 편작(扁鵲)이라는 중국 고대의 전설적인 명의(名醫)는 의지는 강하지만 기질이 약해 무슨 일이든 끝까지 밀어붙이지 못하는 노나라의 공호와 의지는 약하지만 강한 기질 탓에 일단 시작하면 결실을 보고야 마는 성격인 조나라 제영의 심장을 바꾸어 이식하여 서로의 마음이 바뀌게 하였다고 한다.[5][6] 편작에 의해 심장이식 수술을 받은 공호와 제영은 집을 찾아갔지만, 공호는 제영의 집에 제영은 공호의 집으로 갔기 때문에 부인과 자식이 그들을 알아보지 못하였다고 한다. 영혼을 서로 합쳐서 반씩 나누려는 편작의 기대와는 달리 모두 바뀌어 버린 것이다.

우리 몸에서 기억은 뇌세포가 담당한다고 알려졌다. 그런데 최근에 심한 수두증 환자에서 뇌의 크기가 많이 작아진 사람도 일상생활을 유지할 수 있을 뿐만 아니라 약간 낮지만 정상 아이큐를 가지고 있다고 해서 논란이 있었다.(그림3)[7] 그럼 우리가 같은 민족에게 물려받은 기억, 부모님에게 물려받은 기억 등은 어디에 기록되어 있을지 궁금하다. 이것은 '유전자 기억'이라 해서 유전자에 기억되어 있다고 주장하는 사람도 있다. 그 외에도 유전자처럼 개체의 기억에 저장되거나 다른 개체의 기억으로 복제될 수 있는 비유전적 문화 요소 또는 문화의 전달 단위로 생물학자 도킨스가 『이기적 유전자』에서 소개한 밈(meme)이라는 것도 있는 등 기억에 관한 정보나 학문은 너무 복잡하다.

영화의 초반에서는 인공수정에 관한 이야기도 나오고, 낙태에 관한 이야기도 나오다 보니 많은 생명윤리 분야를 다루고 있다.

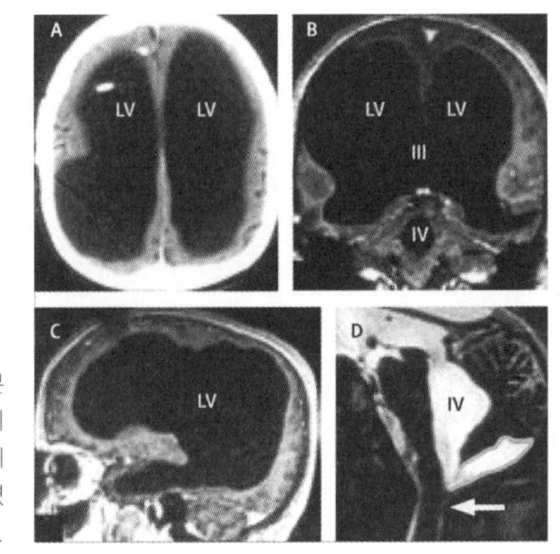

그림 3. 뇌수종 환자의 뇌. 검은 부분은 뇌수종에 의한 물이고, 회색 부분이 뇌조직인데 그 양이 아주 적다. 단지 아이큐가 약간 낮은 정상 소견을 보였으며 정상 생활을 유지하였다고 한다.

다만 영화의 순서가 앞뒤로 섞여 있어서 집중을 하지 않으면 이야기 흐름을 놓칠 수 있다.

영화 속에서 공여자를 사망에 이르게 한 운전사는 목사의 설득으로 범죄의 늪에서 빠져나왔지만, 목사가 선물한 트럭으로 세 사람의 생명을 빼앗는 결과를 초래하고 만다. 자신이 그토록 믿었던 '너의 머리카락의 떨림까지도 알고 있다.'던 그 신이, 결국 자신을 버렸다고 생각하게 한다.[8] 종교적인 관점에서도 깊이 생각하게 하는 영화이다.

장기이식이란 어떤 조직이나 장기의 파손된 기능을 대체하는 것으로 신체 조직이나 장기의 일부분을 자신 혹은 다른 개체에 이식하는 것을 말한다. 우리나라에서 이식할 수 있는 장기는 신장, 간장, 췌장(인슐린 분비세포), 소장, 심장, 폐, 조혈모세포, 각막 등이 있다. 이중 사후에 기증할 수 있는 것은 각막과 인체조직이다. 장기이식의 가장 큰 문제점은 장기 매매로부터 인간의 존엄성을 유지하는 것이고 뇌사 판정 등 법적인 문제를 잘 해결하는 것이다. 그러나 장기이식을 원하는 대기자는 많고 장기 기증 공여자는 적기 때문에 대부분이 가족이나 뇌사자에 의존하고 있다. 이러한 문제점들을 잘 해결하는 것이 무엇보다 중요하지만 이 영화에서처럼 기대하지 않았던 문제점이 발생할 수 있다.

이밖에 〈죽음의 가스〉(Coma, 1978, 불법으로 뇌사자를 만듦)를 필두로 하여 인간을 복제하여 장기이식을 대비하는 〈6번째 날〉(the 6th day, 2000), 〈아일랜드〉(Island, 2005), 〈마이 시스터즈 키퍼〉(My Sister's Keeper, 2009), 〈네버 렛 미 고〉(Never Let Me Go, 2010) 등이 있다.

1) 21 그램. 21 Grams, 2003. 감독; 알레한드로 곤잘레스 이냐리투
2) 네이버 영화 – 21 그램. https://movie.naver.com/movie/bi/mi/basic.naver?code=37951
3) Pearsall P et al. Changes in heart transplant recipients that parallel the personalities of their donors. Integr Med, 2000. 2(2): p. 65-72
4) The art transplant. Dailymail. 2006-03-3https://www.dailymail.co.uk/health/article-381589/The-art-transplant.html
5) 허정아, 몸, 멈출 수 없는 상상의 유혹. 2011, 파주: 21세기북스
6) 열어구, 임동석 (옮긴이) 열자(列子), 2009, 동서문화동판(동서문화사)
7) Feuillet LH et al. Brain of a white-collar worker. Lancet, 2007. 370(9583): p. 262
8) 정유진, 영화, 그에 대한 로망. 2008, 서울: 뿌리

인사이더

담배의 위험성 고발

The Inside, 1999[1)]

담배 값이 인상되면 금연하는 사람들이 많아진다고 한다. 담배가 몸에 좋지 않다는 것은 모두 잘 알고 있으나 한번 피우기 시작하면 담배의 중독성 때문에 끊기가 쉽지 않다.

국민에게 해로운 것이라면 생산을 하지 말아야 하는 것이 원칙인데 정부는 생산과 유통, 판매까지 전담(전매산업)하고 있으면서 담배가 해롭다는 광고를 하고, 담배 피우는 사람을 줄이기 위한 하나의 방편으로 담배 값을 올린다고 한다.[2)] 클린턴 미국 대통령은 담배는 마약이라고 선포하기도 하였고 미국식품의약국(FDA)에서도 금연을 적극 홍보하고 있다. 그런데 많은 사람이 니코틴 때문에 중독이 일어난다고 알고 있으나, 담배를 싸는 종이, 필터 등을 만들 때 들어가는 물질 등 그 외 다른 인자들이 중독을 일으키고 암을 발생시킨다고 알려졌다.

영화 〈인사이더〉에서는 담배회사에 오래 근무하던 주인공이 미국 CBS 「60분」과 인터뷰하면서 담배가 중독성이 있고 해롭다는

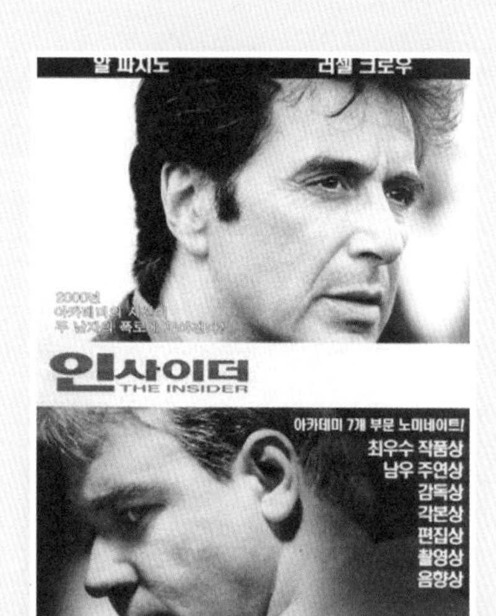

시놉시스[3]

제프리 위건드 박사는 미시시피 주와 기타 49개주 정부가 담배를 생산하는 재벌 기업 "브라운 & 윌리엄슨"을 상대로 한 사상초유의 2500억 달러짜리 소송의 주요 증인인데, 바로 그 재벌 기업의 연구 개발 분야 중역이어서 그 기업의 내막을 누구보다 잘 알고 있다. 그는 담배 회사가 10여 년 간 담배가 중독성이 있음을 알고 있었음을 증언하여 기업을 궁지로 몰아넣는다.

한편, 「60분」의 유명기자 마이크 월라스의 인터뷰 파트를 주로 담당하는 PD인 로웰 버그만은 제프리 위건드가 담배 회사의 내막에 대하여 「60분」에서 자세하게 밝히도록 유도한다. 그런데 담배 회사 측은 소송에 휘말릴 것을 두려워하는 CBS에 압력을 넣어 인터뷰 장면이 삭제될 위기에 처하고, 위건드는 고소당할 뿐만 아니라 이혼까지 당한다. 이제 위건드와 버그만, 두 사람은 서로 공조하며 방송국과 담배 재벌 기업에 맞서는데, 이들은 그 와중에 그들 내부에 존재하는 사악한 감정도 발견하게 된다.

사실을 밝히게 되면서 겪는 수많은 고난을 잘 나타내 주고 있다.

2001년 담배 회사 필립모리스가 체코 정부의 금연 정책에 대한 반박논리를 만들기 위하여 경제성을 분석하였다. 담배 때문에 죽는 사람에 '경제적으로 가치가 없고 사회적인 부담만 있는' 노년층 같은 사회보장 대상자를 포함하면 흡연은 경제적 맥락에서 도움이 된다는 것이었다.[4)] [5)] 흡연을 하면 사람들이 빨리 죽기 때문에 의료비(직접 흡연은 물론이고 간접 흡연에 대한 피해)와 연금이 절약되어 사망으로 인한 수입 감소 등을 제외하더라도 경제적으로 이익이 된다고 분석하였다.[6)] 물론 엄청난 파장을 일으켰고 이 때문에 담배 회사는 회사명을 알트리아로 변경하였다고 한다. 이후 이 문제들은 학회지에 보고되기도 하였는데 티호넨 등의 연구[7)]에 의하면 위에서 이야기한 대로 담배를 피우는 것이 경제적으로 이득이 되기는 하지만 금연하면서 얻는 이익이 더 크다고 주장하였다. 이들 내용은 담배 유해성을 홍보하여 공중보건을 지키기 위한 영국 왕립의사협회의 ASH(Action

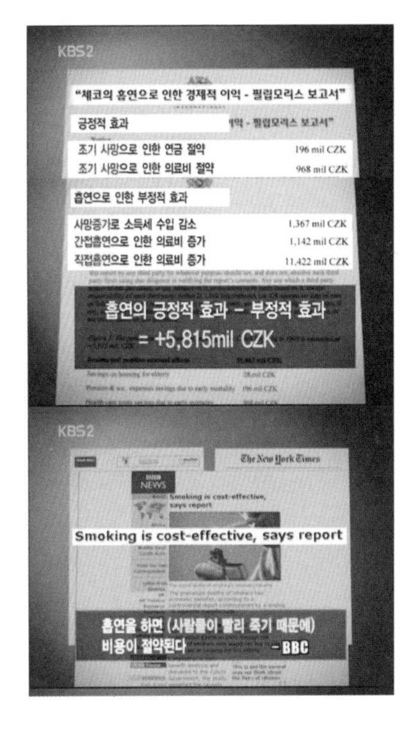

KBS2 방송 화면 캡처[8)]

on smoking and health)에 잘 나와 있다.[9]

물론 담배 회사에서는 이 같은 내용과 반대되는 연구도 지원하기도 하는데, 그렇게 하여 건강에 문제 되지 않는다는 의학자들의 연구를 대대적으로 홍보하기도 한다. 물론 근거가 전혀 없는 이야기는 아니지만 때로 고개가 갸우뚱해질 때도 있다. 거대 자본과 과학의 위험한 뒷거래로 그들이 원하는 대로 논문을 써주는 것을 '청부 과학'[10]이라고 한다. 한 예로 2001년 스위스 제네바대학의 라그나르 릴란데르 교수는 필립모리스의 자금을 받은 연구에서 간접 흡연의 피해가 과장됐다는 결과를 발표했다. 제네바의 금연단체들이 그를 고소했고, 결국 교수는 유럽연합의 건강 · 환경 분야 전문위원직을 박탈당했다.[11] 연구를 하다 보면 좋게 나올 수도 있고 나쁘게 나올 수도 있는데 전체가 아닌 어느 한 부분만을 강조하여 초점을 흐리거나 의도적으로 결과를 조작하면 연구윤리에 위배된다.

우리 사회에서도 의로운 내부 고발자를 보호하는 공익신고자 보호법이 시행되고 있으나 내부 고발자들은 순탄치 않은 인생을 살아가야 한다. 공공의 안전과 권익을 지키는 호루라기를 부는(Whistleblower) 정의감과 배신자 사이에서 힘든 여정을 지내야 한다. 여기에 속하는 영화는 〈인사이더〉 외에도 〈더 트루스: 무언의 제보자〉(2008),[12] 〈내부 고발자〉(2010),[13] 〈제5계급〉(2013)[14] 등이 있다.

우리 모두가 내부 고발자가 될 수는 없으나 내부 고발자를 따뜻하게 맞아주는 것, 아니 비난하거나 욕을 하지 않는 것이 보다 좋은 사회일 수 있다.[15] 위키리크스를 이끌고 있고 지금도 정착할 나라가 없어서 떠돌아다니는 줄리안 어산지는 영화 〈제5계급〉에서 "사회가 개혁하려면 좋은 아이디어와 헌신이 필요한데 헌신은 희생이 필요하다."고 하였다. 머릿속에서 좋은 생각이 떠오르지만 이를 행동에 옮기지 않으면 아무 소용이 없다는 것이다.

1) 인사이더 The Insider, 1999, 드라마, 감독; 마이클 만
2) 조승현. 담배의 경제학 경인일보 2011-09-07
3) 네이버 영화 인사이더 http://movie.naver.com/movie/bi/mi/basic.nhn?code=25633
4) Smoking is cost-effective, says report, BBC News 2001-07-17
5) 필립모리스 "흡연자 조기사망은 경제적 이익" 매일경제 2001-07-18
6) 필립모리스 "흡연자 사망은 경제이익" SBS 뉴스 2001-07-18
7) Tiihonen, J., et al. (2012). "The net effect of smoking on healthcare and welfare costs. A cohort study." BMJ Open 2(6)
8) http://www.momtoday.co.kr/board/16013
9) 영국 왕립의사협회의 ASH(Action on smoking and health) http://www.ash.org.uk/
10) 데이비드 마이클스 (2009), 이홍상 (역). 청부과학 - 환경 · 보건 분야의 전문가가 파헤친 자본과 과학의 위험한 뒷거래. 원제 Doubt is Their Product, 이마고
11) 김동광. 담배회사 돈으로 담배 유해성 연구? 한겨레 21. 2007-07-19
12) 더 트루스: 무언의 제보자 Nothing But The Truth, 2008, 감독; 로드 루리
13) 내부고발자 The Whistleblower, 2010, 감독; 라리사 콘드랙키
14) 제5계급 The Fifth Estate, 2013, 감독; 빌 콘돈
15) 박홍식, 이지문, 이재일(2014). 내부고발자 그 의로운 도전 성취, 시련 그리고 자기보호의 길. 한울아카데미

인 어 베러 월드

복수를 할 것인가, 용서를 할 것인가

In A Better World, 2010[1)]

최근 학교 폭력은 물론 지구상의 테러와 전쟁 등 보복의 악순환이 많아졌는데, 원제가 덴마크어로 복수(Haevnen)인 이 영화는 폭력과 그에 대응하는 방법을 생각하게 한다. 2011년 제83회 아카데미 시상식에서 외국어 영화상을 수상하였다. 당시 같이 경쟁한 영화는 〈그을린 사랑〉[2)]이었는데 이 영화 역시 전쟁 중에 발생한 '폭력의 악순환은 여기서 멈춰야 한다'라는 용서에 관한 영화이다.

영화에서는 덴마크와 스웨덴이 배경으로 나온다. 덴마크와 스웨덴은 역사적으로 오랫동안 크고 작은 전쟁을 벌였고, 결국 덴마크에 유리한 쪽으로 전쟁은 끝났다. 그 때문에 양국 모두 큰 피해를 입었으며, 지금도 양국 사람들의 감정이 좋지 않다고 한다. 감독 수사네 비르는 덴마크 최고의 흥행 감독으로 손꼽히는 여성 감독이며 골든글러브에서도 최우수 외국어영화상을 받았다.

스웨덴계 덴마크인 의사 안톤은 아프리카 오지에서 의료봉사

시놉시스[3]

의사인 안톤은 아내 마리안느와 별거 중이고, 덴마크와 아프리카를 오가며 의료봉사를 하며 혼자 살아간다. 10살 난 그의 아들 엘리아스는 학교에서 상습적인 따돌림과 폭력을 당하고 있는데, 어느 날 전학 온 크리스티안의 도움으로 위험에서 벗어나면서 둘은 급속히 친해지게 된다. 최근 암으로 엄마를 잃은 크리스티안은 가족과 세상에 대한 분노와 복수심으로 가득 차 있고, 평소 온순하고 침착한 엘리아스에게 자신만의 분노의 해결법을 가르친다.

한편, 아프리카 캠프의 안톤은 난민을 무자비하게 학살하는 반군지도자의 심각한 부상을 치료하게 된다. 안톤은 의사로서 도덕적 책무와 양심 사이에서 딜레마에 빠지게 된다. 폭력적이고 잔인한 현실 앞에서 마주하게 되는 복수와 용서, 결코 선택하기 쉽지 않은 이 두 갈래길 앞에 무력한 인간들은 어떤 선택을 해야 할 것인가.

활동을 하는 등 훌륭한 의사의 모습을 보이지만 사실 불륜을 저지르고 아내와 별거 중이다. 몸이 허약한 그의 아들 엘리아스는 왕따를 당하는데, 영국에서 전학 온 크리스티안은 왕따에 대항하여 큰 폭력을 저지르면서 왕따를 해결(?)한다. 어느 날 아이들 싸움이 어른 싸움으로 번져 안톤은 덴마크 사람에게 빰을 맞는다. 안톤은 아들과 크리스티안에게 용서를 설파한다. 심지어 자신의 빰을 때린 사람을 아이들과 함께 다시 찾아가 또 빰을 맞는다. 아이들에게 상대가 그것밖에 되지 않는 미천한 인물이라고 폄하하지만 아이들은 이에 동의하지 않는다.[4]

최형묵 목사에 의하면[5] 폭력의 종류에는 '구조화된 폭력', '대항 폭력', '진압 폭력'이 있는데, 대항 폭력이나 진압 폭력으로 폭력사태가 단절된다면 그나마 불행 중 다행이겠으나, 현실은 전혀 그렇지 않다고 한다. 이 폭력에 대한 반응을 분류하면 '비폭력', '반폭력'이 있다. 대항 폭력이 자기 파괴와 타인의 희생이라는 위험성을 안고 있다면, 비폭력 또한 더 큰 폭력을 무방비로 방치해 버릴 위험성을 안고 있다. 근원적인 폭력을 문제시하는 반폭력은 그 양자의 위험성을 동시에 뛰어넘으려 한다. 하지만 반폭력 행동마저도 구조화된 폭력 세력은 불온시하기 때문이다. 안전한 길은 없으나, 그래도 최선의 선택일 수밖에 없다. 폭력의 악순환, 그것은 끊임없이 위험한 선택만을 강요한다. 항상 폭력은 폭력을 낳고 그 악순환은 그 고리가 끊어지지 않는 한, 어느 한 편이 포기하지 않는 한 계속되는 것이다(236쪽 그림 1).

마하트마 간디의 손자이며 비폭력간디협회(M.K. Gandhi Institure

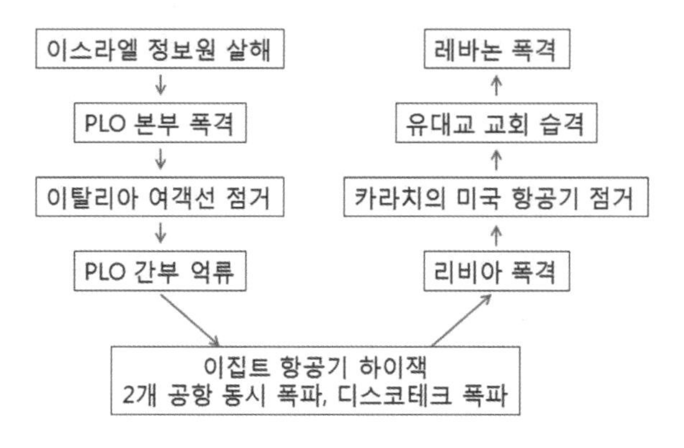

그림 1. 이스라엘과 팔레스타인(PLO) 간의 폭력 악순환[6)]

for Nonviolence) 설립자인 아룬 간디(Arun Gandhi)는 "위기의 순간에 국기를 흔들며 하나 되어 애국심을 발휘하는 일이 중요한 것은 아니다."[7)]면서 "비폭력은 우리 안에 잠재해 있는 긍정적인 면이 밖으로 나타날 수 있도록 하는 것이다. 그래서 보통 우리 생각을 지배하고 있는 이기심, 탐욕, 미움, 편견, 의심, 공격성 대신에 다른 사람에 대한 사랑과 존중, 이해, 감사, 연민, 배려가 우리 마음을 채우도록 하는 것이다."라고 하였다. 이어서 그는 "사람들은 이 세상은 무자비하기 때문에 살아남기 위해서는 우리도 냉혹해져야 한다고 하지만 나는 이런 주장에 동의하지 않는다."라고 하였다.[8)]

그러면 어떻게 해야 하는 것이 좋은 것인지에 대해서는 쉽지 않다. 복수의 쾌감은 짜릿할지 모르지만 또 다른 복수와 더 큰 희생을 부를 수 있고, 더욱이 우리도 모르게 그들과 닮아가게 된다는 점을 잊어서는 안 된다. 예수님의 가르침대로 '일곱 번이 아니라 일흔일곱 번까지라도 용서'해야 한다. 그러나 용서라는 것도 쉽지는 않은데 스콧 펙(Scott Peck)은 "용서한다는 것은 가해자에게 무죄 판결을 내린다는 뜻이 아니다. 진정한 용서가 이뤄지려면 먼저 유죄 판결이 있어야 한다. 아무런 죄도 저지르지 않은 사람을 용서해 줄 수는 없기 때문이다."라고 하였다.[9] 100만 명 대학살 20주년을 맞은 르완다에서는 '가차차 재판'을 통하여 처벌 대신 용서를 실천하고 있다고 한다.[10]

성인으로 추대된 교황 요한 바오로 2세는 1981년 성 베드로 광장에서 터키 청년에게 저격당했고 대수술 끝에 겨우 목숨을 건졌

영화의 한 장면

는데, 교황은 교도소를 찾아가 범인을 면담한 뒤 "나는 이미 진정으로 그를 용서했다."면서 사면을 요청하였다. 간디 역시 1948년 기도하러 가던 중 힌두교의 광신자가 쏜 총에 맞고 죽어가면서, 힘이 빠진 손을 자신의 가슴과 얼굴을 거쳐 이마에 올려놓았다. 이는 총을 쏜 사람에 대한 화해의 표시였는데 이것이 이 세상을 향한 간디의 마지막 동작이었다. 간디를 '위대한 영혼(마하트마)'이라고 부르는 이유가 바로 여기에 있다.[11]

마차 경주가 눈에 선한 영화 〈벤허〉[12]에서도 마지막 장면에서 예수님께서 '복수의 칼을 빼앗아 가버렸다'고 독백하는데, 박태식 신부는 '신앙으로 현대 문화 읽기'[13]에서 "'눈에는 눈 이에는 이로' 하고 이르신 말씀을 너희는 들었다. 그러나 나는 너희에게 말한다. 악인에게 맞서지 마라."(마태 5,38-39)라는 이천년 전 예수님의 말씀을 영화 〈벤허〉에서 다시 들을 수 있었다면서, 복수를 포기하지 않는 한 우리를 파멸시킬 수 있는 악마적인 경주는 결코 멈추지 않을 것이라고 하였다.

그럼 폭력을 종식시키려면 어떻게 할지에 대한 고민이 많은데, 프란치스코 교황은 "사회 안에서 그리고 다양한 민족들 사이에 배척과 불평등이 사라지지 않는 한, 폭력이 뿌리째 뽑힐 수는 없을 것입니다. 가난한 이들과 못사는 민족들이 폭력을 유발한다고 비난을 받지만, 균등한 기회가 주어지지 않으면 온갖 형태의 공격과 분쟁은 계속 싹을 띄울 토양을 찾고 언젠가는 폭발하기 마련입니다."[14]라고 하였다.

헨리 조지는 『진보와 빈곤』(Progress and Poverty, 1879)에서 "부

의 평등한 분배가 이루어진 사회에서는 그리하여 전반적으로 애국심, 덕, 지성이 존재하는 사회에서는, 정부가 민주화될수록 사회도 개선된다. 그러나 부의 분배가 매우 불평등한 사회에서는 정부가 민주화될수록 사회는 오히려 악화된다. (중략) 가장 미천한 지위의 인간이 부패를 통해 부와 권력에 올라서는 모습을 늘 보게 되는 곳에서는, 부패를 묵인하다가 급기야 부패를 부러워하게 된다. 부패한 민주 정부는 결국 국민을 부패시키며, 국민이 부패한 나라는 되살아날 길이 없다. 생명은 죽고 송장만 남으며 나라는 운명이라는 이름의 삽에 의해 땅에 묻혀 사라지고 만다."[15)]고 하였다.

이 영화를 보는 내내 그리고 학생들과 토론을 하는 동안 많이 불편하였다. 이 글을 정리하면서 조금 이해되는 면도 있지만 아직도 잘 모르겠다는 표현이 적절한 것 같다. 하긴 '정의(正義)'라는 것을 정의(定義)하기가 힘들고 어떤 식으로 정의한 정의는 그 큰 모습이 제한되어 정의의 본모습이 아닐 수 있기 때문이다.

1) 인 어 베러 월드 Haevnen, In A Better World, 2010, 스웨덴, 감독; 수사네 비르
2) 그을린 사랑 ncendies, 2010 드라마, 캐나다, 감독; 드니 빌뇌브
3) 네이버 영화 인 어 베러 월드 http://movie.naver.com/movie/bi/mi/basic.nhn?code=78681
4) 아카데미 최우수 외국어영화상 '인 어 베러 월드'- 휴머니즘 가득한 덴마크 영화 매일경제, 2011-07-07
5) 최형묵(2006). "폭력의 악순환을 끊는 길 : 폭력에 대한 신학적 단상." 사목, 329(6): 59-67
6) 아키유키오, et al. (2005). (우리 모두를 위한) 비폭력교과서. 서울,
7) Patriotism is the last refuge of a scoundrel "애국심이란 불한당(건달)들이 가는 최후의 피난처이다(세상에서 가장 사악한 것들은 애국이란 말 뒤에 숨는다)." -새뮤얼 존슨(Samuel Johnson)
8) 마셜 로젠버그, 캐서린 한(역) (2011) 비폭력 대화 - 일상에서 쓰는 평화의 언어, 삶의 언어(Nonviolent Communication: A Language of Life, 2003). , 한국NVC센터
9) M 스콧 펙 (Scott Peck). 길을 떠난 영혼은 한곳에 머물지 않는다 (Further Along The Road Less Travelled). 고려원미디어. 1995
10) 처벌 대신 용서… 르완다 일으켜 세운 '가차차' 동아일보 2014-04-07
11) 소금항아리. 2012-09-13 매일미사 묵상
12) 벤허 Ben-Hur, 1959. 감독; 윌리엄 와일러
13) 박태식 신부 영화 '벤허' 폭력은 폭력을 … 복수는 복수를 … '폭력의 고리 끊기'는 진정한 용서로부터 가능. 가톨릭신문. 2014-03-23
14) Francesco (2014). 복음의 기쁨. 서울, CBCK : 한국천주교주교회의
15) George, H., et al. (2012). (간추린) 진보와빈곤. 대구, 경북대학교출판부

잠수종과 나비

잠금 증후군

The Diving Bell And The Butterfly, 2007[1)]

2012년 8월 영국에서 한 남성이 자신에게 죽음을 달라고 법원에 호소했지만 법원은 고심 끝에 이를 거부했다는 뉴스가 있었다.[2)]

럭비 선수 출신의 건설회사 간부가 7년 전 갑자기 눈동자와 고개만 약간 움직이는 것 말고는 몸을 전혀 가눌 수 없는 상태, 즉 정신은 멀쩡하지만 손가락 하나 움직일 수 없는 잠금 증후군(락트인 신드롬, Locked-in syndrome; LIS)[3)]을 앓게 되고 안락사를 신청하였지만 거부되었다는 것이다. 잠금 증후군은 대뇌와 척수 사이에 있는 뇌간이라는 곳에 뇌출혈 등 병이 생겨 눈을 깜박이는 것 이외에 다른 운동을 전혀 할 수 없는 상태이다. 의식은 명료하고 감각도 살아 있어서 보고 들을 수는 있다.

세월호 사건 때 잠수종(Diving bell)이 문제가 된 적이 있는데, 투구같이 생긴 헬멧을 쓰고 수중 20미터 이하에서 작업을 하는 잠수부가 사용하는 도구를 말한다. 일명 '머구리'라고도 하는데, 키조개 등을 캐거나 수중 건설, 선박 정비 등을 하고 침몰 현장에서는 구조를 맡기도 한다.[4] 20미터 이상의 수중에서 작업을 하다 보니 공기를 공급해 주는 '공기줄(산소통이 아니다)'과 선박에 연결된 밧줄에 의존한다. 공기줄 외에도 이 밧줄은 생명줄이다. 20킬로그램 이상의 납덩어리를 차고 있기 때문에 혼자서는 올라올 수도 없다. 바다에 떠 있는 선박에서 서서히 당겨 올려주어야 하는데, 둘 중 하나만 끊어져도 죽을 수 있다.

이 영화에서 말하는 잠수종이란 두꺼운 잠수복 안에 갇혀 내 의지대로는 아무것도 할 수 없는 상태를 말한다. 주인공 보비는 "오늘도 머리는 망치로 얻어맞은 듯하고 온몸은 잠수복이라도 입은 듯 갑갑하게 조여 옴을 느낀다."라고 독백한다. '잠수종과 나비'의 나비는 번데기처럼 잠수종에 갇혀 있던 몸이 훨훨 날아가고자 하는 소망을 말한다. 잠수종에 갇힌 생명줄 없이는 살아갈 수 없는 잠금 증후군을 앓고 있던 환자가 나비처럼 날기 위해 소설 쓰기에 도전한다.

2012년 7월 방송된 MBC 「신비한 TV 서프라이즈」에서는 잠금 증후군에 시달렸던 프랑스 패션 잡지 엘르 편집장 도미니크 보비에 대한 이야기를 방송하였다. 1997년 세상을 떠난 패션잡지의 편집장 장 도미니크 보비의 실제 이야기이다. 마흔 셋의 잘 나가던 보비는 갑자기 찾아온 뇌졸중으로 쓰러진다. 20여 일 뒤 의식을 되찾지만, 왼쪽 눈꺼풀을 제외하곤 그의 몸에 있는 모든 근육은 마비되었다. 오른쪽 눈은 각막 궤양 때문에 실명되었기 때문에, 오른쪽 눈꺼풀은 꿰맸다. 받아들이기 힘든 현실을 맞닥뜨

시놉시스[5]

침묵에 빠진 육체, 자유로운 영혼이지만 움직일 수 있는 건 왼쪽 눈꺼풀뿐이다. 하지만 세상과 소통하기엔 충분했다. 패션 잡지 엘르의 편집장이자 두 아이의 아빠인 보비는 출세 가도를 달리던 중 뇌졸중으로 쓰러져 '잠금 증후군'으로 온몸이 마비된다. 한쪽 눈꺼풀을 깜빡여 세상과 소통하는 새로운 방식을 배우는 보비. 기억과 상상으로 자유를 향해 날아가는 그의 모습이 펼쳐진다.

린 보비는 절규하지만, 그 목소리는 영화 속 다른 등장인물에게 들리지 않는다.

왼쪽 눈만 깜빡일 수 있는 보비는 아버지가 선물한 책 『몬테크리스토 백작』에서 빌포르 검사의 할아버지도 잠금 증후군 환자였지만 눈 깜빡거림으로 의사소통을 했다는 사실을 알고(언어치료사가 읽어줌) 평소 소망이었던 소설을 쓰기로 한다. 눈을 한번 깜빡이면 'Yes', 두 번 깜빡이면 'No', 문장을 마칠 때는 아예 눈을 감는다라는 원칙을 정해놓고 언어치료사가 프랑스어에서 많이 쓰이는 글자 빌보드차트("으(e), 에쓰(s),아(a), 에흐(r), 이(i), 엔(n), 순서. 그림 1)를 읽어가면서 알파벳 하나 하나를 선택하여 단어를 만들고 문장을 만든다. 그가 책을 만들기까지 눈을 깜박인 횟수는 20만 회 이상이었고, 반쪽짜리 분량을 만들기 위해 하루 온종일 눈꺼풀을 열었다 닫았다고 한다. 단어 하나를 만들기 위해 3분 이상이 걸렸

그림 1. 프랑스어에서 가장 많이 쓰이는 철자법의 순서(프랑스어 빌보드차트 카드). E가 가장 많이 쓰이고 W가 가장 적게 쓰인다고 한다.

다는 말은 뭉클하기까지 하다. 1년 3개월 만에 『잠수종과 나비』라는 책을 출판하였는데, 열흘 만에 17만 부가 팔린다. 그리고 책이 나오고 10일 후 그는 숨을 거둔다.

언어치료사와 보비가 사용했던 프랑스어 빌보드차트 카드는 한국어와 일본어에서는 가로 세로로 배치할 수 있고, 루게릭병에 관한 영화인 〈사랑에 대한 모든 것〉(The Theory of Everything, 2014)에서는 알파벳 그룹과 색깔의 조합(빨간색 그룹의 노란색은 T, 그림2)으로 표시할 수 있다. 최근 컴퓨터의 발달로 눈으로 문자판을 응시하는 방법으로 글자를 선택할 수 있으며 최근 구글이나 휴대폰에서처럼 '자동완성과 자동교체 기능'으로 빠르게 의사소통을 할 수 있다. 스티븐 호킹은 이런 방법과 컴퓨터의 발성기능으로 세상과 소통하였다.

언젠가 몇 달간 식물인간처럼 중환자실에 누워 있다가 깨어난

그림 2. 〈사랑에 대한 모든 것〉에서의 문자판. 알파벳 그룹과 색깔의 조합. 예를 들면 화면 왼쪽 밑에 있는 Pink 그룹에서 Pink는 P, 블랙은 Q, Red는 R이다.

환자는 그 당시 일어난 모든 일을 귀로 듣고 알고 있었지만, 몸은 손가락 하나 움직일 수 없었다고 한다. 특히 배가 많이 고팠다고 증언한다. 식사 시간이 되면 간호사가 묽은 수프가 들어있는 50ml짜리 주사기 두 개를 가져와서 넣어주고 나면 배고픔이 조금 사라졌지만 얼마 시간이 지나지 않아 다시 배가 고팠다고 한다.

영화 〈어웨이크〉(Awake, 2007)에서는 전신마취 중에도 정신이 멀쩡해져서 수술실에서 일어나는 모든 일을 기억하게 된다는 이야기를 풀어가고 있다. 중환자실이나 수술실에서 근무하는 모든 의료인들이 한번쯤 새겨볼 이야기이다. 그 핵심은 환자 치료는 보살핌으로부터 시작하고, 보살핀다는 것은 환자를 사랑하고 존중하는 것이 기본이라는 것이다.[6]

보비는 죽기 전에 아들에게 "앞으로 많은 나비를 만나거라."라는 말을 전했다고 한다. 흉측한 모습의 애벌레에서 번데기가 되고 껍질을 벗고 나비가 되어야 훨훨 날아갈 수 있는데, 번데기 과정에 있는 고통을 받고 있는 환자들을 잘 돌보라는 메시지가 아닐까 싶다. 의료인들은 오 헨리의 『마지막 잎새』에서처럼 환자들에게 희망을 주어야 한다.

2016년 루게릭병 남편 '눈으로 쓴 문자메시지'라는 뉴스가 보도되었다.[7] 중증 전신마비 환자들은 몸을 움직이지 못할 뿐 아니라 말을 할 수 없어서 의사소통이 거의 불가능한 상태였다. 그 환자가 눈동자의 움직임으로 4년 만에 가족에게 문자메시지를 보냈다는 것이다. 신생 벤처기업에서 개발한 '안구 메신지 시스템'을 통하여 가능하였다고 한다. 특정 글자를 일정 시간 쳐다보면

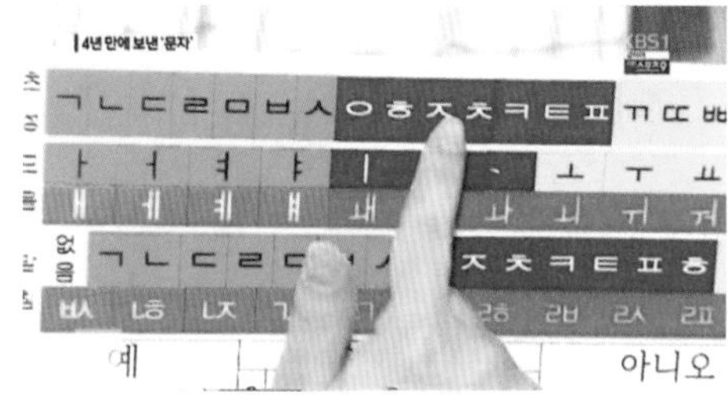

그림 3. 일본 영화 〈바티스타 수술 팀의 영광 – 나이팅게일의 침묵〉에서 사용한 문자판(위)과 우리나라에서 이전에 사용한 문자판(아래)

키보드를 치듯 화면에 글자가 입력되고, 스마트폰 메시지를 보낼 수 있다고 한다. 이전에는 글자판을 이용해서 한 글자, 한 글자, 자음, 모음을 입력하는 방식을 사용하였지만 매우 불편하였다고 한다.(그림 3) 한편 일본 영화 〈바티스타 수술 팀의 영광 - 나이팅게일의 침묵〉에서는 중증 장애인들이 사용하는 소통 문자판을 보여 준다.

최근 일본에서는 루게릭 환자가 눈의 움직으로 전자기기 조작 기술을 개발하였다고 전해진다.[8] 3년전 루게릭병을 진단받은 환자 본인이 개발한 프로그램으로 눈의 움직임으로 주변의 전자기기를 조작할 수 있다는 것이다. 첨단기술의 발달로 이 모든 것이 가능한 신세계가 펼쳐지고 있는 것이다.

1) 잠수종과 나비 The Diving Bell And The Butterfly, 2007, 감독; 줄리앙 슈나벨
2) JTBC news. 죽음을 허락받지 못해 통곡하는 남자… 그 기구한 사연. [JTBC] 2012-08-19
3) 네이버 지식 백과 락트-인 증후군[locked-in syndrome]
4) 민간 잠수사의 세계. 동아일보, 2014-05-03
5) 네이버 영화, 잠수종과 나비 http://movie.naver.com/movie/bi/mi/basic.nhn?code=66795
6) One of the essential qualities of the clinician is interest in humanity, for the secret of the care of the patient is in caring for the patient. Peabody, Francis (1927). "The care of the patient." JAMA 1927 88 (12): 877–882
7) 루게릭병 남편 '눈으로 쓴 문자메시지' KBS news 2016-12-27
8) 루게릭병 환자가 개발한 신기술… "눈으로 전자기기 조작" YTN 2016-12-19

제니 주노 · 주노

생명윤리(낙태)

Jeni Juno, 2005 · Juno, 2007

히포크라테스 선서에 "인간은 수태된 순간부터 지상의 것으로 여기고"라는 말이 있지만, 의료 현장에서 현실은 어렵고 힘들기만 하다.

몇 년 전 '산부인과의 낙태' 사태[1) 2)]를 보면서 씁쓸했던 것도 사실이다. 물론 산부인과 전공하는 분들 말고는 직접적인 관계가 없다고 수수방관하기도 하지만 종교를 가진 의사들의 큰 고민뿐만 아니라, 이 세상에 사는 부모라면 누구나 한 번쯤은 고민해 본 적이 있을 것이다. 의사 초년병 때 선서한 "나는 인간의 생명을 그 수태된 때로부터 더없이 존중하겠노라."라는 원칙에 더욱 충실했으면 하는 생각도 들고, 왜 이런 문제가 이번에 터졌을까 하는 의문도 들었다. '역시나 몇 번 고발하고 하더니 별 관심을 못 끌고 지나가는가'라고 생각하였으나 최근 뉴스에 의하면 10대 미혼모가 오히려 늘었다고 한다.[3) 4)]

낙태에 대한 영화는 〈주노〉(Juno)[5)]와 〈4개월 3주… 그리고 2

일〉[6]이 대표적인데, 우연히도 2007년도에 동시에 개봉되었다. 〈주노〉는 우리나라 영화 〈제니 주노〉를 표절 혹은 리메이크했다는 논란이 많았던 영화로 주인공 이름 '주노'뿐만 아리라 내용이 너무 유사하다. 하지만 흥행은 〈주노〉가 더 잘 되었으니 세상은 성공한 사람들 편이지 않을까 생각된다.

〈주노〉는 16세의 어린 학생이 임신을 하게 되고 고민 끝에 출산하기로 하고 입양시킨다는 이야기이다. 〈4개월 3주… 그리고 2일〉은 2007년 칸영화제에서 황금종려상을 수상한 루마니아 영화로 출산 장려를 위하여 낙태를 엄격히 금지하는 상황에서 낙태를 선택하는 학생과 그 친구의 이야기다.(101쪽 참조)

낙태에 관한 영화 중 더 관심을 가져야 할 영화는 〈더 월〉(If

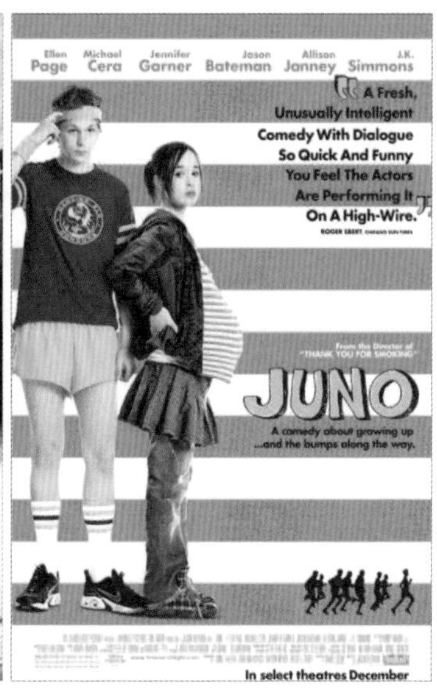

these walls could talk, 1996)[7]인데, 낙태에 관한 22년 사이의 3세대(1952, 1974, 1996) 간의 사회 현상을 옴니버스 형태로 만든 영화이다. 특히 〈segment-1996〉에서는 낙태반대주의자('프로라이프'와 기숙사 동료 및 가톨릭 등 기독교 단체)와 '프로초이스'를 표방하는 산부인과 의사의 이야기이다. '위민온웨이브스'(Women on waves, WoW)의 대표인 의사 레베카 곰퍼르츠[8]도 등장한다. 또한 낙태를 도와주는 프로초이스파 산부인과 의사를 프로라이프 극우파가 총으로 살해하는 사건을 영화에 담았다.

네덜란드의 낙태옹호단체인 '위민온웨이브스'의 대표인 레베카 곰퍼르츠는 배를 타고 낙태가 금지된 나라를 직접 찾아가서 다른 의사들과 함께 '낙태선박'에 여성들을 싣고 공해로 나간 뒤, 약물을 이용한 임신 중절 시술 등을 지원한다.[9] 곰퍼르츠는 "낙태를 반대하는 사람에게라도 인생에 한번쯤은 '어쩔 수 없을' 때가 있을지 모릅니다. 그런 상황에 놓인 여성의 결정권 역시 존중해야 합니다. 그것을 돕는 게 제 일의 목적입니다."라고 주장한다. 이 내용들은 2014년 「파도 위의 여성들(Vessel, 감독; 다이애나 휘튼)」이라는 다큐멘터리로 제작되었다.

2010년 2월 낙태반대운동을 주도해 온 산부인과 의사 모임인 프로라이프(Prolife) 의사회는 불법 낙태시술 산부인과 병원을 검찰청에 고발하여 의료계를 놀라게 한 일이 있었다. '프로라이프'라는 말은 생명을 존중한다는 말인데 배후에는 가톨릭을 중심으로 한 종교단체뿐만 아니라 수많은 보수단체가 후원을 하고 있다. 그 반대파 소위 '콘라이프(Conlife, 생명 반대파)'는 낙태 옹호주의자

로 여성 단체를 중심으로 한 여성에게 선택권을 주어야 한다고 주장하는데 이를 프로초이스(Prochoice)라고 하며 배후에는 여성단체 이외에 활발한 활동을 하고 있는 진보단체가 많지 않다. 프로라이프와 프로초이스파는 끊이없는 논쟁을 한다. "오죽하면 동료 의사를 고발했겠나?"와 "키워주진 않고 낳으라 강요하나?" 이에 우리나라뿐만 아니라 전 세계적으로도 명백한 답은 없다.

우리나라에서는 형법 269, 270조에서 낙태를 한 산모나 그를 도와주는 의사 및 의료인은 처벌을 받는다. 낙태를 금지하고 있으나 대법원 통계에 따르면 최근 5년간 1심법원에서 단순 낙태죄로 실형을 선고받은 사람은 전무했으며 대부분 1심에서 집행유예를 선고받거나 항소심을 통해 선고유예를 선고받고 있는 것으로 드러나서 개정의 필요성을 주장하는 사람들이 많다.[10]

형법으로 금지된 낙태가 이렇게 광범위하게 확대된 이유는 여러 가지가 있으나, 남아선호사상 및 여성의 프라이버시권 보장, 낙태에 대한 죄의식의 희박, 여성들의 사회적 진출의 증가, 기혼여성의 출산자녀 수 조절(가족계획), 태아의 장애, 피임에 대한 인식 부족, 아이 기르기 힘든 환경, 불법낙태에 대한 정부의 방조, 낙태 시술을 해야 병원 경영이 유지되는 산부인과의 열악한 환경[11] 등이 있다. 미국에서도 낙태가 합법적인 의료행위가 된 것은 1973년 미연방대법원의 '로 대 웨이드(Roe vs. Wade)' 판결이 지대한 영향을 주었다고 할 수 있다. 이는 임신 기간별로 태아에 대한 국가의 관여가 달라진다는 판결로 임신 초반에는 낙태를 허용할 수 있다는 판결이다.[12]

미국에서 보수를 표방하는 공화당과 진보를 표방하는 민주당이 정권이 바뀜에 따라 낙태에 관한 법률이 바뀌곤 하는데 Global gag rule[13]이 대표적이다. Global gag rule은 the Mexico city policy 혹은 the Mexico City Gag Rule이라고도 한다. 이 낙태기금 폐지에 관한 법은 1984년 레이건 대통령 때 제정되었으나, 1993년 클린턴 대통령 때 폐지되었고 2001년 부시 대통령 때 다시 제정되고 2009년 오바마 대통령 때 다시 철회되었다.[14] 법

1968년 초창기 가족계획 홍보 달력. 하단에 보면 "가장 효과적이며 안전하고 간단한 '루우프' 장치를 아십니까? 원하시는 분은 보건소나 가족계획 지도원을 찾으십시오."라고 쓰여 있다.

규의 내용은 외국에 대한 미국의 낙태기금(US funding for foreign abortions)을 종식시킨다는 것이다. 실제로 미국에서는 2009년에는 4억 2천 5백만 달러, 2010년에는 7억 6천 5백만 달러를 NGO나 국제가족연맹(International Planned Parenthood Federation, IPPF)에 지원하고 있다고 한다.[15]

국제가족연맹은 1952년에 설립되었으며 개발도상국을 주요 대상으로 가족계획, 모자보건, 성교육 사업에 관한 기술 자문과 정보 제공을 하는 한편 피임시술 기술 연수 등을 위한 국제협력 사업을 하고 있으며, 연맹은 20여 국가로부터 받는 지원금과 개인이나 단체의 기부금으로 운영된다고 한다. 그 배경에는 냉전이 격화되던 1960년대 당시 미국은 고출산 문제를 심각한 국제적 위기로 보았고, 후진국에서 만연하고 있던 다자녀 출산은 곧바로 빈곤 심화라는 악순환을 강화시키는 연계 고리가 되고, 공산주의가 확산될 것으로 우려했다는 것이다.[16]

우리나라는 1961년 대한가족협회가 설립되고, 국제가족연맹의 권유에 의해 같은 해 6월에 국제가족연맹에 가입하여 1962년부터 가족계획사업 10개년 계획을 수립하였고 제4차 5개년계획까지 인구증가율을 1.5 퍼센트까지 낮추는 계획을 추진하였다. 국민들의 적극적인 호응으로 인구증가 억제에 많은 효과를 거두었으며, 주변 각국으로부터 성공적인 표본으로 주목을 받았다.

결과적으로 최근 우리나라에서는 출산율 최저라는 결과를 가져오기도 하고 중국 등 동남아에서는 심각한 성비 차이를 초래하여, 아시아에서 남자가 1억6천 만 명이 더 많아지기도[17] 하였는데, 홍 등[18]에 의하면 1977년 서울에서는 신생아 한 명당 2.76명이 낙태가 되는 세계에서 유례를 찾아볼 수 없는 낙태율을 기록하게 되었다고 한다. 따라서 낙태가 우리나라에서 만연해지는 것은 이와 같은 근대화 시대의 역사적 배경도 무시할 수 없다.

영화를 통하여 관심을 갖지 않고 방관하던, 혹은 생각하기 싫어하고 터부시하던 낙태라는 문제를 한 번 깊게 생각하는 기회가 되었으면 좋겠다.

그 후 이야기

미국 보스턴과 스프링필드 등에서 가족 계획을 시행하는 병원 입구로부터 노란색 반원으로 칠해진 35피트(약 10미터) 공간 – '완충지대(Buffer zones)'가 설치되어 있고 이곳에는 시위대가 들어오지 못하며 즉 병원 관계자 외에는 들어올 수 없다고 규정한 법률이 있었는데 미국 연방대법원은 미국 수정헌법 상의 기본권을 침해한다고 판결했다.[19] 이곳에는 프로라이프 회원들이 피켓 시위를 하고 있으며 낙태를 고민하는 여성을 적극적으로 설득하는 사람들이 많아서 완충지대를 설치하였는데 이 완충지대가 없어지는 것이다. 1973년 낙태를 합법화한 판례인 '로 대 웨이드' 미국연방대법원 판결은 2022년 6월 동 법원에서 49년 만에 폐기되었다. 이에 따라 미국에서는 낙태를 금지하거나 제한할 가능성이 높아졌다.

1) 산부인과 의사들, 불법낙태 자정운동 · 동료의사 고발론 등 '내홍' 국민일보 2009-10-28
2) "낙태 금지는 종교 강요, 초기엔 허용해야"-로널드 드워킨과 생명의 지배영역. 오마이뉴스 2011-04- 27
3) [낙태 근절운동 1년 반…]낙태반대 '아이러니'… 10대 미혼모 늘었다 동아일보 2011-08-19
4) 2010 경인년 '뜨거운 감자' 그 사건 후(後)- 불법낙태 논란 시끌… 결국 실태조사. 데일리메디 2010-12-30
5) 주노 Juno, 2007, 감독; 이슨 라이트맨
6) 4개월, 3주… 그리고 2일 (4 Months, 3 Weeks & 2 Days), 2007. 감독; 크리스티안 문쥬
7) 더 월 (If These Walls Could Talk), 1996, 감독; 낸시 사보카, 쉐어
8) Gomperts, R. (2002). "Women on waves: where next for the abortion boat?" Reprod Health Matters 10(19): 180-183
9) 네덜란드의 급진적 낙태옹호단체인 '위민온웨이브스(WoW)' 대표이며 의사인 레베카 곰퍼르츠가 전 세계 낙태 금지국을 직접 찾아다니며 낙태수술을 원하는 여성을 배에 태우고 공해로 나간 뒤 약물을 이용해 낙태시술을 한 데서 나온 용어이다. [네이버 지식백과] 낙태선박 (한경 경제용어사전)
10) 주호노 (2012). "낙태에 관한 규정의 현황과 모자보선법의 힙리적 개정방안." Current Regulations on Abortion and Rational Improvements on the Mother and Child Health Act 20(2): 51-81
11) 이현숙 (2009). "한국사회의 낙태에 대한 인식변화 Changes in Attitude toward Abortion in Korea." Yonsei Med J 12(2): 29-40
12) 김민정 (2010). "미국 낙태 관련 정책에 영향을 미치는 요인 (The Factors that affect the abortion policy in US)" 한국정치학회보 44(4): 265-286
13) 재갈을 물려 말을 못하게 한다 - 함구령이라는 말인데, 미국 초기 정치의 노예제도 찬반과 같은, 정치적 토의와 행위를 저해하고 갈등 유발을 증폭시키는 이슈들은 정치적 사안에서 배세하자는 법이다.
14) 위키피디아 Mexico City Policy http://en.wikipedia.org/wiki/Mexico_City_Policy
15) 낙태기금에 반대하는 청원서에 서명합시다! 생명대행진(MFLK)
16) Hvistendahl, M. (2011). "Where Have All the Girls Gone? It's true: Western money and advice really did help fuel the explosion of sex selection in Asia." Foreign Policy.
17) Cheng, T. O. (2006). "Where have all the baby girls in China gone?" Am J Cardiol 98(3): 425
18) Hong, S. B. and C. Tietze (1979). "Survey of abortion providers in Seoul, Korea." Stud Fam Plann 10(5): 161-163
19) 미국 "낙태 시술 병원 앞 시위 규제 완충지대는 위헌" 가톨릭 신문, 2014-07-06

조이 럭 클럽

넌 나처럼 살지 마라!

The Joy Luck Club, 1993[1]

이 영화는 1940년대 가난과 핍박과 멸시를 피해 미국으로 이민 온 4명의 중년 어머니들과 그녀들의 장성한 4명의 미국 태생의 딸들(여덟 모녀) 간의 세대 갈등과 문화 및 가치관의 충돌, 그리고 사랑과 화해를 그렸다.

영화는 모두 12가지 이야기로 구성되어 있는데, 네 어머니와 네 딸 각자의 삶, 그리고 어머니와 딸 관계 이야기이다. 다음은 박태식 신부의 영화이야기 '딸아, 어디로 간 게냐?'[2]의 일부이다.

> 딸을 향한 어머니의 마음은 하나이다. 인생을 낭비해선 안 되고, 못된 남편을 만나 고생하는 일이 없어야 하고, 어떤 경우라도 자신의 가치를 포기하지 말아야 하며, 후회 없는 삶을 살아야 한다. 어머니는 자신이 범한 실수를 딸이 반복하지 않게 도와주려는데 그 시도가 항상 성공하는 것은 아니다. 묘하게도 딸들은 어쩌면 하나같이 어머니의 전철을 밟는 어리석은 삶을 선택한다. 그리고는 말한다. '어머니, 제발 제 일에 참견하지 마세요.'

시놉시스[3]

몇 달 전에 어머니를 잃은 준의 첫 중국 방문을 축하하기 위해 그녀의 집에서 열린 송별 파티에서 얘기는 시작된다. 준은 어머니가 중국을 침략한 일본군을 피해 달아나다 남겨놓고 온 쌍둥이 언니를 만나러 가는 것이다. 어머니가 멤버였던 마작 모임인 '조이 럭 클럽(喜福)'에 준이 처음으로 참석하여 3명의 어머니 친구들과 얘기를 나누면서, 여덟 모녀의 삶이 과거와 현재를 오가며 진행된다.

가부장적인 동양 사회 특히 한국 사회에서 여자는 어릴 때는 아버지 품안에서 살고, 커서는 남편에 기대어 살고, 늙어서는 아들에 얹혀사는 것이 어쩔 수 없는 현실이다. 그런데 사회학자 울프(Wolf)는 '자궁 가족(uterine family)'[4]이라는 용어를 사용하였다. 남편 집에 시집온 젊은 여성이 처음에는 아주 미약한 지위에 있지만, 자기가 낳은 자식들이 많아지면서 자신의 세력권을 구축해 나간다는 개념이다. 시어머니의 자식들은 분가하거나 시집을 가 나가버리면 집안에는 며느리의 자식들로 채워진다. 시어머니는 늙어 갈 뿐만 아니라 그녀의 자궁 가족은 줄어들어 며느리가 주도권을 차지한다는 것이다. 그런데 작금의 며느리들이 남편은 시어머니 자궁 가족이라는 사실을 잊어버리는 것 같다.

최근 급속도로 변화가 진행되고 있지만, 전통적인 유교 문화권에서 농경 산업이 주를 이룬 한국과 중국은 그동안 자궁 가족 형태를 유지하고 있다. 한국의 어머니는 자녀를 위해 자신을 희생하고 있는데, 그런 여성들에게 자신의 인권을 찾는 방법은 오직 아들의 성공뿐이라고 생각하며 자녀의 지위를 자신의 지위라고 생각하고 있다. 따라서 이 세상 모든 어머니의 잠재의식 속에는 아들

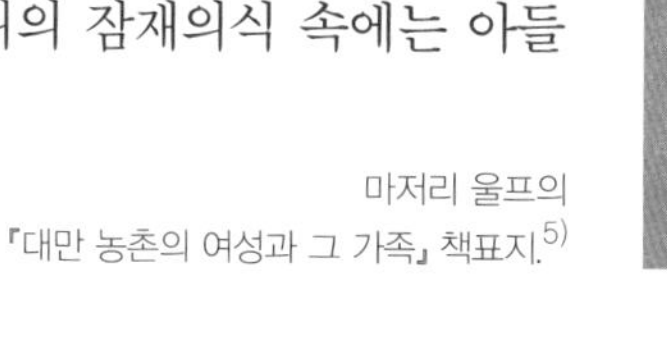

마저리 울프의
『대만 농촌의 여성과 그 가족』 책표지.[5]

을 번듯하게 키워내고 이에 대한 공로를 인정받고 싶은 욕구가 있게 되는데, 이런 욕구는 시대에 따라 다양한 모습으로 표출되고 있다.[6)]

조선 시대의 사진을 보면 아들을 낳은 젊은 여성들이 가슴을 드러내고 있는 사진[7)]을 볼 수 있는데 이제 '아들을 낳아 세력권을 이룰 수 있음을 드러내는 것'이며 시어머니와 남편에 대한 일종의 도전이라고도 볼 수 있다. 현대의 어머니들도 이러한 개념이 마음속에 있는데, 아들이 등 돌리고 떨어져 나갔을 때의 상실감은 엄청나다. 특히 50대 이상의 어머니들이 근대와 현대의 중간에 끼어있는 '낀 세대'이다. 많은 사람들이 시집살이를 경험하면서 시어머니와 시어머니의 자궁 가족인 남편과의 사이에서 고난을 받아왔으나, 본인의 아들은 며느리에게 빼앗겨 버리니 그 박탈감과 소외감[빈둥지 증후군, 공소증후군(空巢症候群)]이 엄청 크다고 할 수 있다.

이 영화에서는, 아들을 낳지 못하거나 아들을 본부인에게 빼앗긴 여성들이, 근대화된 미국에서 딸들이 보다 나은 삶을 살기를 바라는 즉 아들 대신 본인의 소망을 이루어주기를 바라는 어머니의 소망이 딸들에게 투영되고 있는 동양적인 사상이 잘 표현되고 있다.

〈조이 럭 클럽〉 예고편의 한 장면[8)]

죽어가는 어머니를 회생시키려고 딸이 손가락에서 피를 내어 입에 넣어주는 풍습이나, 딸의 앞날을 위해 스스로 목숨을 끊는 대목은 우리나라의 옛 모습을 보는 것 같다. 또한 전쟁 중에 쌍둥이 딸을 잃어버린 것에 대한 심리적 트라우마에 시달리는 어머니와 어머니가 돌아가신 후 본토에 살아있는 쌍둥이 언니를 만나는 장면도 이전 KBS에서 방송하였던 이산가족 상봉 장면을 보는 것 같다.

---

1) 조이 럭 클럽 The Joy Luck Club, 1993, 드라마, 멜로/애정/로맨스, 미국, 감독: 웨인 왕
2) 박태식 신부의 함께 사는 이야기, 딸아, 어디로 간 게냐? 대한성공회 커뮤니티 홀리넷.
3) 네이버 영화 – 조이 럭 클럽 https://movie.naver.com/movie/bi/mi/basic.nhn?code=16209
4) Wolf, M. (1993). "Uterine families and the woman's community." Talking about people: Readings in contemporary cultural anthropology. Mayfield Publishing: CA. 166-169
5) Margery Wolf, Women and the Family in Rural Taiwan. 1972.https://www.sup.org/books/title/?id=3233
6) 손석한. 여성 대 여성의 이익투쟁 '뿔'나거나 화합이거나. 주간동아 2008-05-21
7) 가슴을 드러낸 조선의 여인들 http://blog.daum.net/greatchosun/8920690
8) The Joy Luck Club – Trailer https://youtu.be/0nYDMp1LdT8

천상의 소녀

이제부터 넌 남자란다

Osama, 2003[1)]

2015년 3월 '자식 위해 43년간 남자로 산 어머니'가 이집트 최고의 어머니상을 받았다는 뉴스가 보도되었다. 1970년대 남편을 잃은 그녀에게 남겨진 것은 자식 한 명과 뱃속에 있는 6개월 된 아기뿐이었는데, 보수적인 이집트 문화 속에서 여성이 일을 한다는 것은 상상도 할 수 없었다. 긴 머리카락을 자르고, 헐렁한 남자 옷을 입은 채 건설 현장에 나가 벽돌을 굽고 벌판에 나가 밀을 수확했고, 환갑이 넘어서도 구두닦이로 일하고 있는 그녀는 '여성성'을 포기한다는 것이 쉽지 않았지만 딸을 위해 뭐든지 해야 했다고 한다.[2)]

또한 탄자니아에서는 강간범으로 체포된 사람이 여성으로 밝혀진 사건도 있었다. 여자는 탄광에 들어갈 수 없으니 남자로 변장하여 힘든 일을 하였다고 한다.

영화 〈엔틀〉이 아담으로 살고 싶은 이브였다면, 이 영화는 아담으로 살아야만 하는 이브의 슬픈 이야기이다. 이슬람권에서도 남

시놉시스[3]

탈레반이 정권을 잡은 아프가니스탄. 탈레반 정권은 법적으로 여자가 밖에서 일하는 것을 금지하고 있다. 이런 법을 개정하라는 아프간 여인들의 시위와 혹독한 가난으로 절망에 휩싸인 마을. 성인 남자들은 모두 전쟁에 나가죽었고 가족이라고는 할머니와 어머니뿐인 열두 살 소녀는 집안의 생계를 책임져야 할 상황에 이르고, 남장을 하게 된다.

식료 잡화상에서 소일을 하며 가족의 생계를 유지하게 된 오사마. 어느 날 마을에 모든 소년들이 탈레반 군대 교련을 위한 학교에 소집되고 소년으로 위장한 오사마 역시 학교로 데려가져 훈련을 받게 된다. 하지만 동료 소년들에게 여자로 의심받게 된다. 그때 소녀를 좋아하는 소년이 외친다. "그 앤 남자야! 그 애 이름은 오사마야!"

같이 훈련을 받던 아이들과 싸우고 벌을 받던 중, 소녀는 교관에게 여자인 것을 들키게 된다. "이 아이는 여자다!" 이 말 한마디에 소녀의 운명은 건잡을 수 없는 비극으로 빠져든다.

존여비 사상이 심한데 특히나 아프가니스탄 탈레반 정권하에서는 더욱 심하였다. 이 탈레반 정권하에서 할머니, 어머니, 딸 이렇게 3대의 여자가 여성으로 살아가기에는 무척이나 힘들어 어쩔 수 없이 가장 어린 손녀가 아담(남자)으로 살아가면서 돈을 벌어야 하는 이브(여자)의 이야기이다. 탈레반 정권이 무너진 후 아프가니스탄에서 제작되었다.

> "옛날 옛적에 한 소년이 살았단다. 그 애는 일을 해서 여동생들을 부양해야 했지. 일하기가 싫었던 그 아이는 여자가 되게 해달라고 기도했단다. 어느 날 천사가 나타나서 무지개 아래로 걸어간다면 여자가 될 수 있을 거라 했지. 천사는 하느님이 비를 내리고 난 후 우리에게 주시는 선물이 무지개라고 했단다. 남자가 거길 걸어가면 여자가 되고, 여자가 지나가면 남자가 되는 거야."
>
> — 영화 중 아이의 머리를 잘라주며 하는 할머니의 대사

2010년 뉴욕타임스[4]와 2012년 BBC[5] 보도에 의하면 아프가니스탄에서는 사내아이가 없이 딸만 있는 경우 사회˙경제적인 이유로 여아 중 하나를 남장을 시켜 남아처럼(바차 포쉬 Bacha Posh)[6] 살게 한다고 한다. 이렇게 해서 아이는 학교도 갈 수 있고 누이들을 돌볼 수 있으며 일을 할 수 있다고 한다. 이 아이들이 15~17세가 되어 결혼 연령에 도달하였을 때나, 여성의 이차성징이 나타나면 다시 여성으로 돌아간다고 한다. 그러나 남성 역할로 사춘기를 보냈기 때문에 아내가 되기 위해 필요한 여러 가지 사항들

소년처럼 살아가는 아프가니스탄 소녀 (The Afghan girls who live as boys. 왼쪽).
아프가니스탄에서는 소년들이 소중하다. 그래서 소녀가 그 역할을 하며 살아간다.
(Afghan Boys Are Prized, So Girls Live the Part. 오른쪽)

을 배워야 하기 때문에 불안해하기도 하지만 여성 권리를 향상시킨 측면도 있다고 한다.

우리나라에서도 6·25 전쟁 동안에 남자들이 많이 죽고 여성(미망인) 한 사람이 두 명 정도의 아이를 책임져야 하는 억순이(억척부인), 똑순이들이 많았다. 경제적으로 어려운 사람들도 편하게 사는 것이 정의로운 사회가 되는 것인데, 지금도 많은 소녀 가장이 고생하고 있다.

1) 천상의 소녀 Osama, 2003. 감독; 세디그 바르막
2) 자식 위해 43년간 남자로 산 어머니 YTN 2015-03-24
3) 네이버 영화 - 천상의 소녀. http://movie.naver.com/movie/bi/mi/basic.nhn?code=37527
4) Afghan Boys Are Prized, So Girls Live the Part. 뉴욕타임스 2010-09-21https://www.nytimes.com/2010/09/21/world/asia/21gender.html
5) The Afghan girls who live as boys. BBC 뉴스 2012-03-27 https://www.bbc.com/news/magazine-15262680
6) 바차 포쉬 Bacha posh; 아프가니스탄의 공용어 중 하나인 다리어로 '소년처럼 옷을 입은 이'라는 의미이다. 아프가니스탄과 파키스탄의 일부 지역에서, 아들이 없는 일부 가족이 남자 아이로 살 딸을 선택하고 그를 남자처럼 살아가게 하는 문화적 관행이다. 이렇게 하여 그 아이는 학교에 다니고, 공공 장소에서 여동생들을 호위하고, 일하는 등 좀 더 자유롭게 행동할 수 있게 해준다. 또한 가족이 남자 아이가 없는 것에 대한 연민을 극복하도록 돕는다. http://en.wikipedia.org/wiki/Bacha_posh

청원

안락사

Guzaarish, 2010[1)]

영화 제목 '청원'은 '안락사를 청원한다'라는 의미인데, 불의의 사고를 당해 전신마비가 된 천재 마술사가 자발적 안락사를 법원에 청원한다는 이야기이다.

용어가 어렵기도 하고 우리와는 전혀 상관이 없는 것 같은 안락사는 보라매 병원 사건과 세브란스 김 할머니 사건에서와 같이 의료인들에게 결코 방관할 수 없는 용어이다. 그러나 서로 혼용하여 쓰기 때문에 혼란스럽기도 하다. 실제로 많이 쓰는 용어인 '자의 퇴원'은 보라매병원 사례에서 보듯이 '의학적 충고에 반한 퇴원' 혹은 '가망 없는 퇴원'일 수 있으며 이 두 가지 모두 '소극적 안락사'에 속한다.

안락사와 관련된 간단한 용어 설명은 표1(268쪽)과 같다.

소극적 안락사는 세계적으로 널리 허용되고 있다. 가망 없는 환자에 대해 본인이나 가족이 퇴원을 요청하면 병원이 이에 응하는 방식으로 사실상 소극적 안락사가 시행되어 왔다. 병원에서는 이

<table>
<tr><th></th><th colspan="2">자발적
voluntary</th><th>반자발적
involuntary</th><th>비자발적
nonvoluntary</th></tr>
<tr><td rowspan="2">간접적</td><td>소극적</td><td>DNR, 치료 거부</td><td rowspan="4">허용 불가능</td><td rowspan="2">논의 중
시행 중</td></tr>
<tr><td>적극적</td><td>치료 중단,
인공호흡기 제거</td></tr>
<tr><td rowspan="2">직접적</td><td>소극적</td><td>치료 거부</td><td rowspan="2">허용 불가능</td></tr>
<tr><td>적극적</td><td>약물주사, 치료 중단,
인공호흡기 제거</td></tr>
</table>

표1. 안락사의 분류[2)]

를 가리켜 '가망 없는 퇴원(Hopeless discharge)'이라고 한다. '자발적'은 본인의 의사가 확실한 경우이고, '반자발적'은 본인이 원하지 않는 경우, 비자발적은 신생아와 중증의 정신장애자처럼 안락사에 동의할 수 있는 능력이 처음부터 없는 사람들, 이진에는 그런 능력이 있었지만 노인성 치매 환자나 노쇠 등으로 지금은 상실한 사람, 능력이 있었지만 혼수상태에 빠져서 의사소통을 할 수 없는 사람을 말한다.

안락사에 관한 영화는 많이 있으나 비자발적 안락사에 속하는 영화에는 〈뻐꾸기 둥지 위로 날아간 새〉[3)]와, 〈베티 블루〉,[4)] 〈밀리언 달러 베이비〉[5)]가 있고 자발적 안락사에는 〈내 인생은 나의 것〉,[6)] 〈미 비포 유〉,[7)] 〈씨 인사이드〉[8)]와 〈유 돈 노우 잭〉[9)]이 있으며 그리고 우리나라 영화 〈내 사랑 내 곁에〉[10)]가 있다.

이번에 소개하는 〈청원〉은 자발적 안락사와 관련이 있다. 〈내 인생은 나의 것〉,[11)] 〈씨 인사이드〉와 〈유 돈 노우 잭〉 등의 자발적 안락사와 관련된 영화에서는 경추 손상으로 인한 사지마비로 거의 움직일 수 없으나 정신은 맑고 정상인 환자가 안락사를 원하는 상황으로 이루어졌다. 〈내 인생은 나의 것〉에서는 혈액 투석 등을 하지 않으면 생명을 유지할 수 없는 천재 조각가 환자가 치료 받지 않고 죽을 수 있는 권리를 주장하면서 의사와 판사와의 갈등을 영화화하였고, 〈씨 인사이드〉에서는 죽을 수 있는 권리를 법원에 청원한다는 설정이며, 〈유 돈 노우 잭〉은 안락사를 원하는 환자들에게 안락사를 도와주고 마지막에는 직접 약물 주입을 시술한 미국인 의사 잭 케보키언의 삶을 영화화하였다.(207쪽 참조)

〈청원〉의 감독 산제이 릴라 반살리는 2005년에도 〈블랙〉[12]이라는 영화를 개봉한 적이 있는데 이 영화는 헬렌 켈러 이야기인 〈The Miracle Worker〉[13]의 인도판이라고 할 수 있으며, 〈청원〉은 〈씨 인사이드〉의 인도판이라고 할 수 있다. 스페인 영화 〈씨 인사이드〉에 비해 보다 동양적인 사고방식을 느낄 수 있으며, 인도 영화 특유의 극중 뮤지컬도 감상할 수 있다.

판사의 허락 아래 주인공은 마술을 보여 주겠다며 한 사람이 겨우 들어갈 수 있는 나무 궤짝을 가져오게 한다. 판사의 요청으로 검사가 마지못해 궤짝 안에 들어가게 되고, 주인공은 60초면 끝난다면서 마술의 신세계를 경험해 보라고 설득한다. 나무 궤짝 안으로 들어간 검사는 잠시 후 숨이 막힌다며 비명을 지른다. 약속한 60초가 다 되어가도 마술을 보여 주지 않자 판사가 소리친다. "지금 뭐하고 있는 겁니까? 이런 게 마술입니까? 잘 봤으니 꺼내 주세요!" 잠시 후 나무 궤짝 밖으로 나온 검사는 숨을 헐떡이면서 "이게 재미있습니까? 숨이 턱턱 막히고 죽을 것 같은데…"라고 항

시놉시스[14]

대저택, 그곳엔 14년 전 사고로 전신마비가 되어 감옥 같은 생활을 하고 있는 당대 최고의 마술사 이튼이 산다. 그의 곁엔 12년간 한결같이 간호해 주고 있는 매력적인 간호사 소피아가 있다. 그녀의 도움을 받아 장애를 극복하고 사람들에게 희망을 주는 라디오 DJ로 제2의 삶을 살아가고 있지만 그에겐 한순간의 자유도 허락되지 않는다. 불행을 감춘 채 평화로운 일상을 보내던 어느 날, 이튼은 오랜 친구인 변호사를 불러 한 가지 부탁을 하며, 행복을 위한 이튼의 간절한 안락사 청원이 시작된다. 사랑해서 보낼 수 없는 사람, 사랑하기 때문에 보내주는 사람, 진정한 삶과 행복을 위한 그의 마지막 선택은 어렵지만 확고하다.

의한다. 그러자 주인공은 "검사님은 지난 14년간 전신마비 환자로서의 저의 삶을 60초간 체험하였습니다. 겨우 60초라고요."라고 담담히 말한다.

나이가 들어가면서 또 할머니 할아버지 환자를 만나다 보면 '구구팔팔이삼사'라는 말을 많이 듣는다. 99세까지 팔팔하게 살다가 이틀만 앓고 사흘째 되는 날 죽고 싶다는 뜻으로 무병장수의 염원이 담긴 말이다. 평균수명이 늘어나면서, 건강한 몸으로 행복하게 노년을 보내고 편안한 죽음을 맞이하고자 하는 '웰에이징(Well-Aging)'과 '웰다잉(Well-Dying)'에 대한 관심도 높아가고 있다. 고통스럽게 병에 걸려 죽는 것보다 멋지게 자연사하는 것이 무엇보다도 좋은 일이라 할 수 있다. 저녁에 잠자리에 들어 단잠을 자다가 그대로 깨지 않고 편안하게 죽고 싶다는 어르신들의 말이 '좋은 죽음'을 뜻하는 것인지 모르겠지만, 죽음의 때에 이르러 큰 고통 없이 짧은 시간에 자연사할 수 있다면 분명 다행스러운 일이라 할 것이다.[15)]

그러면 영화에서처럼 전신마비로 말은 할 수 있고 젓가락 같은 막대기로 컴퓨터 자판을 칠 수 있지만 본인의 의지로는 아무것도 할 수 없는 상황이나, 루게릭병처럼 서서히 전신이 마비되어 가는 환자를 만났을 때 어떤 도움을 줄 수 있는가와 이들이 안락사를 원할 때 의사는 어떻게 해야 하는지를 한번 쯤 생각해 볼 문제이다.

네덜란드에서는 중병이나 불치병에 걸린 환자가 요청할 경우 안락사를 허용하고 있으며, 최소한 2명 이상의 의사가 진단해야

영화의 한 장면

하며 환자가 사망한 후 즉시 당국에 보고하도록 하는 안락사 법이 2001년 공포되어 시행하고 있으나, 2011년 뉴스[16]에 의하면 공포된 후 시행된 3600여 건 중에서 25%는 2명 이상의 의사와 상담하지 않은 경우이며, 정부에 보고한 경우도 45%에 불과하다고 한다. 게다가 안락사의 15-20%는 고통을 덜 수 있는 의학적인 치료가 가능했던 경우이며, 3분의 1은 단지 가족들의 짐을 덜기 위해 안락사를 원했던 경우라고 한다. 이렇듯 생명윤리 관련 규정은 소위 미끄러운 경사길 논쟁[17]에 휩쓸릴 수 있는데 다른 용어로는 '대머리의 역설(Baldness Paradox, Calvus Paradox, 대머리의 궤변)', '무더기의 역설(Paradox of Heap, Paradox of the Heap of Grains)', 혹은 '소라이티즈 패러독스(Sorites Paradox, 삼단논법 패러독스, 연쇄

결론의 역설)'라고 하며 용어의 애매모호함 때문에 발생하는 현상이라고 한다. 즉 3개월 이전에는 어떤 행위를 허용한다고 하면 3개월 1일 혹은 2일은 허용할 것인가 등, 한번 허용을 하는 방향으로 법안이 공포가 되면 미끄러운 경사길에 미끄러져 굴러가는 자동차처럼 나중에는 걷잡을 수 없이 내리막길을 내려가게 되고 종국에는 아무런 장애 없이 안락사 등 생명 윤리관련 행위를 허용하게 된다는 것이다.

또한 안락사에는 당사자일 때와 의사 혹은 보호자, 방관자일 때의 처지가 다르다고 한다. 중증 장애자를 간호하고 있는 노모를 만나 이야기를 나눈 적이 있다. 당신이 살아 있을 때는 그래도 아이를 돌보아 줄 수 있는데, 죽고 나면 아이를 누가 돌볼 것인가라는 생각이 들어 '우리 같이 죽자.'라고 했더니 아들이 '내가 왜 죽어요?'라면서 화를 내더라고 한다.

영화 〈Just like heaven〉[18]에서는 평소 안락사를 주장하던 젊은 여의사가 불의의 사고로 뇌사 상태에 빠졌으며 〈사랑과 영혼〉처럼 육체와 영혼이 분리되어 있는 상태이다. 그 상태로 6개월이 지나 병원에서는 호흡기를 떼어내려고 하고 본인은 돌아갈 육신을 계속 살려야 하는 투쟁을 그리고 있다.

마지막으로 영화 대사 일부를 소개한다.

"인생은 짧지만 온 마음을 다한다면 충분히 길어요.
원칙은 깨버리세요,
용서는 빠르게, 키스는 천천히, 사랑은 진실하게,

웃음은 조절할 수 없을 만큼

그리고 당신을 미소짓게 했다면 절대 후회할 필요가 없어요."

---

1) 청원 Guzaarish, 감도; 산제이 릴라 반살리, 2010
2) 구영모, 생명의료윤리. 2010, 서울: 동녘
3) 뻐꾸기 둥지 위로 날아간 새. One Flew Over The Cuckoo's Nest, 1975, 감독; 밀로스 포먼
4) 베티 블루. 37.2 Le Matin, Betty Blue, 1986 감독; 장-자크 베넥스
5) 밀리언 달러 베이비, Million Dollar Baby, 2004. 감독, 주연; 클린트 이스트우드
6) 내 인생은 나의 것. Whose Life Is It Anyway? 1981, 감독; 존 바담
7) 미 비포 유 Me Before You, 2016, 감독; 테아 샤록
8) 씨 인사이드 (The Sea Inside, Mar Adentro, 2004) 감독; 알레한드로 아메나바르
9) 유 돈 노우 잭, You Don't Know Jack, 2010, 감독; 베리 레빈슨
10) 내 사랑 내 곁에, Closer To Heaven, 2009. 감독; 박진표
11) 내 인생은 나의 것. Whose Life Is It Anyway?, 감독; 존 바담
12) 블랙, Black, 2005, 감독; 산제이 릴라 반살리
13) The Miracle Worker, 2000 헬렌 켈러의 위대한 스승, 애니 설리번. 감독; 나디아 타스
14) 네이버 영화 – 청원 http://movie.naver.com/movie/bi/mi/basic.nhn?code=80774
15) 이원규. 생명에 대한 마지막 예의. 경향신문, 2010-09-03
16) 네덜란드서 안락사 계속 증가. 연합뉴스, 2011-06-28
17) 조현아, 생명의료윤리학에서 '미끄러운 경사길 논변'에 관한 메타윤리학적 고찰 A Metaethical Approach on "Slippery Slope Arguments" in Biomedical Ethics. 생명윤리, 2003. 4(1): p. 2-20
18) Just Like Heaven, 2005 저스트 라이크 헤븐 감독; 마크 워터스

컨테이젼

에볼라 바이러스

Contagion, 2011[1)]

2014년 전 세계가 서아프리카발 에볼라 바이러스에 대한 공포에 힘들어했다.

노벨상 수상자인 조수아 레더버그(Joshua Lederberg)에 의하면 지구상에서 인간의 지배를 위협하는 가장 큰 위협은 바이러스라고 하였는데,[2)] 에볼라 바이러스는 치사율 단계별 분류의 최상급인 제4단계 바이러스이다. 에볼라 바이러스는 1967년 독일의 미생물학자가 아프리카 콩고의 에볼라 강에서 발견한 데서 유래되었다.

에볼라 바이러스 발생 지역은 서부 아프리카의 기니, 시에라리온, 라이베리아나, 이전에도 아프리카 중부의 수단, 콩고, 가봉, 우간다 등에서 빈번하게 유행이 이루어졌다.[3)] 이 바이러스에 감염되면 유행성출혈열 증세를 보이며, 감염 후 일주일 이내에 90% 이상의 치사율을 보였다.

그러다 보니 음모론이니 괴담이니 악성 루머니 하는 소문이 돌고 있다. '의료진이 옮기고 다닌다', 'CIA서 만든 바이러스이다',[4] '미 국방부가 세계 인구를 줄이기 위해 에볼라 바이러스라는 세균무기를 개발했다', '미국 질병통제예방센터가 제약사들과 함께 에볼라 백신을 만들어 특허를 받아 두었는데, 이걸로 큰돈을 벌 것이다', '에볼라 확산 배후에 세계 엘리트 비밀결사체로 알려진 뉴월드오더'가 있다 등인데, 이러한 이야기들은 어떤 사실에 근거를 두고 있기는 하지만 진실이 아닌 경우가 대부분이다. 그렇지만 이런 이야기들은 영화로 만들어지기에 좋은 소재이기 때문에 많은 영화가 만들어졌다.

에볼라 바이러스와 비슷한 바이러스를 소재로 삼은 영화는 다음과 같다.

1) 〈아웃브레이크〉Outbreak, 1995, 감독; 볼프강 페터젠
2) 〈에볼라 바이러스〉Contagion, 2002, 감독; 존 머로우스키
3) 〈헤이디스 바이러스〉Covert One: The Hades Factor, 2006 감독; 믹 잭슨
4) 〈블레임〉 인류멸망 2011 感染列島, Pandemic, 2009,감독; 제제 타카히사
5) 〈컨테이젼〉Contagion, 2011, 감독; 스티븐 소더버그
6) 〈감기〉The Flu, 2013 감독; 김성수
7) KBS2 세상의 모든 다큐 "에볼라와 싸우는 사람들" - 2014 BBC 다큐를 번역하여 방송

그 외에도 내셔널지오그래픽[5] 및 뉴아틀란티스[6]에서 만든 다

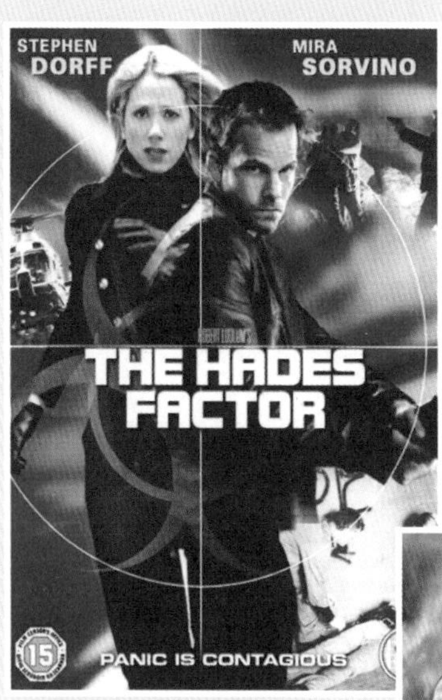
STEPHEN
DORFF
MIRA
SORVINO
THE HADES
FACTOR
15
PANIC IS CONTAGIOUS

神に裁かれるのは人間か?ウィルスか?
感染列島
公式サイト
2009.1.17 ROADSHOW

죽음의 바이러스
감기
THE FLU
사상 최악의 바이러스가 대한민국을 덮친다!
8월 15일 대개봉

큐도 있다.

우리나라뿐만 아니라 대부분의 국가에서 사스(SARS, Severe Acute Respiratory Syndrome)나 조류 인플루엔자가 유행하였을 때 동물을 도살하여 땅에 묻는 방법을 사용했다. 그러나 막상 인간을 침범하는 심한 악성 전염병에는 어떻게 격리를 할지, 문제가 된다면 격리를 하면 좋겠지만 때로 태워버리고 폭파시켜 버리면 되지 않을까? - 이런 상상이 영화 〈아웃브레이크〉(Outbreak, 1995)에서 표현하고 있는데 그런 일은 일어나지 말아야 한다. 이 영화는 실화를 배경으로 하였다고 하지만 그 배역은 서로 다르다고 하는데, 영화를 만들기 위해 여러 사람의 많은 이야기를 합하여 만들었다.

영화 〈에볼라 바이러스〉(Contagion, 2002)에서 영어 제목(Contagion)과는 달리 에볼라 바이러스라고 번역되어 상영되었다. 영국 케임브리지대 생물인류학과 교수인 피터 월시는 알카에다 같은 테러단체가 서아프리카 지역에서 에볼라 바이러스를 입수해 폭탄을 만들 수 있다고 우려했다고 하였는데, 이 영화에서는 바이러스로 대통령을 저격하여 감염시킨다는 설정이다.

영화 〈헤이디스 바이러스〉(Covert One: The Hades Factor, 2006)에서는 바이러스 관련 음모론을 주제로 삼은 스릴러인데, 코버트 원(Covert one, 이들의 임무는 최고위기 상황 등급으로 분류된 부패와 음모에 맞서 싸우는 것이다)에서 근무하는 질병 전문가가 음모를 파헤치고 해결한다는 이야기가 재미있다. 여기에서 비밀 생화학무기 프로그램 시미타(Scimitar)와 관련된 모든 증거를 인멸하라는 등 음모가 실제인 것처럼 나오고, 바이러스 감염에서 자연 면역을 획득한 사람의 혈청과 항체 등 치료제를 생산하여 돈을 벌려고 하는 제약회사의 음모가 파헤쳐진다.

현재 알려진 에볼라 바이러스의 돌연변이 아형은 수단형, 아이보리코스트형, 레스턴형, 자이레형 등이 알려져 있으나 이 영화에서는 Hades형이라고 설정하였다. 그리스 신화에서 하데스는 '죽은 자들의 나라'라는 뜻이다. 어떤 사람이 의도적으로 바이러스에 감염된 상태로 시내를 활보한다든지 사람이 많이 모인 장소에서 바이러스를 퍼뜨리는 상황이 된다면 정말 끔찍한 일이다. 영화에서는 일어나서는 안 되는 일이지만 일어날 수 있는 상황을 가상하여 제작하였다.

바이러스 관련 영화에서 USAMRIID가 나오는데, 미육군 전염병연구소(United States Army Medical Research Institute of Infectious Diseases)[7]를 말하며, 제4단계 바이러스 연구소에 들어갈 때에는 벗는데 15분 이상 소요되는 전신 보호복을 입어야 한다.[8] 질병

메릴랜드 주에 있는 미 육군 전염병연구소

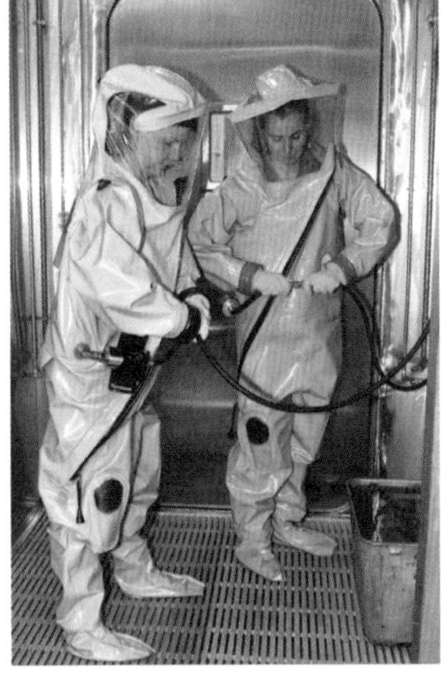

관리본부와 미국 CDC 홈페이지 등에 따르면 에볼라 발병 현장에서 활동하는 보건의료 인력은 개인 보호장비로서 완전 방수급의 전신 보호복, 안면보호구, N95 마스크 또는 전동식 호흡장치(PAPR), 이중 장갑, 이중 덧신(겉덧신+방수 덧신), 앞치마(에이프런) 등을 갖춰야 한다.[9)]

조금 복잡한 이름을 가진 영화 〈블레임: 인류멸망 2011〉(感染列島, Pandemic, 2009)은 일본 영화로 〈아웃브레이크〉와 〈에볼라 바이러스(Contagion)〉와 그 내용이 비슷하다.

영화 〈컨테이전〉(Contagion, 2011)은 서아프리카에서 유행하는 에볼라 바이러스와는 달리 호흡기로 전염될 수 있다는 가정으로 만들어졌지만 질병을 관리하는 모습은 비슷하다. 특히 개인 블로그를 통해서 음모론 등이 엄청난 속도로 전파되기도 하고 '개나리액'이 효과가 있다는 소문에 모든 약국이 약탈당하기도 한다. 소문이 소셜 미디어를 타고 퍼지는 것은 엄청난 속도이기 때문에 이를 관리하는 것도 매우 힘든 일인데, 영화 후반으로 가면서 미국 자본주의의 음모가 드러나기도 한다.

시놉시스[10)]

홍콩 출장에서 돌아온 베스가 발작을 일으키며 사망하고 그녀의 남편이 원인을 알기 전에 아들마저 죽는다. 얼마 지나지 않아 세계 각국의 사람들이 같은 증상으로 사망한다. 일상생활의 접촉을 통해 이루어진 전염은 그 수가 한 명에서 네 명, 네 명에서 열 여섯 명, 수백, 수천 명으로 늘어난다. 한편, 미국 질병통제센터의 치버 박사는 경험이 뛰어난 박사를 감염현장으로 급파하고 세계보건기구의 오란테스 박사는 최초 발병경로를 조사한다. 이 가운데 진실이 은폐됐다고 주장하는 프리랜서 저널리스트가 촉발한 음모론의 공포는 그가 운영하는 블로그를 통해 원인불명의 전염만큼이나 빠르게 세계로 퍼져나간다.

2014년에는 아직 백신이나 치료제가 완전히 연구되지 않았으며, '지맵(ZMapp)'이라는 실험 중인 약을 감염된 미국 의사 2명과 스페인 신부 1명에게 투여하여 미국 의사 2명은 회복한 반면 스페인 신부는 사망했다고 한다.[11] 이 과정에서 의료윤리 문제가 강하게 제기되었으나 사망률이 높은 질환에서 어쩔 수 없는 상황이었다는 점에서 잠잠해졌다. 백신이 당시 만들어지지 않은 것은 이전에는 아프리카에 국한된 질환이라고 생각해 연구비를 투자하지 않았기 때문이었다. 일본뇌염의 경우에서처럼 예방접종을 열심히 하고 치료 백신을 만들고, 모기를 퇴치하는 방역을 시행하면, 실제 에볼라 바이러스가 온대지방에서 지속적으로 살아남을지도 모르지만, 에볼라 바이러스라는 '도전'에서 인류는 '응전'을 하면서 살아갈 것이다.

그럼 에볼라 바이러스가 확산되는 상황에서 의료인의 직업의식 혹은 전문가 의식은 무엇일까? 에볼라에 감염된 국경없는 의사회 소속인 응급의학과 의사는 가난한 사람들의 치료에 헌신하다가 감염되었다고 한다. 국경 없는 의사회 소속 의료진 가운데 이미 21명이 감염돼 12명이 숨졌다고 하며, 서아프리카에서 의료봉사 중 에볼라 바이러스에 감염됐다가 두 달 만에 완치된 영국의 간호사 윌리엄 풀리(29세)는 다시 시에라리온으로 돌아가기로 마음먹었다는데, 그는 "서아프리카는 진짜로 비상 상황에 처해 있다"며 "에볼라 퇴치의 최전선으로 돌아가게 돼 기쁘다"고 하였다.[12] 2009년 신종 플루가 발생하였을 때에도 우리나라 의사들은 묵묵히 환자를 보아왔는데, 물론 당시 신종 플루에 대한 세계 각국의 지나친 호들갑은 소설의 소재가 되기도 하였지만, 만일 에볼라 같은 사망률이 높은 질환이 유행한다면 어떻게 될지 걱정이다.

> 2009년의 신종 플루 주의보가 지나친 호들갑으로 비추어진 뒤로 새로운 항바이러스제에 관한 연구가 중단되었어요. 다들 웃음거리가 될까 봐 몸을 사린 겁니다.
>
> — 베르베르 베르나드, 제3인류[13)]

전염병이 유행하는 곳에서 의료 활동을 하는 것은 쉽지 않을 것이다. 그렇지만 누군가는 그곳의 환자와 함께 해야 하고 이런 소명을 받은 의사는 최선을 다해야 할 것이다. 그렇지만 많은 의사들이 제4단계 바이러스를 대처하는 방법을 잘 모르고 있을 것인데, 이들 영화를 통하여 한 번씩 간접 경험을 해보는 것도 좋을 것으로 생각된다.

1) 컨테이전 Contagion, 2011, 감독 : 스티븐 소더버그
2) The single biggest threat to man's continued dominance on the planet is the virus - Joshua Lederberg, Ph.D., Nobel laureate
3) 내셔널지오그래픽스 뉴스 http://news.nationalgeographic.com/news/2014/07/140729
4) 이번엔 '에볼라 괴담' 확산… 지구촌 몸살. 세계일보 2014-08-04
5) Published on Aug 30, 2014. Ebola virus -El Ebola Documental de National Geographic HD - Ebola documentary. https://www.youtube.com/watch?v=dbMqG-9zoSw
6) New Atlantis Full Documentaries Published on May 30, 2013, Ebola: The world's most dangerous Virus (full documentary) https://www.youtube.com/watch?v=w-bC6pfzxxo
7) 미육군 전염병연구소 http://www.usamriid.army.mil/
8) 벗는데 15분 '사우나' 보호복, 에볼라의료진 생명줄. 연합뉴스 2014-10-26
9) 벗는데만 15분… 에볼라의료진 보호복은. 경향비즈 2014-10-26
10) 네이버 영화 http://movie.naver.com/movie/bi/mi/basic.nhn?code=32972
11) 美, 에볼라 치료제 '지맵' 제조 본격 추진. 한국일보 2014-08-14
12) 한겨레 2014-10-20 "에볼라 막으려 해도 곳곳이 구멍… 침몰하는 느낌" 그래도 맞서 싸우는 사람들
13) 베르베르 베르나드. 이세욱(역) (2013). 제3인류. 파주, 열린책들. 제2권 p72

콘스탄트 가드너

신약 개발 비화

The Constant Gardener, 2005[1)]

2015년 8월 「메디컬타임즈」에 "1조 4천억 혈세 쏟은 천연물 신약 개발 사업, 실패했다"[2)]라는 뉴스가 보도되었는데, 정부가 천연물 신약 개발 사업에 엄청난 세금을 투입하였으나 사업 효과가 없고 발암물질이 검출되는 등 안전성과 유효성에 문제가 있을 뿐만 아니라 미국 유럽 등 선진국에서 허가받은 적도 없었다는 것이다.

어떤 물질(화학물질)이 효과가 있을 것이라고 생각되면 그 성분 구조를 확인하고 그 성분이나 그 성분의 분자구조를 약간 변형시켜서 새로운 물질을 만들고, 동물을 대상으로 임상 시험(약리 작용 대사, 독성 연구)을 마친 후, 신약을 사람에게 투여하기 전에 식약청(미국에서는 FDA)에 연구용 신약을 신청하여 허락을 받고, 사람을 대상으로 임상시험(제1상, 제2상, 제3상)을 한 다음, 신약 승인 신청을 통해 효과가 인정되면 허가를 받은 다음 시판에 들어간다. 이후에도 부작용 등을 감시(제4상 임상시험)한다.

이런 과정에서 5천~1만 개의 신약 후보물질 중에서 한 개 정도의 신약이 만들어지게 되는데 그 기간이 10~15년의 시간이 걸린다. 신약개발은 많은 다국적 제약회사에서 히말라야 산중의 흙이나 대체의학이 활발한 인도나 중국에서 효과가 인정된 식품 등을 연구하고 있으나, 엄청난 시간과 자금 때문에 힘들어한다.

에볼라 감염에서처럼 특별한 치료 방법이 없는 경우에는 임상실험 중에도 환자에게 투여하기도 하나 부작용 등 그 위험 가능성이 높다. 에볼라가 유행하였을 때 서아프리카에서 봉사를 하다가 에볼라에 걸린 미국인 의사 2명이 당시 실험약물 지맵(Zmapp)을 투여받고 호전되었다. 지맵은 에볼라 치료 실험약물이지만 효능이 증명된 것이다.[3]

사람을 대상으로 하는 1~3단계 임상시험 단계에서 대부분 자원봉사자를 모집하여 시행하고 있으나 자원봉사자를 구하기가 힘들기 때문에 제3세계나 개발도상국가에서 시행하는 경우가 많다.[4] 본 영화에서도 케냐에서 네비리핀이라는 에이즈 치료제의 임상실험 중 기대와는 달리 사망자가 많이 발생하여, 회사 측은 사망자를 은폐시키려 한다. 이 음모를 밝히려는 기자가 임상실험 중 사망한 사례를 찾아다니는데, 감추려는 사람들과 밝히려는 사람들 사이에 긴장감이 연속된다.

제목 '콘스탄트 가드너'(The constant gardner)는 주인공의 취미가 정원을 가꾸는 것에서 유래하였다. 부지런하게 땅을 파고 지속적인 관심을 가진 그의 성격을 의미한다. 주인공 저스틴은 부인 테사가 살해된 뒤에 그 진실을 찾기 위해 끊임없이 파헤친다.

약물실험은 아니지만 불법 생체 실험을 고발한 영화는 〈휴 그랜

시놉시스[5]

적극적이고 열정적인 성격의 인권운동가 테사와 정원 가꾸기가 취미인 조용하고 온화한 성품의 외교관 저스틴은 첫눈에 반해 사랑에 빠진다. 케냐 주재 영국 대사관으로 발령을 받은 저스틴과 함께 하기 위해 테사는 결혼을 결심하고, 그곳에서 둘은 곧 태어날 아기를 기다리며 평온하고 행복한 시간을 갖는다. 그러나 거대 제약회사의 음모를 파헤치려는 테사와 그녀의 변화를 이해하지 못하는 저스틴은 충돌하고, 테사의 유산으로 둘의 갈등은 깊어만 간다.

그러던 어느 날 유엔 관계자를 만나기 위해 동료와 함께 로키로 떠났던 아내가 싸늘한 시신이 되어 돌아오고, 대사관은 테사가 여행 도중 강도의 습격을 받은 것으로 사건을 서둘러 종결지으려 한다. 하지만 아내의 죽음을 받아들일 수 없어 괴로워하던 저스틴은 배후에 음모가 있음을 직감하고 아내의 죽음을 둘러싼 비밀의 단서들을 찾아간다.

거대 제약 회사와 정부가 수백만 민간인 환자들을 대상으로 불법적인 임상 실험을 하고 있다는 사실을 알게 된 저스틴은 이제 그 자신마저 죽음의 위협에 놓이게 된다.

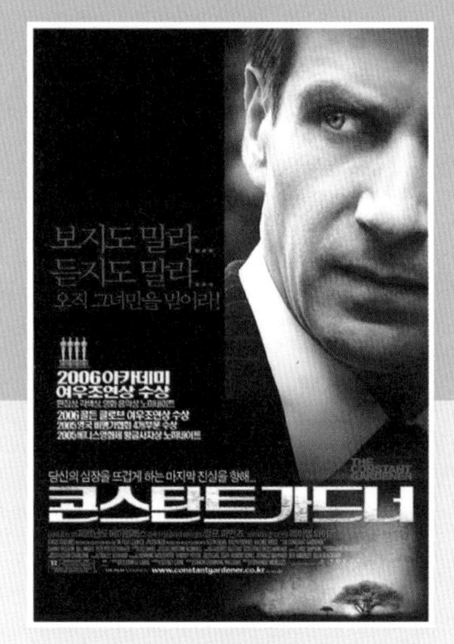

트의 선택〉(1996)(115쪽 참조)과 〈미스 에버스 보이스〉(Miss Evers' Boys, 1997)[6] 등인데, 〈미스 에버스 보이스〉는 미국 앨라바마의 터스키기라는 조그마한 마을에서 매독 생체 실험을 한 것을 영화화하였다. 당시 페니실린이 발견되어 페니실린을 투여하면 치료될 수 있었으나, 매독의 자연경과 즉 어떻게 죽음에 이르는지 등을 알기 위해, 흑인을 대상으로 실험을 하였다고 한다. 그냥 묻혀버릴 수도 있는 사건이었으나 미국 웰즐리칼리지의 역사학자인 수전 레버비 교수의 20여 년에 걸친 추적 끝에 알려지게 되었고, 과테말라 매독 생체 실험까지 밝혀내게 되었다.[7]

> "의사들과 공무원들은 그들의 일을 했을 뿐이다.
> 어떤 사람들은 단순히 명령을 따랐고,
> 어떤 사람들은 과학의 영광을 위해 일했다."
> — 영화 중 대사

1997년 5월 미국 빌 클린턴 대통령은 터스키기 생존자 4명을 백악관에 초청하여 사과하였으며,[8] 2010년 10월 미국 오바마 대통령도 과테말라 매독 생체 실험과 관련해 사과하였다.[9] 이후 전 세계적으로 임상 시험의 규제가 강화되는 기회를 맞았으나 수많은 연구를 다 관리 감독할 수 있는 여력이 없는 것도 문제다.

1983년 김정용 박사가 세계에서 세 번째로 B형 간염 백신 개발에 성공하였으나 국립보건원 전문가들이 간염 백신에 대한 지식이 없었기 때문에 그 임상실험이나 허가 과정도 엄청 힘들었다고 한다.[10] 미국과 프랑스보다 5년 앞서 백신을 개발하고도 의약품 생산은 위 두 나라에서 간염 백신 개발에 성공했다는 발표가 나온 뒤에야 가능하였다는 것이다.[11] 이전에는 인가가 너무 어려워서 문제가 되었고, 최근에는 너무 쉽게 내주고 세금까지 낭비하고 있는 것이 문제다.

최근 어떤 천연물(약물)이 몇몇 사람에게서 효과를 보았다고 금방 노벨상이라도 받을 것처럼 이야기하고 광고 및 선전을 하는 사람도 있다. 그렇지만 약물 개발은 임상실험의 힘든 과정을 거쳐야 한다. 특히 말기 암환자 등 불치의 병에 걸린 사람들에게 공인되지 않는 약을 특효약처럼 팔기도 하는데 정말 혹세무민이 아니라 할 수 없다. 어려움에 처한 환자들은 귀가 얇아지기 때문에 '혹'할 수밖에 없고 정말 지푸라기라도 잡고 기적을 바라는 사람들을 이용하여 돈벌이하려는 것은 천벌을 받아야 마땅하다.

1) 콘스탄트 가드너 The Constant Gardener,2005, 감독; 페르난도 메이렐레스
2) 손의식. "1조4천억 혈세 쏟은 천연물신약 개발 사업, 실패했다." 메디컬타임즈, 2015-08-03
3) 에볼라 치료 실험약물 '지맵', 기적의 신약인가… 부작용 가능성은? 이투데이. 2014-08-06
4) 이종훈. 서방 제약사 신약 개발 때 동독 5만 명에 불법실험(바이엘 등 獨통일 전 600건 임상시험… 위험 설명 안 해 사망자 다수 발생. 외화 급했던 동독정부-병원 묵인). 동아일보, 2013-05-14
5) 네이버 영화, 콘스탄트 가드너 http://movie.naver.com/movie/bi/mi/basic.nhn?code=43370
6) 미스 에버스 보이스 Miss Evers' Boys, 1997, 감독; 조세프 서전트
7) 강석기, 매독 생체실험 밝힌 한 역사학자의 집념. 동아사이언스 2010-10-11
8) "군대 안 가도 돼요… 이 주사만 맞으면"(흑인 대상으로 매독 생체실험 자행한 미국 정부). 오마이뉴스 2011-11-11
9) 美, 과테말라서 "매독 생체실험" 실시 충격(수감자 1천6백명 대상, 1946~48년에 실시… 美정부, 공식 사과) 노컷뉴스 2010-10-02
10) [그때를 아시나요] 1983년 B형간염백신 개발. 파이낸셜뉴스, 2007-12-04
11) B형 간염 예방백신 세계 첫 개발 "「肝(간)박사」지만 술 좋아합니다." 동아일보, 1992-06-06

템플 그랜딘

아스퍼거 증후군과 서번트 증후군

Temple Grandin, 2010

2013년 후반기 KBS2 월화드라마 「굿 닥터」가 인기리에 방영되었는데, 주인공 주원이 앓고 있는 질환이 서번트 증후군으로 알려져 있다.

서번트란 심리학 분야에서는 특수한 용어로 자폐장애(자폐 범주성 장애, autism spectrum disorders)나 정신지체 같은 뇌기능 손상이 있고, 지능은 낮지만 수학 · 암기 · 음악 · 미술 등 특정 분야에 특별한 능력을 지니고 있는 상태를 말한다.

처음으로 이 서번트에 대해 기술한 사람이 다운증후군을 보고한 다운(L. Down) 박사인데 그는 'idiot savants'(백치 석학, 바보 천재)라 표현했으며 그 당시 백치란 아이큐 25 이하의 사람을 칭하는 심리학의 전문용어였다. 버나드 림랜드(Bernard Rimland) 박사는 '자폐적 석학'(autistic savant)이라는 용어를 사용하였고, 현재는 '서번트' 혹은 '서번트 증후군'이라는 용어로 불리고 있다. 이후 서번트 증후군은 자폐장애의 10%, 뇌손상 환자 혹은 지적 장애인 2,000명 중 1명꼴로 발생한다고 알려져 있으며 서번트는 전 세계에 약 100명 정도로 굉장히 소수에게만 나타난다고 한다.[1) 2)]

아스퍼거 증후군은 1944년 오스트리아 소아과 의사 한스 아스퍼거와 미국의 의사 레오 카너가 거의 동시에 보고하였다. 아스퍼거 증후군과 서번트 증후군은 물론 엄격히 말하면 구분될 수도 있으나 이 둘을 같이 사용하고 있고, '아스퍼거 증후군에서 나타나는 천재성'이라 이야기하고 있다. 트레퍼트는 '자폐 범주성 장애'를 지능지수(IQ)에 따라 저기능 자폐증(IQ가 70 이하)과 고기능 자폐(IQ가 70 이상), 아스퍼거 증후군으로 나눌 수 있다고 하였다.[3)]

자폐장애와 서번트 증후군 등의 원인은 대부분 선천적이고, 최근 자기공명영상에 의하면 좌측 뇌 병변에 문제가 많이 있을 것으로 알려졌는데, 후천적으로도 뇌염이나 뇌 손상, 치매[4)] 등을 앓고 난 후에 발생하는 경우도 있다.[5)]

이와 관련된 영화는 〈레인 맨〉(Rain Man, 1988), 〈카드로 만든 집〉(House Of Cards, 1993), 〈머큐리(Mercury Rising, 1998), 〈내 이름은 칸〉(My Name Is Khan, 2010), 〈템플 그랜딘〉(Temple Grandin, 2010), 〈다슬이〉(Lovable, 2011)가 있고, 〈굿 윌 헌팅〉(Good Will Hunting, 1997, 수학천재), 〈뷰티풀 마인드〉(A Beautiful Mind, 2001, 정신분열증, 수학천재, 노벨상 수상자)(88쪽 참조)에서도 천재성을 보여주고 있으며, 추억의 미국 드라마(1989) 〈닥터 두기〉에서도 의사가 된 천재를 보여주고 있다. 또한 영화에서는 번개를 맞고 천재성을 발휘한다든지(페노메논 Phenomenon, 1996), 약물을 복용함으로써 천재성을 유지한다(리미트리스 Limitless, 2011).

〈템플 그랜딘〉의 실제 주인공은 동물학 분야의 권위자로 『Thinking in pictures (1995)』, 『Translating with animals(2005)』라는 책을 쓰기도 하고 자폐증 환자를 위한 강연도 많이 하고 있다. 영화에서는 자폐증을 앓고 있는 아이와 그 어머니, 고등학교 선생님의 역할이 잘 나타나 있는데 그들의 헌신적인 노력으로 자폐증을 극복하고 멋지게 살아가는 내용이 나온다.[6] 최근 TED 강의에도 '세상은 왜 자폐를 필요로 하는가?'라는 주제로 특강을 하였다. 꼭 한번 보기를 추천하는 동영상 강의이다.[7] 그랜딘에 의하면 자신은 세상을 그림처럼 생각한다(Thinking in pictures)고 하며 어릴 때 배웠던 예술과 과학이 본인의 삶에 중요한 부분이었다고 한다. 실제로 실리콘밸리나 수많은 과학의 발전이 자폐를 가진 사람들에 의해 운용된다고 주장한다. 자폐증을 가진 사람들이 없었다면 인류는 아직도 모닥불을 피우면서 살고 있을 것이라며, 핸드폰 등 첨단 과학 기계는 탄생하지 않았을 것이라 주장하였다.

영국의 '인간 사진기'라는 별명을 가지고 있는 스테판 윌셔(Stephen Wilshire)는 뉴욕시를 헬리콥터로 한 번 돌아본 다음 큰 벽에 시가지의 그림을 입체로 그릴 수 있다. 영화 〈레인맨〉의 실제 인물은 킴 픽(Kim Peek, 영화에서는 Raymond Babbitt)으로 책 7,600권을 외우고 미국 각 지역의 우편번호 등을 다 외웠으며 심지어는 책 2권을 동시에 읽을 수 있었다고 한다. 레슬리 램키(Leslie Lemke)는 뇌성마비와 정신지체를 가지고 태어나고 시력을 잃었는데도 한번 들은 음악을 피아노로 완벽하게 연주할 뿐만 아니라 완벽하게 악보를 그리고 편곡도 할 수 있다고 한다. 우리나라 영

시놉시스[8]

"전 완치된 게 아닙니다. 평생 자폐아겠죠. 엄마는 제가 말을 못할 거라는 진단을 믿지 않으셨어요. 그리고 제가 말을 하게 되자 학교에 입학시켰어요 (중략) 제가 뭔가에 참여할 수 있도록 많은 분들이 최선을 다했어요. 그분들은 알았습니다. 제가 다를 뿐이라는 것을! 모자란 게 아니라 다르다는 것을! 게다가 저는 세상을 다르게 보는 능력이 있었습니다. 다른 사람들이 못 보는 것까지도 자세히 볼 수 있는 능력입니다. 엄마는 나를 혼자 살아갈 수 있도록 가르치셨어요. 모든 것이 낯설었지만 그것들이 새로운 세상으로 나아갈 수 있는 관문이 되었어요. 문이 열렸고, 제가 걸어 나왔습니다. 저는 템플 그랜딘입니다."

템플 그랜딘은 4세부터 자폐증을 지니게 된 인물로, 주변의 배척과 따돌림에도 꿋꿋하게 자신의 의지와 노력으로 자폐증이라는 험난한 시련을 이겨내고 자신의 꿈을 펼쳐나간 멋진 여성으로 현재 비학대적인 가축 시설의 설계자이며 콜로라도 주립대학의 준교수이다.

화 〈다슬이〉(2011, 박철순 감독)에서도 울진의 작은 어촌에 살았던 소녀의 실화를 영화화하였다. 주인공은 시골 담벼락에 낙서를 너무 심하게 하여 삼촌과 할머니를 괴롭히던 자폐아지만 마을 전체를 큰 캔버스로 이용하여 그림을 그린다. 한편 〈내 이름은 칸〉[9]은 인도 영화인데 '나는 아스퍼거스 증후군입니다'라고 이야기하면서 시작한다. 9 · 11 테러 사건 이후에 외국 흑인에게 집중되는 인종 차별을 잘 표현해 주는 영화이다.

최근 트레퍼트에 의하면 '자폐 범주성 장애'에서 자폐증과 유사한 증상을 구분하는 것이 중요하다고 주장하였다.[10] 언어나 인지 발달은 상당히 지체되어 있으면서도 읽기 능력이 매우 뛰어난 과독증(hyperlexia)과, 지능이 빨리 발달한 어린이들이 말하는 능력이 늦게 발달하는 아인슈타인 증후군(Einstein syndrome), 맹인이 자기 자신에게 자극을 주기 위해 습관적으로 하는 행동이며 정신박약이나 자폐증에도 나타나는 맹인벽(Blindisms)[11] 등을 가진 아이들이 우리 주변에도 있다. 한편 '나디아 효과 Nadia Effect'[12] 라고 하여 어릴 때 보인 엄청난 재능이 학교에 다니면서 없어지는 경우도 있다. 이런 아이들은 조기에 특수교육을 받아야 한다.

우리나라에서도 앞을

영화 〈템플 그랜딘〉의
주인공 배우와 실제 인물

영화 〈다슬이〉의 한 장면. 마을 모습을 전체적으로 그린 그림(위)과
마을 지붕을 캔버스로 삼아 자기가 좋아하는 만화 영화의 캐릭터를 그렸다.

잘 못 보는 천재 피아니스트 유예은이 피아노를 연주하는 모습이 방영되어 감동을 준 적이 있고,[13] 대만의 황유시앙과 합동공연을 하기도 하였다. 황유시앙도 시각 장애를 안고 태어났지만 피아노 연주는 누구보다 뛰어난데, 영화 〈터치 오브 라이트〉[14]에서 그 모습을 볼 수 있다. 정신장애 특히 자폐증과 시력 장애, 천재 음악성 이 세 가지는 같이 나타나는 경우가 있다고 하며, 몇 년 전후 어느 날짜의 요일을 맞히는 능력인 '달력 계산 능력(calendar calculating)'은 서번트 증후군에서 대부분 나타난다고 한다.

템플 그랜딘의 주장대로 자폐가 있는 아이는 조기에 특수 교육이 필요한 경우가 많으나 우리나라에서는 다슬이처럼 성장하게 될 수밖에 없는 현실이기에 이들을 위한 관심과 많은 투자도 필요하다. 학계와 기업이 협력해 자폐 범주성 장애인들의 사회적 자립이 가능하도록 지원하는 국내 최초의 시도인 이스타 프로젝트(Ehwa Special Talents & Rehabilitation, ESTAR)[15] 같은 많은 프로젝트 및 투자가 적극적으로 필요하다.

드라마 〈굿 닥터〉에서 주원은 본 영화의 템플 그랜딘이나 〈내 이름은 칸〉의 주인공처럼 아스퍼거 증후군일 가능성이 높다. 좋은 의사란 '어떻게 하면 좋은 의사가 될지 고민하는 모든 의사가 굿 닥터'라고 하면서 이 드라마는 끝맺고 있는데, 우리 모두 굿 닥터가 되었으면 한다.

1) Treffert DA and Wallace GL (2002). "Islands of genius. Artistic brilliance and a dazzling memory can sometimes accompany autism and other developmental disorders." Sci Am 286(6): 76-85
2) Treffert DA. (2009). "The savant syndrome: an extraordinary condition. A synopsis: past, present, future." Philos Trans R Soc Lond B Biol Sci 364(1522): 1351-1357
3) Treffert DA, Asperger's Disorder and Savant Syndromehttps://www.wisconsinmedicalsociety.org/professional/savant-syndrome/resources/articles/aspergers-disorder-and-savant-syndrome
4) Takahata K and Mimura M (2010). "Acquired savant syndrome in frontotemporal dementia." Rinsho Shinkeigaku 50(11): 1017
5) Ploeger A, van der Maas et al (2009). "Why did the savant syndrome not spread in the population? A psychiatric example of a developmental constraint." Psychiatry Res 166(1): 85-90
6) 모자람과 다름의 차이, 매일신문 2012-09-03
7) TED, 템플그랜딘: 세상은 왜 자폐를 필요로 하는가? www.ted.com/talks/view/lang/kor//id/773
8) 네이버 영화. 템플 그랜딘 http://movie.naver.com/movie/bi/mi/basic.nhn?code=74873
9) 내 이름은 칸 My Name Is Khan, 2010. 감독; 카란 조하르
10) Treffert, D. A. (2013). "Savant Syndrome: Realities, Myths and Misconceptions." J Autism Dev Disord. DOI 10.1007/s10803-013-1906-8
11) 시각장애 아동들은 몸을 흔들거나, 눈을 비비거나, 손을 흔들거리는 것과 같은 반복적인 신체 동작을 하는데 이를 맹인벽(blindisms)이라 한다.
12) Selfe, L. (2011). Nadia revisited : a longitudinal study of an autistic savant. Hove, Psychology
13) 시각장애 피아니스트 황유시앙, 유예은 합동 공연. 민중의 소리 2013-02-25
14) 터치 오브 라이트 逆光飛翔, Touch of the Light, 2012, 감독; 장영치
15) SK플래닛-이화여대, 자폐인 재능재활 앞장. 아이티투데이 2012-12-03

패스트 푸드 네이션

우리가 먹는 음식

Fast Food Nation, 2006[1)]

먹거리에 관한 대표적인 영화는 2004년부터 2년 간격으로 제작된 〈슈퍼 사이즈 미〉,[2)] 〈패스트 푸드 네이션〉, 〈푸드 주식회사〉[3)]가 있으며 그 외에도 〈먹거리의 미래〉(2004, 감독; 데보라 쿤스)」, 〈미량 천칭〉(1973. 감독: 토니 리처드슨)」, 〈Fresh〉, 〈Processed people〉 등이 있다.

2013년 어느 종편 방송의 「미각 스캔들」이라는 프로그램에서 '썩지 않는 햄버거'를 방송한 적이 있는데, 유튜브에 올려진 '미국 괴담(The World's First Bionic Burger)'[4)]의 속설을 시험하려 하였다고 한다. 이후 KBS TV에서도 「햄버거와 도시락의 속사정, 먹는 사람은 몰라도 된다?」라는 '소비자 고발' 프로그램을 방송하였는데 역시 썩지 않는 햄버거 및 도시락 등에는 많은 식품 첨가물이 들었다고 한다. 우리나라에서는 그 내용을 공개하지 않으나 유명 패스트푸드 업체의 호주 홈페이지에 따르면 햄버거에 쓰이는 식품 첨가물은 30가지 이상이라고 한다.[5)] 이 썩지 않는 햄버거의 논

6개월간 변하지 않은 햄버거[6)]

란은 2010년 10월 21일 영국 일간지 데일리 메일(Daily Mail)에 뉴욕 사진작가인 샐리 데이비스(Sally-Davies)가 찍은 '6개월간 변하지 않은 햄버거'에서도 있었다. 그런데 고발 프로그램 후반부에 식품 첨가제를 쓰지 않은 일반 햄버거도 상온에서 그대로 두면 썩지 않고 그대로 말라가는 모습이 방송되었다.

이 영화에서는 햄버거를 둘러싼 여러 가지 의혹을 해결하는 과정에서 우리가 모르는 불편한 진실들이 하나둘씩 밝혀진다. 그러나 간단히 쉽게 가르쳐 주는 것이 아니라 여러 가지 상황을 종합해 판단하게 하고 우리 주위의 먹거리에 대해 불편하지만 알아야 하는 사실을 알려준다. 소 사육부터 도축, 가공, 유통까지 미국 쇠고기 산업 전반을 고발하는 영화이다. 시간적 여유가 있으면 〈슈퍼 사이즈 미〉, 〈패스트 푸드 네이션〉, 〈푸드 주식회사〉 이 세 편을 같이 본다면 더 잘 이해할 수 있을 것이며 먹지 말아야 할 음식, 또 어린이에게는 못 먹게 해야 할 음식을 더 자세히 알 수 있을 것이다.

〈비포 선 라이즈〉, 〈비포 선 셋〉의 감독 리처드 링클레이터가 만든 다큐멘터리 영화로 햄버거의 고기(패티)가 어떻게 만들어지는지, 가격을 줄이기 위해 고용하는 불법 이민자의 실태와 그

시놉시스[7]

인기 햄버거 '더 빅 원(The Big One)'의 냉동 패티에서 오염물질이 검출됐다! '더 빅 원'을 공급하는 미키의 패스트푸드 체인점 마케팅 담당 중역 돈 헨더슨은 조사를 위해 미 중부에 위치한 공장으로 향하고, 거기에서 체인점 아르바이트생 앰버를 만난다. 앰버는 대학 진학을 꿈꾸는 평범한 여고생. 넉넉하지 않은 살림에 학비를 벌어보고자 학업과 아르바이트를 하고 있다. 어느 날 파티에 참석한 앰버는 환경운동을 펼치는 젊은이들을 만나게 되고, 그들의 뜻에 이끌려 운동에 가담하게 된다. 젊은이들이 행동 목표로 삼은 곳은 수많은 소떼가 갇혀 있는 거대한 농장이다. 그 근처에는 더 빅 원의 냉동 패티가 생산되는 대규모 공장과 도살장이 있다. 이곳 직원인 라울과 실비아는 아메리칸 드림의 실현을 위해 불법 이민자 낙인을 감수하면서도 열심히 일한다. 하지만 열악한 환경은 뜻밖의 사고를 불러일으키고, 이들 부부는 걷잡을 수 없는 불행의 소용돌이 속에 휘말리게 된다.

런 실태를 파악한 사람들의 행동 등을 보여주고 있다. 원작자 에릭 슬로서는 2001년 『패스트푸드의 제국』[8]이라는 책을 쓰고, 이 책 내용을 영화로 만들었으며, 2006년에는 『맛있는 햄버거의 무서운 이야기』[9]라는 책을, 2009년에는 여러 시민단체와 함께 『식품주식회사(Food Inc.)』'[10]를 썼다. 또한 2008년에 동명의 다큐멘터리 영화 〈식품주식회사〉가 제작 상영되었다.

2012년 캐나다의 유명 가공업체 쇠고기 제품에서 장출혈성 대장균이 검출돼 대대적인 리콜사태가 벌어졌다고 하고, 같은 해 8월에도 일본 홋카이도에서 O157(오일오칠) 식중독이 발생해 6명이 사망하고 100여 명이 병원 치료를 받았다고 보도하였다.[11] O157은 E. coli 박테리아 중에서 고병원성 대장균의 하나인데, 특히 E. coli 0157:H7이라는 균이 가장 독성이 강하다고 알려져 있다. 일본의 경우에는 배추절임이 문제가 되었지만, 고병원성 대장균은 햄버거 등을 만들 때 쓰는 가공육(분쇄육)에서 주로 감염이 된다고 한다. 분쇄육은 단순히 원재료가 되는 고기를 갈아서만 만든 것이 아니라 서로 다른 도축장에서 운송된 서로 다른 부위의 고기들을 다양하게 혼합해서 만드는데, 전문가들에 따르면 이런 종류의 고기가 특히 O157

균에 감염되기 쉽다고 한다.[12] 그런데 이들 고병원성 대장균의 원천은 주로 소 사육장에서 발생한다고 알려져 있으며 초식동물인 소에 옥수수 등 곡물을 먹임으로써 소의 내장이 보다 산성화되고 이들 세균들이 이런 환경에서 보다 잘 번식한다고 알려져 있다. 따라서 내장에는 정상 세균층인 E. coli뿐만 아니라 O157균종이 많아지고 그 중의 아류이지만 독성이 강한 O157:H7 형이 발생할 가능성이 높다. 소의 분변 처리가 위생적이지 못하거나 소의 분변으로 만든 퇴비 등을 사용하였을 때 문제가 될 수 있다고 알려져 있다.[13] [14] [15]

햄버거에서 고기(패티)도 문제지만 빵도 문제가 되는데 최근 발간된 『밀가루 똥배』[16]에 그 위험성이 잘 설명되어 있다. 밀가루는 40년 전 밀가루가 아니고 유전적으로 상당히 변형되다 보니 여러 가지 물질이 포함되어 있다. 그렇기 때문에 자주 먹고 싶기도 하고 당지수가 높아 혈당을 급속히 올리기 때문에 비만의 원인이 된다. 또한 피부 트러블 등 많은 질환에 직간접으로 영향을 주고 있다. 그런데 밀가루뿐만 아니라 설탕, 쌀가루 등 소위 정제된 탄수화물이 모두 문제가 될 수 있다고 알려졌으며 많이 먹으면 탄수화물 중독 등의 원인이 될 수 있기 때문에 소위 삼백식품의 섭취를 제한해야 하고 탄수화물, 지방, 단백질 등 3대 영양소를 골고루 먹는 지혜가 필요하다.

최근 비만에 대한 다른 관점 하나는 액상과당인데 이는 '고과당 옥수수 시럽'(High Fructose Corn Syrup, HFCS)을 말하는 것이다. 옥수수의 녹말을 효소로 처리해서 옥수수 시럽을 만들고, 그 주성분은 포도당으로 여기에 또 다른 효소로 처리하면 포도당이 과당(Fructose)으로 바뀌며 이렇게 나온 것이 액상과당이다. 설탕보다 싸고 더 달기 때문에 많은 청량음료 등 음료수에 들어 있다. 일부 연구에서 액상과당은 대사증후군이나 비만 등에는 큰 영향이 없다는 보고도 있으나 문제가 되는 것은 액상과당 안에 있는 과당이라는 점은 모두 인정하고 있다. 과당을 많이 섭취하면 인체의 다른 곳에서는 분해되지 않고 간으로 도달하며, 간에서 중성지방(triglyceride)을 만들어내고 많이 섭취하면 비만, 중성지방 상승, 고혈압 등을 일으킨다고 한다. 최근에 발표된 미국 로스앤젤레스 캘리포니아 대학 의과대학 신경외과전문의 페르난도 고메스-피니야 박사 연구팀의 연구 결과에 의하면 과당을 지속적으로 많이 섭취하면 기억력과 학습 능력이 저하될 수 있다고 한다.[17]

세계보건기구(WHO)에 의하면 만성질환은 모두 미연에 방지할 수 있는 위험 요소들에 의해 유발된다고 하며 그중에서도 가장 위험한 질병 유발 요소 세 가지는 무리한 다이어트, 운동부족, 흡연이라고 한다.[18] 무리한 다이어트도 문제이지만 반대로 비만도 큰 문제이며 이는 과도한 탄수화물 섭취와 운동 부족 때문일 것으로 생각되는데 과도한 탄수화물 섭취는 밀가루, 흰쌀 등 정제된 탄수화물뿐만 아니라 청량음료에 들어있는 액상과당 등의 과다섭취로 생각된다. 따라서 패스트푸드, 냉동식품, 인스턴트 식품보다는 나물, 채소 등 다양한 음식으로 구성된 우리의 전통적인 슬로 푸드를 천천히 잘 씹어 먹는 것이 중요할 것이다.

최근 건강하게 살고 싶은 욕망이 높아지고 먹거리에 대한 관심이 보다 많아지고 있는데 영화를 통해서 우리 먹거리의 소중함을 다시 한번 생각하는 것이 좋겠다.

"자연은 설탕을 얻기 어렵게 해 놓았지만 사람이 얻기 쉽게 만들었다."

— 로버트 루스틱

"안된 얘기지만, 가끔은 똥도 먹어야 하는 게 우리네 인생살이라네."

— 영화 중 대사

1) 패스트 푸드 네이션 Fast Food Nation, 2006, 감독; 리처드 링클레이터
2) 슈퍼 사이즈 미 Super Size Me, 2004, 다큐멘터리, 감독; 모건 스펄록. 출연: 모건 스펄록(본인)
3) Food, Inc. 푸드 주식회사, 2008 다큐멘터리 미국. 94분. 감독 로버트 컨너
4) The World's First Bionic Burger http://youtu.be/mYyDXH1amic
5) 소비자 리포트 http://www.kbs.co.kr/1tv/sisa/1004/vod/2021142_21669.html
6) McDonald's Happy Meal bought by Sally Davies shows no sign of mould after 6 months Mail Online 2010-10-21
7) 네이버 영화 패스트 푸드 네이션 http://movie.naver.com/movie/bi/mi/basic.nhn?code=49375
8) 에릭 슐로서, 김은령(역) 패스트푸드의 제국. 에코리브르 2001. 원제 Fast Food Nation:The Dark Side of the All-American Meal
9) 에릭 슐로서, 찰스 윌슨. 노순옥(역) 맛있는 햄버거의 무서운 이야기- 패스트푸드에 관해 알고 싶지 않은 모든 것. 모멘토. 2007. 원제 Chew On This. 2006
10) 에릭 슐로서, 박은영(역) 식품주식회사 - 질병과 비만 빈곤 뒤에 숨은 식품산업의 비밀. 따비. 2010. 원제 Food Inc.: A Participant Guide. 2009
11) 日, 대장균 오염 절임배추 먹고 6명 사망. 아시아경제 2012-08-20
12) 반신불구 만드는 O157 美'햄버거'. 아시아투데이. 2009-10-05
13) Soon JM, Chadd SA et al. (2011). "Escherichia coli O157:H7 in beef cattle: on farm contamination and pre-slaughter control methods." Anim Health Res Rev 12(2): 197-211
14) Chauret C. (2011). "Survival and control of Escherichia coli O157:H7 in foods, beverages, soil and water." Virulence 2(6): 593-601
15) Ferens WA and Hovde CJ (2011). "Escherichia coli O157:H7: animal reservoir and sources of human infection." Foodborne Pathog Dis 8(4): 465-487
16) 윌리엄 데이비스, 인윤희 (역) 밀가루 똥배. 에코리브르, 2012. 원제 Wheat Belly
17) Agrawal, R. and F. Gomez-Pinilla (2012). "'Metabolic syndrome' in the brain: deficiency in omega-3 fatty acid exacerbates dysfunctions in insulin receptor signalling and cognition." J Physiol 590(Pt 10): 2485-2499
18) 칼 필레머. 박여진 (역) 내가 알고 있는 걸 당신도 알게 된다면. 토네이도, 2012. 원제 30 Lesson For Living (2011)

패치 아담스

굿 닥터가 되는 길

Patch Adams, 1998[1)]

2014년 8월, 63세의 로빈 윌리엄스가 갑자기 생을 마감하여 세상을 놀라게 하였다. 〈사랑의 기적〉(1990), 〈굿 윌 헌팅〉(1997), 〈패치 아담스〉(1998) 등 의학 관련 영화에 비교적 많이 출연한 로빈 윌리엄스는 골든글로브 코미디 남우주연상을 4번이나 수상한 코미디 천재로 알려졌다. 오스카상과는 큰 인연이 없다가 〈굿 윌 헌팅〉으로 남우조연상을 받았다.

저명한 정신과 의사이며 의학자인 조지 밀러는 의사가 질병을 다스리는 전문적 자질을 갖추려면 지식뿐만 아니라 기술적인 능력과 좋은 태도(Attitude, 마음가짐)[2)]가 필요하다고 하였다. 지식과 기술적인 능력은 냉철한 머리에서 나온다고 볼 수 있으나 좋은 태도 양식은 따뜻한 가슴에서 나온다고 볼 수 있다. 로빈 윌리엄스가 주연한 〈패치 아담스〉는 어떻게 하면 멋진 태도를 가진 좋은 의사가 될 수 있는가를 보여주고 있다.

말기 환자들을 위한 '유머 치료법'을 개발한 '헌터 아담스' 박사

시놉시스[3]

1969년 헌터 아담스는 불행한 가정환경에서 자라나 자살 미수로 정신병원에 수용된다. 삶의 방향을 잃고 방황하던 그는 정신병원의 동료 환자로부터 영감을 받고 '패치(Patch)'라는 별명을 얻으면서 '패치 아담스'로서 새 인생을 시작한다. 그의 꿈은 사람들의 정신적 상처까지 치료하는 진정한 의사가 되는 것이다. 2년 후 버지니아 의과대학에 입학한 괴짜 의대생 패치는 3학년이 되어서야 환자를 만날 수 있다는 규칙을 무시하고, 빛나는 아이디어와 장난기로 환자들의 마음까지 따뜻하게 치유하려고 환자들을 몰래 만난다. 이 사실을 안 학교 측이 몇 번의 경고 조치를 내리지만 그는 아랑곳하지 않고, 산 위의 허름한 집을 개조하여 의대생 친구들과 함께 소외되고 가난한 이들을 위한 무료 진료소를 세운다. 그러나 의사면허증 없이 진료행위를 한 것이 학교 측에 발각되고, 패치와 진실한 사랑을 나누던 동급생 캐린이 정신이상 환자에게 살해당하는 사건까지 발생한다. 인간에게 환멸을 느낀 패치는 모든 것을 포기하고 자포자기 심정에 빠지지만, 어느 순간 생명의 진리를 깨닫고 다시 의사의 길에 의욕을 불태운다. 그러나 고지식하고 권위적인 학과장이 패치에게 퇴학 처분을 내리사, 그는 주립의학협회에 제소한다. 위원회는 패치 아담스가 학칙을 어겼지만 그의 열정과 학업 성적을 인정하고 졸업시킨다.

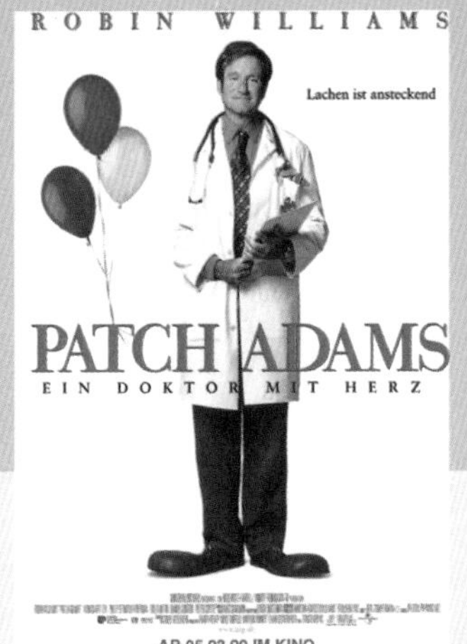

는 현재 웨스트버지니아에 무료 병원(Gesundheit institute)을 세워 환자들을 돌보고 있다. 그는 단순한 의사가 아니라 사회운동가이고 민간외교관이며 직업 광대이자 작가인데, 그의 일생을 영화화한 것이 〈패치 아담스〉이다. '패치(Patch)'라는 말은 '상처를 치유하다.'라는 의미이기도 하지만 '익살광대'라는 뜻도 있는데 영화에서 광대 분장을 하고 환자에게 웃음을 선사하기 때문에 후자의 뜻이 더 강하다고 볼 수 있다. 헌터 아담스도 패치 아담스로 불러주는 것을 더 좋아했다고 한다.

내과 의사인 윌리엄 하블리첼은 본인의 저서 『생의 모든 순간을 사랑하라』'[4]에서 '의술은 자연이 병을 치료하는 동안 환자를 즐겁게 하는 것이다'라고 하였는데, 이 말은 프랑스 철학자인 볼테르의 명언(The art of medicine consists of amusing the patient while nature cures the disease)이다. 구약성경 잠언에도 '마음이 즐거우면 앓던 병도 낫고 속에 걱정이 있으면 뼈도 마른다(잠언 17,22)'[5]라고 되어 있다. 마음을 즐겁게 하는 것이 얼마나 중요한 것인지를 알려주는 말로, 특히 악성 종양을 오랫동안 앓아온 사람들은 웃음기가 없어지는 것이 사실이다.

"의사는 단지 의술을 행하는 사람이 아닙니다.
그들의 삶의 질을 높여주는 게 의사입니다."

"나는 환자들과 삶을 함께 하였습니다.
그들과 함께 웃고 울었습니다.

이것이 바로 내 삶을 바치고 싶은 일입니다."[6)]

패치는 3학년에야 환자를 볼 수 있는 규칙을 어기고 미리 환자를 방문한다. 빨간 스포이드의 고무를 갈라서 코에 붙여서 딸기코 삐에로로 분장하고 암병동 어린 환자를 방문하기도 하고 천사 복장을 하고 말기 췌장암 환자를 방문하기도 한다. 이러한 행위는 현재 우리나라 의료 실정으로도 용인하기는 힘들다. 그렇지만 이런 상황의 경험을 원하는 사람에게는 병원이나 시설 등에서 봉사활동을 하는 것을 추천하고 싶다. 봉사활동을 하면서 환자들과 이야기도 하고 노래도 부르고 춤도 추면서 그들을 즐겁게 하는 봉사이다. 용돈을 절약하여 매월 후원하는 것도 중요하지만 그들과 함께 행동하는 봉사가 더욱 중요하다.

패치는 환자와 진심으로 교감하는 의사가 될 결심을 한층 더 굳혀가는데, 동료와의 대화에서도 "사람들과 교감하고 싶어. 의사란 환자가 가장 힘들 때 교류하는 사람이잖아. 치료뿐만 아니라 충고와 희망도 주는 거야."[7)]라고 한다. 소아과 의사인 레이첼 나오미 레멘은 『할아버지의 기도』[8)]에서 병은 육체적 치유뿐만 아니라 영혼의 치유도 함께 이루어져야 온전히 치유되는 것이며, 전화 걸기, 가벼운 포옹, 귀 기울여 들어주는 것, 따뜻한 미소나 눈인사 등 가장 단순하고 일상적인 행동도 영혼의 치유에 영향을 미칠 수 있다고 주장한다. 일본 작가 스즈키 히데코 수녀는 『떠나는 사람이 가르쳐주는 삶의 진실』[9)]에서 적극적인 경청의 원칙은 비판하지 않고, 동정하지 않으며, 가르치려고 하지 않으며 평가하지도 않고, 칭찬하지 않으며, 격려하지도 않는다고 하였으며, 그럴 때 가장 좋은 것은 부드럽게 손을 잡고 곁에 가만히 있으면서 들어주는 것이라고 하였다.

'광대가 되고 싶다면 서커스에 들어가라.' 패치 아담스가 학생 시절 교수에게 들었던 말이다. 의사를 사회적으로 숭배 받는 직업으로 생각하는 이들로 가득 찬 의료계에서, 패치 아담스는 이러한 우월주의를 부정하고 체제와의 전면전에 나선다. "102호실 췌장암 환자 오늘 상태는 어떤가?" 대신 "102호실 똥고집쟁이 데이비드 씨의 오늘 몸상태는 어떠신가요?"처럼 호실이나 병명이 아닌 이름과 별명으로 부르자고 제안한다. 다른 의사들은 처음에 그가 지나치게 감성적이라고 비난하지만 시간이 지나면서 변화하기 시작한다. 같이 웃기 시작한 것이다.

영화에서 정신병원 노인 환자가 손가락이 몇 개냐고 자주 묻는다. 그는 펴진 손가락만 보지 말고 쥐고 있는 손가락이 몇 개인지도 보라고 한다. 문제에만 초점을 맞추면 문제의 범주에서 벗어날 수 없다는 것이고, 문제 해결에 초점을 맞추고, 다른 사람이 못 보는 것을 봐야 해결할 수 있다는 것이다. 그 노인은 정신과 환자가 아니고 철학자인 것 같은데, 조울증 환자 중에는 철학자나 교수도 있다.[10] 이들은 제3자의 인문학적 관점으로 환자를 동정하거나 공감하려는 시도가 아니라, 바로 환자 자신의 철학적 관점으로 조울증을 연구한다고 한다.

이어서 다람쥐에 대한 공포 때문에 화장실도 못 가는 병실 룸메이트 루디를 패치 아담스가 도와주는 장면이 나온다. 의사들은 전문지식과 정신분석을 토대로 루디를 치료하려고 시도하지만 실패한다. 현실을 마주치라고 화장실 불을 훤하게 켜서 다람쥐가 없다고 증명해 주지만 루디에게는 도움이 되지 않는다. 그러나 패치 아담스는 루디의 눈높이에 맞춰서 다람쥐와 전투를 치른다. 도망가기도 하고, 총을 쏘아 마침내 다람쥐를 사살하고 승리했다고 환호성을 지른다. 그 후 루디는 소변을 시원하게 본다. 치료되고 치유가 일어난 것이다. 이러한 시도를 대안적 이야기라 하며 스토리텔링, 치료적 은유(Metaphor)라고 하는데, 이야기 치료에서 많이 이용되고 있다.

의사 엘렌 크룹-마틴은 미국의사협회지의 의학 에세이 『잊을 수 없는 환자들』[11]에서 "의사로서 우리가 진정으로 할 수 있는 것은 인간의 영혼을 격려하는 것이다. 인간 영혼의 비밀과 미스터리를 이해하려고 노력하고 탐구하는 것이 우리들의 임무다."라고 하였다.

좋은 의사(굿 닥터)가 되려면 지식도 많아야 하고, 기술(의료 기술)도 좋아야 하지만 그에 못지않게 평소 이타심을 길러 좋은 태도(마음가짐), 즉 따뜻한 사람이 되는 것이 더 중요하지 않을까 한다.

1) 패치 아담스 Patch Adams, 1998. 감독; 톰 섀디악, 출연; 로빈 윌리엄스
2) Miller G. E. (1990). "The assessment of clinical skills/competence/performance." Acad Med 65(9 Suppl): S63-67
3) 네이버 영화, 패치 아담스 http://movie.naver.com/movie/bi/mi/basic.nhn?code=24094
4) 윌리엄 하블리첼 (2007). 유영(역) '생의 모든 순간을 사랑하라(Dying was the best thing that ever happened to me).' 브리즈
5) A joyful heart is the health of the body, but a depressed spirit dries up the bones. Proverbs 17:22
6) I've shared the lives of patients. I've laughed with them and cried with them. This is what I want to do with my life. 윤희수, 생명 다루는 유쾌한 의사의 초상. 부산일보 2007-01-05
7) I want to connect with people. A doctor interacts with people at their most vulnerable. He offers treatment, but he also offers counsel and hope. 윤희수, 생명 다루는 유쾌한 의사의 초상. 부산일보 2007-01-05
8) 레이첼 나오미 레멘(2005). 류해옥(역) 할아버지의 기도 (My Grandfather's Blessings). 문예출판사
9) 스즈키 히데코(2004), 심교준(역) 떠나는 사람이 가르쳐 주는 삶의 진실. 바오로딸
10) 조울증 환자이자 철학자, 철학을 통한 치유 이야기. 에큐메니안 2018-10-24
11) Young, RK(eds)(2007) 잊을 수 없는 환자들 (A piece of my mind). 의학서원

페인티드 베일

베일 속에 감추어진 인생

Painted veil, 2007[1)]

이 영화는 동명의 소설을 영화화하였는데, 1934년 〈Painted veil〉과 1957년 〈The seventh sin〉에 이어 50년이 지나 세 번째 만들어졌다. 1920년대 중국의 이국적인 풍광과 거대한 자연을 '시각적으로' 섬세하게 재연해 내는 데 성공했다고 평가를 받았다.

소설가인 서머셋 모음(William Somerset Maugham, 1874~1965)은 명문가에서 태어났으나 10세 때 부모를 여의고 목사인 친척 집에서 살았다. 독일에서 철학을 공부하고 영국에 돌아와 의과대학을 졸업하여 의사가 되었지만, 의사를 포기하고 소설가가 되었는데 의과대학에서 얻은 소중한 경험들이 작가로 성장하는 데 큰 도움이 되었다고 한다. 『달과 6펜스』, 『인간의 굴레에서』 등이 대표작이며 '영국의 모파상'이라고 불린다.

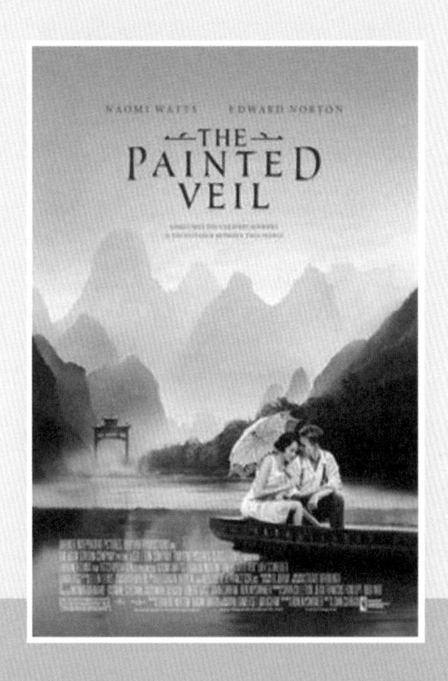

시놉시스

쫓기는 듯 결혼하여 밋밋한 결혼생활을 하던 주인공 키티는 외간 남자와 바람을 피웠다는 이유로 냉혹한 상황에 처하게 되는데, 세균학자로서 콜레라가 창궐하는 지역에 스스로 자원해 떠나는 남편을 따라가야만 한다. 그녀는 참담한 심정으로 남편 월터를 따라 중국 중에서도 오지인 메이탄푸로 가서 수감 생활과 같은 나날을 보낸다. 곳곳에 죽음이 만연한 이 오지에서 숭고하게 살아가는 수녀들을 만나고 보육원에서 일하면서, 키티는 새로운 깨달음을 얻고 성숙하게 되고 사랑의 의미를 깨달아 가지만 운명이 허락하지 않는다.

의학 관련 영화인가?

영화에서 주인공인 남편이 콜레라를 진료(실제로는 임상의사가 아니고 세균학자)하고 역학조사를 하고 상수도를 개선하는 것으로 나오는데, 원작에는 없는 콜레라 환자에 대한 묘사[2] 즉 콜레라 환자가 심한 설사와 구토하는 장면에 이어 심한 탈수증 현상과 함께 얼굴이 퀭한 모습 등을 영화에서 잘 표현해 주고 있다. 특히 콜레라 침대가 나오는데, 설사가 너무 많이 나오기 때문에 침대 판자 가운데에 동그란 구멍을 뚫어, 항문에서 나오는 쌀뜨물 같은 대변이 바로 밑에 받쳐놓은 분뇨통 속으로 떨어지게 만든 것을 보여준다. 이 부분은 소설에는 없는 장면으로 감독이 공부를 많이 한 것 같다.

개인적으로는 1980년도 전남 광주에서 유행한 콜레라를 진료해 본 경험이 있어서 감회가 새로웠는데, 당시 입원한 환자들은 설사가 그렇게 심하지 않았지만 말로만 듣던 콜레라 침대를 영화에서 보았다.

콜레라 침대 – 영화의 한 장면

'푸른 수염'의 희생자

문학 속에서 남편의 손에 서서히 죽거나 파멸의 늪에서 빠져나오지 못하는 소위 '푸른 수염'[3) 4)]의 희생자가 수없이 많다. 보바리 부인, 프란체스카 다 리미니,[5)] 안나 카레니나 등이 대표적인데, 단테의 '신곡' 연옥편을 보면 불행한 여인 피아[6)]는 자신이 죽기를 바라는 남편에 의해 말라리아가 창궐하는 마렘마 언덕의 한 성에 유폐된 채 서서히 죽어간다.[7)] 서머셋 모옴은 신곡의 '피아 이야기'에서 감흥을 받고 자신이 홍콩에서 들은 이야기를 바탕으로 1925년 '페인티드 베일'이란 소설을 발표했다. 사랑의 배신과 이를 이겨내려는 남자의 이야기를 질기고 절절한 인연으로 그려낸 작품이다.

서머셋 모옴이 피아의 이야기에 매료된 것은 부부라는 것이, 또 사랑이라는 것이 예측하기 어려운 감정의 모험이고, 시험대라는 것을 잘 알기 때문이고, 이해와 신뢰라는 측면도 있지만 언제

촬영은 영화 〈월터의 상상은 현실이 된다〉 등을 찍은 스튜어즈 드리아버그가 맡았는데, 엄청난 풍광을 순간순간 보여준다. 1920년대의 중국을 찍기 위해 전신주 등을 다 제거하고 작업하였다고 한다.[8)]

든 배신과 복수의 칼날에 상처를 입을 수 있는 것이 부부라는 것이다. "인간은 바보 같은 현미경보다 훨씬 복삽해요. 예측하기도 어렵고 실수도 하고 실망도 한다고요. 그러니 그만 비난해요."라고 영화 속의 키티는 현미경 속 콜레라균에만 매달리는 남편, 무관심과 냉담으로 일관하는 남편 월터에게 소리치며 항변한다.[9)]

왜 베일인가?

제목에 있는 Painted veil은 퍼시 비시 셸리(Percy Bysshe Shelley)의 시 "… the painted veil which those who live call Life."에서 따왔다고 한다. 페인티트 베일의 번역은 '오색의 베일', '유색의 베일'이라 번역하기도 하였지만, 최근 발행된 책에서는 '인생의 베일'이라 하였다. 그럼 왜 베일일까? 결혼식에서 신부는 새하얀 베일을 쓰고, 아랍 여성들은 짙은 색의 베일[10)]을 사용한다. 하얀 베

일은 수줍어하는 신부의 얼굴을 감추면서 신비로운 모습을 보이게 하는가 하면, 검은 베일은 종교적인 의미도 있지만 여자의 얼굴을 아예 잘 보이지 않게 하는 역할을 하고 있다.

베일만 써도 잘 보이지 않는데 예쁘게 페인트까지 칠하였으니 얼마나 화려한 외양을 가졌을 것인가. 그 속에서 인간은 얼마나 많은 것을 숨기고 살고 있는가. 우리들은 얼마나 화려한 가식(假飾), 가면(假面)을 쓰고 살아가고 있는가? 우리는 그 화려함 속에서 얼마나 고통스러워하고 있는가? 그래서 그들은 '인생의 베일'이라고 부르는 것이다.

영화 속에서 수녀님이 키티에게 위로의 말을 한다.

"전 17살 때 사랑에 빠졌죠, 하느님과요. 순진한 한 소녀가 수도생활에 대한 낭만적인 생각에 사로잡힌 거죠. 하지만 내 사랑은 열정적이었어요. 수십 년의 세월이 흐르는 동안, 낭만은 현실로 바뀌었죠. 하느님은 나를 실망시키기도 하고, 무시하기도 했으니까요. 우린 이제 서로의 차이점을 존중하는 사이가 됐죠. 예를 들어 소파에 나란히 앉아 있는 늙은 남편과 아내…. 이제는 대화도 별로 안하게 된 그런 사이랄까…. 하지만 그는 내가 결코 곁을 떠나지 않으리라는 걸 알죠. 이것이 바로 아내의 의무 아니겠어요? 하지만 사랑하기 때문에 기꺼이 힘든 의무를 질 때 그게 바로 당신에게 주어진 은총인 겁니다."

이 장면이 아마도 감독이 아니 작가가 우리에게 주는 메시지가 아닐까 한다. 우리가 베일 속에 감추고 살아야 하는, 아프지만 그 아픔을 감내하면서 보석 같은 진주를 만들어야 하는 진주조개의 은총이 아닐까 싶다.

남자와 여자, 사랑과 배신, 질투와 복수, 순간적인 욕망과 영원한 사랑… 한 세기 이전에 쓰여진 이야기이지만, 남녀의 사랑은 어느 시대에나 변치 않는 공감대를 형성할 수 있다는 것을 보여주는 영화이다.

1) 페인티드 베일 The Painted Veil, 2006. 감독; 존 커랜
2) 최영화. 책과 감염병, 메말라 스러지다 - 콜레라. 아주대학교병원 웹진. 2010-12-06
3) 푸른 수염(프랑스어: La Barbe-Bleue)은 한 폭력적인 귀족 남자와 그의 호기심이 많은 아내에 관한 유명한 동화 속의 표제 인물이다. 이 동화는 여러 전설과 실존 인물에 기초하여, 샤를 페로에 의해 지어졌으며, 1697년에 처음으로 발간되었다. http://ko.wikipedia.org/wiki/푸른_수염
4) 푸른 수염 Barbe Blue, Blue Beard, 2009. 감독; 카트린느 브레야
5) '프란체스카 다 폴렌티'라고도 하며 '신곡'을 포함한 많은 예술 작품의 주제가 되었다. 단테의 '신곡'에서는 시동생과 사랑에 빠져 남편의 손에 죽고 만다.
6) 푸른서재, 그림과 공감 - 단테의 '신곡' - 라 피아 http://blog.naver.com/bluehour64/100021431052
7) 존 커란 감독의 '페인티드 베일' 주간동아 2007-03-28 https://weekly.donga.com/3/all/11/81884/1
8) 달콤한 인생 – 페인티드 베일 https://wolfpack.tistory.com/entry/페인티드-베일블루레이
9) [김중기의 필름통] 영혼의 베일과 페인티드 베일. 매일신문. 2008-4-12
10) 부르카, 니캅, 차도르, 히잡 http://blog.naver.com/softahn/90087146756

플라이트

알코올 중독

Flight, 2012[1)]

2009년 여객기가 뉴욕 라과디아 공항에서 이륙 후 얼마 지나지 않아 새 떼와 충돌해 엔진이 고장 나자 뉴욕 빌딩숲을 피해 허드슨 강에 비상착륙을 한 사건이 있었다. "항공 역사상 가장 성공적인 불시착"으로 평가됐던 당시의 이야기는 2016년 톰 행크스가 주연을 맡은 영화 〈설리: 허드슨 강의 기적〉[2)]으로도 제작되었다.

이와 비슷한 비행기 사고가 주제인 영화 〈플라이트〉는 알코올 중독에 관한 영화이다. 의학용어로는 알코올 중독보다는 알코올 남용 혹은 알코올 의존이라고 말하는 것이 정확한 용어인데 통상 알코올 중독이라고 한다. 과도한 음주로 인한 정신적, 신체적, 사회적 기능에 장애가 오는 상태를 말한다.[3)] 알코올 중독은 술에 대한 집착과 강박을 보여 당사자뿐만 아니라 주위 사람들 특히 가족들에게 큰 고통을 주기 때문에 개인의 병이라기보다는 가족의 병이라고 할 수 있고, 따라서 온 가족이 고통을 받게 된다. 알코올 중독에 관한 영화는 〈남자가 사랑할 때〉(1994),[4)] 〈라스베

시놉시스[5]

완벽한 비행실력 빼고는 모든 것이 엉망진창인 파일럿 휘태커는 어느 화창한 가을날 정원이 102명인 올랜도-애틀란타 행 항공기 조종석에 앉는다. 그러나 이륙 10여 분 후 강한 난기류에 이어 기체 결함이 발생하고 항공기는 속수무책으로 지상을 향해 곤두박질친다. 엔진마저 고장난 상황에서, 파일럿 휘태커는 뛰어난 기지를 발휘해 연속으로 기체를 뒤집어 활공하며 기적적으로 비행기를 비상착륙시킨다. 100% 사망의 위기에서 95% 승객의 목숨을 살려내며 하루아침에 영웅이 되지만, 하나의 진실이 그를 인생 최대의 딜레마에 빠지게 한다. 과연 추락 사고를 둘러싼 숨겨진 진실은 무엇인가?

가스를 떠나며〉(1995),[6] 〈28일 동안〉(2000),[7] 〈술이 깨면 집에 가자〉(2010)[8] 등이 있다.

〈플라이트〉는 〈백투더 퓨처〉(1987)와 〈포레스트 검프〉(1994)를 제작한 로버트 저메키스 감독의 작품인데, 본 영화에서는 영웅 대접을 받던 조종사가 생존을 위하여 아니 자기방어를 위하여 거짓말을 해야 하는지, 모든 사실 아니 진실을 공개하는 것이 옳은 일인지를 고민한다.

짧은 생애를 살다 간, 천재였지만 불행한 화가 빈센트 반 고흐(1853~1890)그림에 「압생트와 카페 테이블(Still Life with Absinthe)」이라는 그림이 있는데, 당시 압생트라는 술의 도수는 60도 정도이고 환각 성분이 포함되어 있었다. 압생트는 색깔이 없는 술이나 설탕을 넣으면 신비롭게도 아주 예쁜 푸른색 술로 변한다. 하지만 고흐는 목사 아들이었고 나중에 목사가 되기로 한 적도 있었으니 술을 마시지 않았을 가능성이 높다. 한편 알코올 농도도 높고 환각 성분도 있었기 때문에 그 시절에는 술중독이 더 많았지 않았을까 하는 생각도 든다.

「압생트와 카페 테이블」. 그림 왼편 병에 든 압생트는 무색이지만, 잔에 따라진 술(오른쪽)은 옅은 초록색이다.[9]

술을 많이 먹으면 간이나

위장에만 문제가 생긴다고 알고 있지만 알코올성 심근염, 이형협심증을 일으키는 등 심장에도 영향을 줄 수 있다. 또한 술은 세계보건기구(WHO)에서 규정한 발암물질로 간암뿐만 아니라 구강암, 인후암, 식도암, 유방암과 관련이 깊다. 임신한 여성이 술을 마시면 태아 알코올 증후군이라 해서 정신적 신체적 장애를 초래하며, 알코올 관련 장애인 알코올 사용 장애, 알코올 유도성 장애를 초래할 수 있다. 알코올 사용 장애(alcohol use disorder)는 과도한 음주로 인해 정신적, 신체적, 사회적 기능에 장애가 생기는 질환을 말한다.

우리나라에서는 소주(燒酎)가 싸기도 하고 쉽게 구할 수 있지만, 알코올 중독 영화에 나오는 주인공들은 – 당연히 주종불문(酒種不問)이라고 하여 술을 가리지 않지만 – 무색 무미 무취의 술 보드카를 즐겨 마신다. 우선 술 냄새가 나지 않으니 상대방이 술을 마신 줄을 모르는 경우가 많기 때문이다. 추운 지역에 살았던 러시아인들이 강한 도수의 술을 좋아하기도 하며, 보드카는 술에 취한 다음 날 발생하는 심한 두통이나 구역질 같은 숙취의 증상이 적다고 한다. 영화 〈닥터 지바고〉에서도 얼어붙은 몸을 녹일 때 한 잔씩 하는 장면이 나온다. 보드카의 술 도수는 어떤 화학자의 연구에 의하면, 인간의 입맛에 가장 적합한 농도인 40도로 만들어지고 자작나무 숯으로 불순물을 제거하여(Crystal clear) 무색 무미 무취의 술이 된다고 한다.

알코올 중독 환자는 돌봄(보살피기)이 아주 힘든 경우가 많아서 가족이나 의사들에게도 문제가 많이 발생한다. 전두엽의 기능이 장애를 일으키고 있기 때문에 이성적인 말로는 설득이 힘들고 때로 폭력적일 수 있다. 이들 환자가 입원하여 술을 먹지 못하게 되면 금단증상인 진전섬망(Delirium tremens)이 발생하여 의료진을 괴롭힌다. 더욱이 비타민 등 영양분이 부족해지기 때문에 알코올성 뇌질환(베르니케 코사코프 증후군)이 발생하기도 한다. 최근에는 알코올 병원도 많이 생기고, 당사자의 단주 의지를 유지하기 위하여 자발적인 단주모임(AA, alcohol anonymous)이 있어서 환자들이 도움을 받기도 하는데, 알코올 중독 관련 영화에서도 이런 과정들을 소개하고 있다.

톨스토이는 사람들이 술을 마시는 이유를 오로지 "양심을 뒤덮기 위해서"라고 단언하였는데, 마음속에 있는 양심을 눈멀게 하기 위해 사람들은 마취 물질을 이용해 뇌를 독살한다는 것이고, 쾌락이나 방탕, 유쾌함보다는 양심의 경고로부터 도망치기 위해서라는 것이다.[10]

성경에서 예수님은 술꾼이라고 비난을 받았으며,[11] 티모테오전서에도 "포도주를 조금씩 마시라."[12]고 하였으나, 에페소서에는 "술에 취하지 마십시오. 취하면 방탕해집니다(에페 5,18)."라고 하였다. 칭기즈칸은 "만약 술을 끊을 수 없으면 한 달에 세 번만 마셔라. 그 이상 마시면 처벌하라. 한 달에 두 번 마신다면 참 좋고 한 번만 마신다면 더 좋다. 안 마신다면 정말 좋겠지만 그런 사람이 어디 있으랴."라고 하였다고 한다. 그러나 최근 몽골에서는 1년에 20번 마시는 것으로 바뀌었다고 한다.[13] 정말 술을 안 마시는 것이 제일 좋겠지만 마신다면 적게 마시는 지혜를 발휘해야 할 것이다. 특히 알코올성 블랙아웃이라고 해서 술을 먹고 난 다음날 기억 필름이 군데군데 끊기는 증상이 있다면 더욱 술을 끊어야 한다.

---

1) 플라이트 Flight, 2012, 감독; 로버트 저메키스,
2) 설리: 허드슨강의 기적 SULLY, 2016. 감독; 클린트 이스트우드
3) 서울대학교병원, 알코올 남용 및 의존. 네이버 지식백과
4) 남자가 사랑할 때, When A Man Loves A Woman, 1994, 감독; 루이스 만도키
5) 네이버 영화 – 플라이트 https://movie.naver.com/movie/bi/mi/basic.nhn?code=96359
6) 라스베가스를 떠나며 Leaving Las Vegas, 1995, 감독; 마이크 피기스
7) 28일 동안 28 Days, 2000, 감독; 베티 토마스
8) 술이 깨면 집에 가자, Wandering Home, 2010, 감독; 히가시 요이치
9) 반 고흐. 압생트와 카페 테이블 (Still Life with Absinthe)〈사진=Wikimedia Commons〉
10) 석영중(2009) 톨스토이, 도덕에 미치다 - 톨스토이와 안나 카레니나, 그리고 인생. 예담
11) 그런데 사람의 아들이 와서 먹고 마시자, '보라, 저자는 먹보요 술꾼이며 세리와 죄인들의 친구다.' 하고 말한다. 그러나 지혜가 옳다는 것은 그 지혜가 이룬 일로 드러났다." 마태 11,19
12) 이제는 물만 마시지 말고, 그대의 위장이나 잦은 병을 생각하여 포도주도 좀 마시십시오. 1티모 5,23
13) 이효선 (2004). 몽골초원의 말발굽소리: 몽골기행, 몽골의 유목문화, 칭기즈칸 이야기. 서울: 북코리아

하루

태어난 지 100분 만에 장기를 기증한 아기

A Day, 2000[1]

2015년 봄에 영국에서 신생아가 태어난 지 100분 만에 장기를 기증한 안타까운 사연이 알려졌다.[2] 아기의 부모는 임신 12주차에 쌍둥이 중 한 아기의 뇌가 정상적으로 발달하지 않는 희귀질환이라는 것을 알았고, 이 아기는 태어나도 하루 이틀밖에 살 수 없을 것이라며 유산을 권유받았다고 한다. 그러나 부모는 임신을 유지하기로 결심하고 분만하였는데, 테디라는 장애를 가진 아기

생후 100분 만에 장기 기증. YTN 뉴스 화면 캡처[2]

는 태어난 지 100분 만에 숨졌고 신장 이식을 하여 주었다고 한다. 아기의 아버지는 "아기가 다른 사람의 생명을 구하고 떠날 수 있었다는 게 큰 위안이 됩니다. 그보다 더 자랑스러울 수 없지요." 라고 하였다.

최근 초음파술의 발달로 태내에서 남녀 구별뿐만 아니라 선천성 장애를 진단할 수 있는데, 일부 기형을 가진 태아를 수술 등으로 교정할 수 있으나 진단을 받은 대부분의 경우 낙태를 권유받거나 태아의 생명을 포기하는 경우가 많다. 따라서 태아초음파 검사는 초음파의 태아에 대한 유해 여부를 포함하여 많은 윤리적 문제를 제기하고 있다.

우리나라 영화 〈하루〉에서도 기다리고 기다렸던 아기가 장애를 가지고 있다는 진단을 받고 힘들어하는 내용을 담고 있다.

이탈리아 로마 제멜리 종합병원 전문의인 주세페 노이아는 산모 교육, 신생아 탄생, 임신으로 인한 질병 치료와 사망선고를 받은 태아 보호 등을 교육하고 도와주는 퀘르차 밀레나리아 협회[3] 공동 설립자이자 부회장으로 활동하고 있다. 그간의 경험을 토대로 『말기의 아이』라는 책을 펴냈는데 우리나라에서 번역[4]되어 출간되었다. '말기의 아이'란 엄마 뱃속에서 죽음의 위기를 맞은 아기들을 뜻하며, 생존 가능성이 거의 없는 태아도 하느님에게서 생명을 선물로 받았음을 깨닫게 하고자 선

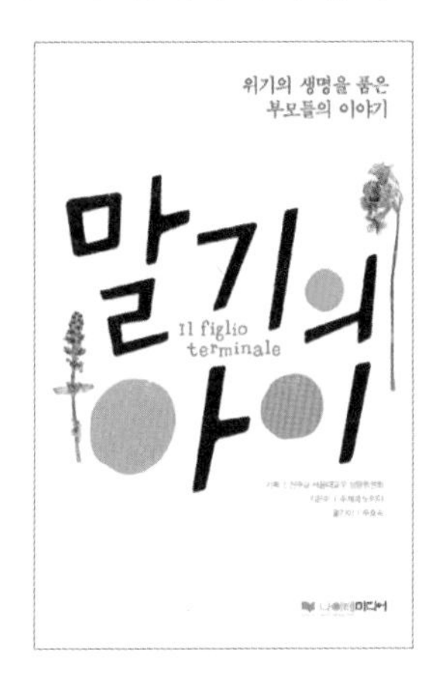

시놉시스[5)]

자상하고 섬세한 남자 석윤(이성재 분)과 여린 듯하지만 강한 심성을 가진 여자 진원(고소영 분)은 캠퍼스 커플로 만나 결혼하였다. 수줍은 학생 부부로 출발했던 둘이지만 이제 석윤은 아이들의 레고 장난감 디자이너로, 진원은 인정받는 섬유 디자이너로 기반을 잡았다. 처음 만난 그 순간부터 시간이 갈수록 더욱 깊어지는 둘의 사랑은 기다림이 지속될수록 바람이 더 간절해진다.

부모를 일찍 여의고 이모 손에서 키워진 진원은 모성에 대한 갈망이 크다. 그러나 둘 사이에는 좀처럼 아기가 생기질 않는다. 어떻게 하든 아내를 행복하게 해주고 싶은 석윤은 진원의 마음을 다독이며 위로하지만 아기에 대한 진원의 갈망은 점점 더 커진다. 그녀를 바라보는 석윤의 안타까움이 엇갈리고, 첫눈처럼 사랑이 내렸다. 짧지만 너무나 눈부신, 포기했던 두 사람에게 기적처럼 아이가 생긴다. 세상 전부를 가진 듯 행복한 석윤과 진원은 너무나 간절했던 아기이기에 둘의 기쁨은 더욱 크다. 아이에 대한 기대와 사랑으로 하루하루를 채워가는 두 사람에게 어느 날 기적은 감당 못 할 슬픔으로 바뀌고 만다.

택한 제목이라고 한다.[6] 성 베드로 대성전 수석 사제 안젤로 코마스트리 추기경은 서문에서 “이 책을 읽으면서 파도처럼 밀려오는 감정에 복받쳐 나도 모르게 건잡을 수 없는 눈물이 흘러내리는 바람에 몇 번이나 읽기를 중단했다.”고 말한다. 모든 의료인들 특히 산부인과와 소아청소년과 분야의 의료인들에게 강력히 추천되는 책이다.

영화 속에서도 하루를 살지만 출생신고를 하고 주민등록 초본을 발급받는 장면이 가슴에 와 닫는다. 또한 서정주 시인의 ‘내리는 눈발 속에서’라는 시가 낭송된다.

> ‘괜찬타 / 괜찬타 / 괜찬타 / 괜찬타 /
> 수부룩이 내려오는 눈발속에서는 /
> 까투리 메추래기 새끼들도 깃들이어 오는 소리…’

이 영화는 낙태 관련 생명윤리 분야의 영화이다. 우리 스스로 도망가거나 방관하지 말고 한번쯤 진지하게 생각해 볼 문제다.

그 후 이야기

2017년 독일 영화 〈24주〉[7]가 개봉되어 학생들과 같이 보며 의견을 나누었다. 타고난 재능으로 최고의 자리에 오른 스탠드업 코미디언 아스트리드는 그녀의 일거수일투족이 화제가 되고 있다. 뱃속의 아이 역시 태어나기 전부터 유명세를 치르고 있는데, 출산을 앞두고 아스트리드 부부는 뱃속의 태아에 문제가 있음을 알게 된다. 아이가 다운증후군이라는 것이고, 더욱이 선천성 심장병을 동반하고 있다는 진단을 받는다. 이들 부부가 어떤 선택을 할 것인가에 대한 영화이다.

---

1) 하루 A Day, 2000, 감독; 한지승, 출연; 이성재(석윤), 고소영(진원)
2) 생후 100분 만에 장기기증… 英 아기천사 사연은? YTN 2015-4-24
3) Perinatal hospice의 홈페이지 http://www.laquerciamillenaria.org/
4) 주세페 노이아, 주효순(역) 말기의 아이 (2014) 나이테미디어
5) 네이버 영화. 하루 a day. 2000 http://movie.naver.com/movie/bi/mi/basic.nhn?code= 31117
6) 남정률. 출판-말기의 아이… 낙태 종용에도 꺼져가는 뱃속 생명과 함께한 부모들 이야기. 평화신문, 2014-06-01
7) 24주 24 Weeks, 2016, 감독; 앤 조라 베라치드 주연; 줄리아 옌체

해로 · 러블리, 스틸

삶의 마지막 순간을 맞이하는 노부부 이야기

偕老, 2011[1] · Lovely, Still, 2008

영화 〈해로〉는 핀란드 소설의 정수로 꼽히는 소설 타우노 일리루시의 『Hand in hand』 원작을 영화화한 작품이다.

이 책은 그가 노년이 되어 쓴 작품으로, 죽음이라는 마지막 이별을 앞에 둔 한 노부부의 감동적인 생애 마지막의 사랑을 다루었다. 『Hand in hand』는 결혼한 부부뿐만 아니라 연인, 나이든 부모가 있는 자식들까지도 공감할 수 있는, 죽음과 사랑에 관한 소재를 지극히 현실적이면서도 섬세하게 그려내 전 유럽 및 미국 등에서 베스트셀러로 등극하며 전 세계 독자들을 울렸다. 국내에서도 『지상에서의 마지막 동행』,[2] 『세상에서 가장 아름다운 이별』[3] 이라는 제목으로 발간되어 많은 사랑을 받은 바 있다.

〈해로〉에서 두 주연 배우의 명품 연기만큼이나 중요한 역할을 한 것은 바로 로케이션 촬영지였던 덕적도와 이작도의 아름다운 풍광이다.

부부의 삶과, 피할 수 없고 필연적으로 한 사람은 살아남아 있

시놉시스[4]

40년을 넘게 함께 살아온 부부, 민호(주현)와 희정(예수정). 하루하루를 습관처럼 무미건조한 일상을 보내던 어느 날, 남편 민호가 심장마비로 쓰러진다. 다행히 위기를 넘겼지만 언제 다시 위험해질지 모르는 상태. 민호는 언젠가 자신이 먼저 떠나게 되면 혼자 남겨질 아내가 걱정이 되어 자신의 상태를 숨긴 채 그녀를 위해 작은 선물들을 하나둘 준비하면서 오랜 세월 잊고 지내왔던 사랑의 설렘을 느끼게 된다. 삶의 마지막 순간에 다시 찾아온 기적 같은 사랑, 하지만 막을 수 없는 이별의 순간은 하루하루 다가온다.

어야 하는 홀로되는 죽음을 잘 표현한 작품이다. 부부가 함께 살다가 어느 한쪽이 먼저 사망하게 되면 남아 있는 배우자들의 수명이 달라진다고 한다. 한국에서 수명의 차이는 남부 해안 도시의 차이가 더 크고 강원도 등 북부 지방은 그 차이가 작다고 알려져 있다. 그런데 이것은 국내뿐만 아니라 미국에서도 이 차이가 있다고 알려졌는데, 소위 홀아비는 빨리 죽고 홀어미는 조금 더 오래 산다는 것이다. 배우자 사별은 가장 큰 스트레스라고 알려졌는데 보통 2개월 정도면 그 스트레스가 감소하기 시작하고 2년이 넘으면 많이 감소한다.

부부가 손잡고 한날에 죽음을 맞이하면 좋지 않을까도 싶지만, 천당에 갈 때 같이 가는지는 알 수 없다. 흔히 할아버지가 할머니보다 먼저 죽어야 할머니가 모든 일을 정리하고 자녀들에게도 좋다고 이야기하곤 하는데 죽음에는 순서가 없다. 노인들이 흔히 하는 말로 구구팔팔이삼사라고 하여 아흔아홉 살까지 건강하게 살다가 하루 이틀 아프고 나서 자녀들이 다 모인 자리에서 죽음을 맞이하는 것이 가장 좋다고 하지만 그냥 이루어졌으면 하는 바람일 뿐이다.

더욱이 두 사람 중 한 사람이 치매에라도 걸리게 되면 나머지 사람이 힘들다. 치매 관련 영화는 대부분이 미화되어서 잘 견디어 내는 것으로 표현되고 있지만 때로 극단적인 선택을 하는 사람들이 있다. 일본에서 오래 전부터 사회 문제가 된 '노노간병(老老看病)'이 우리 나라에서도 문제가 되기 시작하였는데 개호살인(介護殺人)이라는 간병 살인도 사회문제가 되고 있다.[5] 영화 〈볼케

이노〉(Volcano, 2011),[6] 〈아무르〉(Amour, 2012)'[7]에서도 이 문제들을 영화화하였는데 줄거리가 아주 비슷하다.

한편 영화 〈러블리, 스틸〉(Lovely, Still, 2008)[8]은 치매를 앓고 있는 할아버지와 그 곁에서 열심히 간호하는 노부부의 이야기이다. 치매가 와서 몸은 늙은 몸이지만 정신은 젊은 나이의 총각으로 열심히 일을 하는 남편과 이를 지켜보면서 모든 지원을 아끼지 않는 부인의 감동적인 이야기이다.

영화 〈황금연못〉[9]은 치매는 아닐지라도 노인의 기억장애를 잘 표현해 주고 있는 가족 영화이다. 은퇴한 대학교수로 매사에 까칠한 노먼 할아버지(헨리 폰다)와 그런 남편을 세상에서 가장 잘 이해하는 아내 에셀 할머니(캐서린 헵번)는 여름이 되면 황금연못이라 부르는 별장에서 지낸다. 특별히 올해는 노먼이 80번째 생일을 맞는 해로 남편과 사이가 서먹서먹한 외동딸 첼시(제인 폰다)가 남자친구와 같이 방문한다. 그런데 그 젊은 연인은 남자친구 전처의 아들을 맡기고 여행을 떠나면서 벌어지는 가족들의 이야기이다. 평생을 배우의 삶을 산 헨리 폰다의 마지막 작품으로 딸 제인 폰다와 함께 출연하였으며 70내 초반에 80세 노인 연기를 하여 아카데미 남우주연상(헨리 폰다)과 여우주연상(캐서린 헵번)을 받았다.

2010년 말 KBS 2TV 〈다큐멘터리 3일〉에서 방송된 '황혼-노인요양원에서 보낸 3일'에서 우리나라의 치매 환자의 실상을 잘 알려주고 있다. 방송에 따르면 전국 3천여 개의 노인요양원에 요양중인 9만여 명의 노인들 가운데 90%가 치매 증상을 갖고 있다고

설레임에 마음을 엽니다...
첫사랑보다 더 순수한 사랑
러블리, 스틸

시놉시스[10]

노총각계의 전설, 멋진 로버트는 언제나 규칙적인 생활 패턴은 물론이고 한점 흐트러짐도 없다. 어느 날 그에게 당돌한 여자 메리가 나타난다. 당돌하지만 너무나 사랑스러운 메리는 첫 만남부터 다짜고짜 데이트를 신청한다. 거부할 수 없는 메리의 매력에 빠진 로버트는 생애 첫 데이트를 한다. 완벽주의 노총각답게 함께 일하는 동료들에게 첫 데이트의 모든 노하우를 전수받아 완벽한 준비를 끝낸다. 로버트와 신비로운 메리의 사랑스러운 로맨스가 시작되지만, 그녀에게는 로버트가 모르는 비밀이 숨겨져 있다.

한다. 또한 65세 이상 노인의 치매 발생률이 2015년에는 9%로 증가한 것으로 보아 우리 모두는 아름답게 노후를 맞이하기도 힘들 가능성이 높다.[11)]

그런데 흥미로운 점은 이 영화를 연출하고 각본까지 쓴 니컬러스 패클러는 갓 20대를 넘긴 청년이라고 한다. 영화계 경력이 전무한 23세의 젊은 사람이 어떻게 치매 걸린 노인의 정신 상태를 이해하여 시나리오를 쓰고 배우들을 섭외하고 제작비 투자를 받아서 영화제작을 하였는지 기적에 가까운 일이 아닐 수 없다.[12)] 재미있는 사실은 치매 영화의 대표적인 영화인 〈어웨이 프롬 허〉도 20대의 사라 폴리가 각색과 연출을 맡았다.

때로는 보이지 않을지라도 항상 우리 옆에서 돌고 있는 달처럼, 영화 〈황금연못〉에서 완고하고 고집스러운 남편 곁을 지켜주는 뷰티풀 마인드[13)]를 가진 부인처럼, '포기하지 않으면 실패라는 것은 없다.'며 주인공을 돌보는 당돌하고 귀여운 여자 메리를 보면서 훈훈함을 느끼는 것도 좋을 것 같다.

1) 해로 偕老, 2011, 감독 최종태
2) 타우노 일리루시. 지상에서의 마지막 동행. 대원미디어, 1995
3) 타우노 일리루시, 박순철 (역) 세상에서 가장 아름다운 이별. 등대, 2001. 원제 Hand in Hand
4) 네이버 영화, 해로 http://movie.naver.com/movie/bi/mi/basic.nhn?code=88427
5) 유경. 영화, 죽음을 말하다 - 간병 살인, 남의 일이 아닙니다. 오마이뉴스 2013-1-27
6) 볼케이노: 삶의 전환점에 선 남자, Volcano, 2011, 감독; 루나 루나슨
7) 아무르 Amour, 2012, 감독; 미카엘 하네케
8) 러블리, 스틸 Lovely, Still, 2008, 감독; 니콜라스 패클러
9) 황금연못 On Golden Pond, 1981, 감독; 라이델
10) 네이버 영화 – 러블리, 스틸 http://movie.naver.com/movie/bi/mi/basic.nhn?code=72337
11) 치매 노인, '낯선 여인'과 사랑에 빠지다. 오마이뉴스 2011-01-02
12) [이용철의 영화만화경] '러블리, 스틸' 서울신문. 2010-12-14
13) 뷰티풀 마인드 (A Beautiful Mind). 드라마, 미국, 135분, 2001, 감독 : 론 하워

휴먼 스테인

누구나 감추고 싶은 비밀은 있다

The Human Stain, 2003[1)]

인간은 누구나 혼자만의 비밀을 가슴 속 깊이 감추고 살아가는 경우가 많다. 자기 인생에서 정말 숨겨두고 싶은 부분이 한두 가지 있기 때문인데, 비밀을 지키기 위해 필수적으로 동반되는 과정이 '거짓말'이다.[2)]

이 비밀은 선천적이어서 어떻게 해 볼 수 없는 얼룩일 수도 있는데, 이 영화의 제목에 나오는 스테인(Stain)이 그 의미이다. 퓰리처상을 받은 동명의 소설을 원작으로 제작하였는데, 작가 로스는 공개 편지에서 "프린스턴대 동료 교수였던 멜빈 튜민이 실제 겪었던 일을 소설화한 것"이라고 주장하였다.[3)]

주인공은 대학에서 고전문학을 강의하는 유태인 노교수이다. 학장 시절 소위 구조조정 등 학교 개혁을 잘하여 일류 학교로 만든 잘 나가는 실력파 교수이다. 개학한 지 한 달 넘게 한 번도 강의에 들어오지 않는 학생을 '유령(스푸크; Spook)'이라고 하는데, 이 스푸크라는 말은 흑인을 비하하는 뜻도 담긴 말이라고 한다. 하필이면 이 학생이 흑인이었고 콜먼 교수는 인종차별주의자로 낙인찍히며 학교에서 쫓겨나게 된다. 학교 개혁 과정에서 적(敵)이 많이 생긴 것으로 생각되는데 마치 실수하기를 바라고 있었던 것처럼 소위 마녀사냥을 당한다. 이 소식을 들은 부인마저 돌연사하고, 주인공의 학장 재임 중에 흑인으로서는 처음으로 임용시킨 교수마저 도와주지 않는 등 몰락의 나락에 빠지게 된다. 작가로 활동중인 제자를 만나서 본인 이야기를 책으로 써 달라고 하기도 하고, 본인이 직접 글을 써보려 하지만 그마저 어렵기만 하다. 그런데 그 즈음에 젊은 여자를 만나 사랑에 빠지게 된다.

여자는 부유한 가정에서 태어났으나 부모의 이혼으로 계부와 살게 되지만 계부에게 성폭행을 당한다. 베트남 참전용사와 결혼을 하였으나 남편에게 폭력을 당하고, 두 명의 아들마저 화재로 잃어버린다. 그녀는 남편에게 도망쳐 다니기도 하고 자살을 시도하기도 한다. 신분 노출이 되지 않기 위해 대학 청소부 등 아르바이트로 생활하고 있는 그녀는 의지할 곳이 없다. 힘들고 힘든 생활을 하는 두 사람이 만난 것인데 '파렴치한 늙은이'와 '주

제넘은 여자'의 스캔들이라면서 바라보는 동료들의 시선이 더욱 좋지 않다.

영화는 1998년 클린턴 대통령과 르윈스키의 스캔들로 떠들썩하는 장면으로 시작한다. 콜먼 교수의 강의는 '신이여, 아킬레스의 분노를 노래하라'[4]라는 호메로스의 일리아드를 소개한다. 트로이 전쟁에 참가한 아킬레스와 아가멤논 왕이 젊은 여자 때문에 서로 다투다가 아킬레스가 출전을 거부하였다고 설명한다.

영화 〈트로이〉(Troy, 2004)[5]와 〈오딧세이〉(Odyssey, 1997)[6]에서도 비슷한 내용이 나오나 신화의 내용과는 약간 차이가 있다. 트로이 전쟁 자체가 헬레네라는 미인 때문에 일어난 전쟁이다. 스파르타 왕 메넬라오스가 그리스의 영웅들과 내기를 하여 헬레나의 남편이 되었으나, 트로이의 두 번째 왕자 파리스가 헬레네를 유혹하여 트로이로 도망가는데 남편 메넬라오스와 사령관 아가멤논이 그 뒤를 쫓아가면서 벌어진 전쟁이다. 강의 내용을 정리하면 트로이 전쟁 자체가 헬레네라는 여자 때문에 일어났고, 연합군 사이에 분란을 일으킨 것도 여자 때문이라는 것이다.

영화에서 콜먼 교수가 채용한 변호사가 아킬레스가 여자를 포기하였듯이 여자를 포기하라고 한다. 학창시절 콜먼 교수의 강의를 들은 적이 있는 변호사는 콜먼 교수가 인종차별주의자로 낙인이 찍혔는데 젊은 여자와 같이 있으면 더욱 파렴치한으로 몰려 아무것도 되는 것이 없으니, 그에게 이로울 것이 없다고 설득한다. 하지만 콜먼은 변호사를 해임하고, 여자와 더 가까워진다. 본인이 변론을 맡아 법정 투쟁 등을 하지만 아무것도 회복되지 않는다.

영화에서 콜먼 교수가 쫓겨나게 된 인종차별주의 발언은 1990년 초에 있었던 언어 순화운동(Politically correct expression)과 관련이 있다. 다민족 다문화가 공존하는 서구사회에서 특히 존중받는 두 가지 정신 - 바로 프랑스의 똘레랑스(Tolerance) 즉 아량(雅量), 포용(包容)과 그리고 미국의 정치적 올바름(Political Correctness; PC)이 있다.[7] 한편으로는 다민족 다문화가 상호 공존하는 듯이 보이지만 결코 화합하지 못하는 사회일수록 이러한 정신이 강조될 수 있다. Political Correctness는 '편견 없이 말하기'라고 번역될 수 있으며 특정 집단에 대해서 편견을 가지지 말자는 뜻으로, 방정(方正) 운동이라고 할 수 있다. 우리나라에서도 '편견 없는 사회와 우리말'[8] [9]이라 해서 살색, 학부형, 불구자, 맹인(소경), 벙어리(귀머거리)라는 말 대신 살구 색, 학부모, 시각장애인, 언어장애인 등으로 부르기로 하고 있는 운동이다. 흑인이라는 용어도 'Black'

영화의 한 장면

이나 'Negro' 대신 'African american'이라고 해야 하고, 'Indian'도 'Native american'라고 해야 한다고 한다. 최근에 아침에 '아메리카노'를 마신다고 해서 비난을 받은 사람도 있지만,[10] 무심코 말하는 '블랙 커피'라는 한 마디도 어떤 사람에게는 화살이 될 수 있으니 조심히 사용하여야 한다.

영화가 진행하면서 콜먼 교수의 과거 즉 얼룩(Stain)이 밝혀지는데, 흑인 부모 밑에서 태어난 백인이었고 지금껏 유태인으로 위장하여 살아왔다는 것이다. 처음부터 거짓말을 하고 싶은 생각은 없었으나 젊은 권투 선수 시절에 감독이 '유색이라는 것 말하지마! 유태인이라고 생각할 거야'라는 말을 듣고 난 후부터 거짓말이 시작되었는데, 흑인으로 살아가기에는 세상이 너무 힘들기 때문이었다. 가장 사랑하였던 여자와 흑인인 주인공의 어머니와 상견례를 한 다음에 헤어지게 되었는데, 그 후로부터는 부인을 포함하여 누구에게도 본인이 흑인이라는 것을 비밀로 하였다고 한다. 그러나 영화 말미에 흑인 여동생과는 연락을 하고 산다.

아프리카계 부모에게서 태어난 백인 여자아이[11]

그러면 흑인 부모에게서 백인 남성이 태어날 수 있을까가 더욱 궁금한데, 최근 뉴스에 의하면 흑인 부부 사이에서 백인 아이가 태어난 적이 있다고 한다. 옥스퍼드 대학 브라이언 사이크스 유전학 교수는 "아기에게 아프리카계 카리브해인(Afro-Caribbean) 혼혈의 먼 조상이 존재했을 가능성이 높다."면서 멜라닌 색소가 결핍된 알비노(백색증)는 아니지만 유전자 돌연변이 가능성도 있다고 주장하였다. 영화에서 콜먼은 어머니에게 백인 유태인으로 살아가겠다고 이야기하는데, 어머니는 '아이는 낳지 않을 것이냐?.' '아이도 보여주지 않을 것이냐?' '부인이 바람을 피워 낳았다고 할 것이냐?'라며 정체성을 지켜야 한다고 설득한다.

'거짓말로 이루어진 삶'과 '자유를 얻으려다 스스로 감옥에 갇혀 사는 삶' - '인종차별을 받지 않기 위해 백인으로 살아가면서 친가족을 거부하는 삶'을 살았던 콜먼은 비밀을 죽을 때까지 가져가려고 한다. 하지만 딸 같은 나이의 여자를 사랑하게 되고 결국 그녀의 매트릭스에 갇히면서 모든 것을 고백하게 되었으며, 여자는 남자가 연어처럼 회귀를 원할 때처럼 죽음도 불사하고 받아들인다.[12)]

영화 〈페인티드 베일〉(The Painted Veil, 2006)(314쪽 참조)에서처럼 인간은 베일로 가린 오점(Stain)을 감추기 위해 얼마나 눈물을 흘려야 하는지를 한 번 생각해 보게 하는 영화이다. 또한 소통하기 위해서는 나의 모든 것을 벗어야 하며 그렇게 함으로써 진정으로 사랑하게 되고 치유가 일어나는 것이 아닐까 하는 생각이 들게 하는 영화이다.

1) 휴먼 스테인 The Human Stain, 2003, 감독 ; 로버트 벤튼
2) 박태식, 영화는 세상의 암호 2, 늘봄, 2008
3) 내 작품 설명 오류, 내가 고치라는데…" 퓰리처상 작가 로스의 항변. 동아일보, 2012-09-19
4) 영웅 아킬레우스의 선택. 머니투데이 2012-01-21
5) 트로이 Troy, 2004, 액션, 드라마, 전쟁, 모험. 미국. 감독; 볼프강 페터젠
6) 오딧세이 The Odyssey, 1997. 감독; 안드레이 콘찰로프스키
7) 주간한국 [비디오] 휴먼 스테인 - 이 시대의 오점 '인종 · 혼혈 편견' 2006-04-26
8) 편견 없는 사회와 우리말 - 국어의 시작과 끝 http://blog.daum.net/goodballad/11738884
9) 문화관광부 '신문, 방송, 인터넷 언론- 차별적, 비객관적 언어 표현 다수' https://n.news.naver.com/mnews/article/172/0000000121 2007-02-05
10) 코리아타임스 African parents give birth to white baby 2010-07-20
11) African parents give birth to white baby. The Korean Times 2010-07-20
12) 국민일보 '휴먼 스테인' 그들의 욕망이 야수성을 깨운다. 2004-03-02

히든 피겨스

세상의 편견에 맞선 여성들

Hidden Figures, 2016

2020년 2월 "히든 피겨스 주인공, 우주탐사 길 열고, 별이 되어 떠났다."는 뉴스[1) 2)]가 발표되었다. 캐서린 존슨은 2015년 오바마 대통령으로부터 미국 시민이 받을 수 있는 최고상인 '자유의 메달'을 받았고(그림 1), 2017년 NASA는 그의 업적을 기려 NASA 랭글리 연구센터 내에 유인 우주탐사 계획에 필요한 각종 계산 임무를 담당하는 '캐서린 존슨 계산연구소'가 개소되었는데 최초로 흑인 여성의 이름이 들어간 연구소라고 한다.

영화는 천부적인 수학 능력을 가진 흑인 여성 캐서린 존슨과

그림 1. 2015년 오바마 대통령으로부터 '자유의 메달'을 받고 있는 캐서린 존슨[3)]

시놉시스[4]

미국과 러시아의 치열한 우주개발 경쟁으로 보이지 않는 전쟁이 벌어지고 있던 시절, 천부적인 두뇌와 재능을 가진 그녀들이 NASA 최초의 우주궤도 비행 프로젝트에 선발된다. 하지만, 흑인이라는 이유로 800m 떨어진 유색인종 전용 화장실을 사용해야 하고, 여자라는 이유로 중요한 회의에 참석할 수 없으며, 공용 커피포트조차 용납되지 않는 따가운 시선에 지쳐간다. 한편, 우주 궤도 비행 프로젝트는 난항을 겪게 되고, 해결 방법은 오직 하나, 비전을 제시할 수 있는 새로운 수학 공식을 찾아내는 것뿐이다.

NASA 흑인 여성들의 리더이자 프로그래머 도로시 본, 흑인 여성 최초의 NASA 엔지니어를 꿈꾸는 메리 잭슨이 머큐리 프로젝트(1958년부터 1963년까지 진행된 NASA의 미국 최초 유인 우주 비행 탐사 계획)에 기여한 이야기이다. 〈히든 피겨스〉는 알려지지 않았던 공신들의 이야기이다.

1957년 구 소련의 인공위성 스푸트니크호 발사가 성공하고, 떠돌이 개를 태운 우주선 발사가 연이어 성공하자 미국은 걱정이 많아진다. 아이젠하워 대통령은 1958년 우주개발을 총괄할 기구를 만드는데 이것이 미항공우주국 NASA이다. 최초 유인 우주선 발사는 소련보다 앞서고 싶어 머큐리라는 유인 우주비행 프로젝트를 시행하지만, 1961년 소련의 유리 가가린이 첫 우주 비행에 성공한다. 미국은 2개월 후에 준궤도비행에 성공하고 1962년 존 글렌이 탄 우주선이 궤도비행에 성공하게 된다. 존 글렌은 나중에 상원의원이 되고, 1988년에는 우주왕복선 디스커버리호를 탑승하여 최고령 우주비행사가 된다.[5)] 영화에서는 우주개발 시기 나사의 고민과 투쟁 등이 잘 나타나 있는데 이 고난들을 해결하는 사람이 흑인 여성들이고 이들이 히든 피겨스다.

피겨스(Figures)의 의미는 수치나 그림이라는 의미로 많이 쓰이지만, 산수나 계산이라는 의미도 있고 인물이라는 의미도 있다. 이 영화 제목에서는 (감추어진) 사람들이라는 의미로 사용되고 있지만, 계산을 잘하는 사람이라는 의미도 있다.

캐서린 존슨은 6학년 나이로 웨스트버지니아 대학에 입학하는 등 천부적인 수학 능력을 가진 덕에 프로젝트에 선발됐다. 하지만 흑인이라는 이유로 건물에서 800미터 떨어진 다른 건물에 있는, 유색인종 전용 화장실을 사용해야 했다. 영화에서 비 오는 날 주인공이 비를 피해 달리는 모습을 보여준다. 또 여성이라는 이유로 중요한 회의에 참석할 수 없었으며, 제공된 자료도 중요 부분은 먹칠하여 가린 상태로 제공되었다. 그러나 그녀는 이런 처사와 차별, 그리고 따가운 시선을 이겨냈다. 1961년 미국 최초의 우주비행사인 앨런 셰퍼드를 태운 '머큐리-레드스톤 3호'의 로켓 궤적을 계산하였으며, 머큐리 프로젝트뿐만 아니라 인류의 위대한 도약으로 평가받는 달 착륙 프로그램인 '아폴로 계획'에도 참여해 로켓과 달 착륙선의 궤도를 수학적으로 분석해 냈다. 미국인 최초로 지구 궤도를 돈 우주비행사 존 글렌 전 상원의원은 당시 우주선 궤도를 계산했던 IBM이 계산 착오가 발생하자 컴퓨터를 신뢰하지 못하고 "존슨에게 숫자를 확인하게 하라"고 이야기한다. 이 영화의 최고 명장면이다.[6)]

한편 IQ 210으로 세상을 놀라게 하였던 김웅용 씨는 5세에 4개 국어를 구사했고 6세 때 일본 후지TV에 출연해 고등 미·적분을 술술 풀어냈다. 이후 그는 NASA에서 하루 종일 계산을 주로 하였다고 한다. 당시에는 컴퓨터 이용의 초기 단계여서 그가 하는 일은 결국 컴퓨터가 하는 일을 대신한 것이다. NASA에서는 '계산과 예측'에서 천재성을 발휘하는 그의 재능이 필요했던 것이다.[7)]

영화에서는 IBM 도입 시절의 이야기도 함께 나온다. 그때까지는 흑인 여성 계산원들이 수많은 수치를 계산하였는데, 복잡한 계산을 분할하여 여러 명이 같이 처리하였다. 당연히 전자계산기

그림 2. 여성 인간 컴퓨터. 책상 앞에 타자기처럼 놓인 것이 수동식 계산기이다[8)]

가 없었기 때문에 기계식 계산기와 계산자, 주판, 산가지 등을 이용해 계산했다(그림 2). 당시 타자수와 함께 대표적인 여성 직업이었지만 비정규직이고 임금도 낮았다고 한다. 그런데 2차 세계대전으로 남성들이 징집되면서 여성의 참여가 조금 늘었다고 한다. 영화에서는 IBM 컴퓨터의 도입으로 인간 계산원이 필요 없어지자 계산원들이 독학으로 프로그래밍을 배워 새로운 시대에 적응하는 모습도 꽤 비중 있게 다룬다.

이 영화는 흑인들은 버스를 탈 때 뒤편 흑인 좌석에 앉아야 하고 도서관도 백인용과 흑인용이 따로 있던 시절에, 인종차별과 성차별이라는 거대한 장벽을 맨손으로 부숴버린 흑인 여성, 도로시 본, 메리 잭슨, 캐서린 존슨의 이야기이다. 영화 중반부에 화장실 때문에 흑인들이 고생하는 것을 안 NASA 본부장이 흑인 화장실 표식을 없애버린다(352쪽 그림 3). "흑인 화장실은 이제 없어, 백인 화장실도 마찬가지야."라고 선포한다. NASA에서 화장실은 흑인

그림 3. 흑인 화장실 표식(Colored ladies room)을 없애버리는 NASA 본부장 – 영화 한 장면

이나 백인 모두 자유롭게 사용할 수 있다는 것이다. 모두가 백인 남성인 NASA 직원이었지만 흑인 여성을 인정해 주고 중대한 일에 참여시키는 본부장이 있었기에 이러한 성과가 가능하였다. 이런 일을 하는데 비밀 운용 규정 등을 찾아 해결하려고 하였다면 아무 일도 하지 못하였을 것이다.

> 천재들 옥석 가리기야 – 우리 모두를 끌어올려 줄 천재,
> 정상에 함께 가거나, 전혀 구경도 못 하거나.
> — 영화 중 대사

2019년 NASA 본부에 '히든 피겨스' 거리가 생겼으며,[9] 2021년 캐서린 존슨 계산연구소에 이어 두 번째로 워싱턴 본부를 '메리 W. 잭슨 본부'로 개명하였다고 한다. 메리 잭슨은 NASA 최초의 아프리카계 미국인 여성 엔지니어이고 이 영화의 주인공 중의 한

사람이다.[10] 미국 의회는 2019년 제정한 '히든 피겨스법'에 따라 의회 최고 훈장인 '골드 메달'을 캐서린 존슨에게 수여했다. '히든 피겨스법'을 대표 발의했던 카말라 해리(민주당 · 캘리포니아) 상원의원은 트위터에서 "장벽을 부수며 모든 유색인종 여성에게 영감을 줬던 존슨의 전설적인 업적은 영원히 우리 역사에 기록될 것"이라고 했다.[11]

세상에는 이 세상을 잘 움직여가게 하는 숨은 영웅들이 많다. 기억되고 있는 사람도 있지만 기억하지 못하는 사람들이 더 많다. 특히 여성이나 흑인, 장애인들에 대한 기억은 쉽게 사라지고 만다. 종교적으로도 익명의 그리스도인(Anonymous Christian)처럼 세상이 알아주지 않더라도 자기가 맡은 일을 묵묵히 하면서 살아가고 있는 사람들이 많다. 이런 사람들 때문에 이 험한 세상이 그런 대로 유지되고 있다. 우리나라에도 이런 사람들이 많아졌으면 좋겠다.

1) 달착륙 계산한 '히든 피겨스' 주인공…"우주탐사 길 열고, 별이 되어 떠났다" 흑인 女수학자 캐서린 존슨 별세. 매일경제 2020-02-25
2) '인간 컴퓨터'… '히든 피겨스' 실제 주인공 캐서린 존슨 별세. 중앙일보, 2020-02-25
3) 美 우주개발 이끈 '히든 피겨스' 캐서린 존슨 별세. 한국일보, 2020-02-25
4) 네이버 영화 - 히든 피겨스 https://movie.naver.com/movie/bi/mi/basic.naver?code=147092
5) 가장 많은 색종이 퍼레이드를 받은 우주인-존 글렌. 푸른하늘 2009-07-17
6) 나사(NASA) 들어가 '슈퍼 컴퓨터 이긴 천재 수학자 101세로 별세. 인사이트, 2020-02-25
7) 천재소년 김웅용 그 이후. 경향신문, 2005-11-21
8) 나무위키 – 인간 컴퓨터 https://namu.wiki/w/인간 컴퓨터
9) "차별에 대해 어떻게 투쟁했나"… NASA 본부에 '히든 피겨스' 거리 생겼다. 동아사이언스 2019-06-13
10) NASA 본부 흑인여성 엔지니어 '메리 잭슨 본부'로 개명… 영화 '히든 피겨스' 두 번째 주인공. 동아사이언스 2021-02-02
11) 달착륙 계산 '히든 피겨스' 실제주인공 캐서린 존슨 101세로 별세. 연합뉴스 2020-02-25

The End

냉철한 머리보다
따뜻한 가슴으로

글쓴이 장경식

1판 1쇄 인쇄 2022. 8. 10.
1판 1쇄 발행 2022. 8. 15.

펴낸곳 예지 | **펴낸이** 김종욱
표지 · 편집 디자인 예온

등록번호 제 1-2893호 | **등록일자** 2001. 7. 23.
주소 경기도 고양시 일산동구 호수로 662
전화 031-900-8061(마케팅), 8060(편집) | **팩스** 031-900-8062

Published by Wisdom Publishing, Co.
Printed in Korea

ISBN 979-11-87895-36-7 03680

예지의 책은 오늘보다 나은 내일을 위한 선택입니다.